BEN ELTON

Popcorn

Buch

Bruce Delamitri ist Regisseur. Seine Werke sind erfolgreich, allerdings nicht unumstritten, da sie schon manchen zartbesaiteten Zuschauer aus dem Kino getrieben haben. Trotzdem wird Delamitri für seinen jüngsten Film sogar mit dem Oscar geehrt. Die Nacht seines Triumphes wird jedoch zum Alptraum, als ein junges Pärchen in das Haus des Regisseurs eindringt und ihm live vor Augen führt, wie schnell aus Leinwandphantasien blutige Realität werden kann …

Autor

Ben Elton, geboren in London, studierte an der Universität von Manchester. Seine Romane *Letzter Countdown* und *Abgefahren* waren internationale Bestseller. *Popcorn* stand wochenlang auf Platz 1 der britischen Bestsellerlisten und wurde von der Presse enthusiastisch gefeiert. Mittlerweile wurde der Roman auch als Theaterstück inszeniert, eine Verfilmung durch Grisham-Regisseur Joel Schumacher ist in Vorbereitung.

Ben Elton

Popcorn

Roman

Aus dem Englischen
von Jörn Ingwersen

GOLDMANN

Die Originalausgabe erschien unter dem Titel
»Popcorn«
bei Simon & Schuster Ltd., London

Umwelthinweis:
Alle bedruckten Materialien dieses Taschenbuches
sind chlorfrei und umweltschonend.

Taschenbuchausgabe 1/99

Umschlaggestaltung: Design Team München
Umschlagfoto: Zefa / Schlotmann
Druck: Elsnerdruck, Berlin
Verlagsnummer: 44264
AB · Herstellung: Sebastian Strohmaier
Made in Germany
ISBN 3-442-44264-8

1 3 5 7 9 10 8 6 4 2

- 1 -

Am Morgen danach saß Bruce Delamitri in einer Verhörzelle der Polizei.

»Name?« sagte der Beamte.

Eigentlich war es keine Frage. Selbstverständlich kannte der Mann seinen Namen, aber es gab Vorschriften, und die hatte er zu befolgen.

Am Morgen davor hatte Bruce noch in einem Fernsehstudio gesessen. Ihm gegenüber, auf der anderen Seite des geschwungenen Tisches, befanden sich zwei Ken-und-Barbie-mäßige Moderatoren undefinierbaren Alters.

»Sein Name« – Pause – »ist Bruce Delamitri«, sagte Ken in dem ernsthaften, markigen Tonfall, den er sich für wirklich bedeutsame Gäste aufsparte.

»Beruf?« fragte der Polizist am Morgen danach, als wüßte er nicht Bescheid.

»Er ist der wohl meistgefeierte Künstler, der heute im Filmgeschäft tätig ist. Ein großartiger Autor, ein großartiger Regisseur. Hollywoods Goldjunge.«

»Nach allem, was ich gehört habe, macht er auch eine großartige Nudelsauce«, warf Barbie ein, um etwas von der menschlichen Seite einfließen zu lassen.

Es war der Morgen davor und der letzte Tag, an dem Bruce hören sollte, daß jemand ihn mit diesen Worten beschrieb.

»Familienstand?« erkundigte sich der Polizist.

»Doch eine herausragende Karriere fordert ihren Tribut, und erst kürzlich sah sich Hollywood mit der traurigen Nachricht konfrontiert, daß es um Bruces Ehe mit Schauspielerin, Model und Rocksängerin Farrah Delamitri nicht zum besten bestellt ist. Auch darüber wollen wir uns unterhalten.«

Das rote Licht auf der vor Bruce stehenden Kamera ging an. Er setzte eine angemessen zynische »Kann passieren«-Miene auf. Die folgenden vierundzwanzig Stunden sollten ihm zeigen, *was* alles passieren konnte.

Bruce versuchte, dem Polizisten in die Augen zu sehen. Familienstand? Was für eine Frage! Die ganze Welt kannte seinen Familienstand.

»Meine Frau ist tot.«

»Erzählen Sie mir von gestern nacht.«

»Heute ist die Nacht der Nächte«, strahlte Ken. »Die Nacht der Oscar-Verleihung. Keine Nacht ist größer als diese. Sie ist die Nummer eins. Die nächtlichste Nacht von allen. Die Nacht, die, allen Voraussagen zufolge, die größte in Bruce Delamitris Leben zu werden verspricht.«

»Gestern nacht?« sagte Bruce, der den Versuch, Kontakt zu dem Polizisten aufzunehmen, aufgegeben hatte und inzwischen mehr zu sich selbst sprach. »Gestern nacht war schlimmer als alles, was ich mir jemals hätte träumen lassen.«

»Sie sehen *Coffee Time USA*. Nach der Werbung kommen wir wieder«, sagte der Moderator, dessen Name nicht Ken, sondern Oliver Martin war. Das Studiolicht wurde gedimmt, und das *Coffee-Time*-Logo erschien, während Oliver und seine Kollegin Dale ihre Zettel mit großer Geste ordneten. Natürlich stand auf diesen Zetteln nichts, aber das Märchen, daß Fernsehmoderatoren gewissenhafte Journalisten sind – im Gegensatz zu Leuten, die alles von ihrem Teleprompter ablesen –, wird in Nachrichtensendungen mit Nachdruck gepflegt.

Bruce warf einen Blick auf den Monitor vor seiner Nase, während Oliver und Dale sich erhoben und vier Bikini-Babes Platz machten, die Soft Drinks in Händen hielten und verzückt aus einem alten VW-Käfer stolperten.

A girl, a beach, it's happening, it's real.
It's a boost, it's a buzz, it's the way you should feel!

Der Regisseur drehte den Ton ab, und die Bikini-Babes nuckelten mit tonlosem Vernügen an ihren Flaschen herum.

»Anderthalb Minuten bis zur Sendung«, sagte der Aufnahmeleiter.

Das war das Zeichen für die Make-up-Mädchen, die herbeieilten, um alle verfügbaren Gesichter sanft anzutupfen. Oliver wandte sich Bruce zu, sprach zwischen hektisch geschwungenen Pudertupfern.

»Ich denke, wir sollten uns hier auf den Umstand konzentrieren, daß unsere Industrie keine Traumfabrik mehr ist. Wir haben es mit bitterer Realität zu tun. Wir zeigen die Welt, wie sie ist.«

Die Make-up-Frau trug eine weitere Schicht auf Olivers dick verkrustetes Gesicht auf. Bittere Realität war, daß jeder, der einen derart dunklen und schimmernden Teint besaß, längst an Hautkrebs gestorben wäre. Doch Oliver gehörte noch zur alten Schule der Fernsehmoderation: Er glaubte, daß thermonukleare Sonnenbräune dem Zuschauer mehr Respekt abnötigte, als wenn er nur ein schickes Hemd und eine Krawatte trug. Man mußte schließlich zeigen, daß man es geschafft hatte.

»Eine Minute bis zur Sendung«, sagte der Aufnahmeleiter.

Über den riesigen, pastellfarbenen Tisch hinweg drang Dales

Stimme aus einer Wolke von Haarspray hervor. »Ich denke, das große Thema, Bruce, muß doch diese Sache mit den Copycat-Morden sein, oder? Ich meine, das ist doch ein Thema, das Amerika Sorgen bereitet. Mir als amerikanischer Frau zumindest bereitet es Sorgen. Geht es Ihnen auch so, Bruce? Als amerikanischer Mann?«

»Die amerikanische Bevölkerung ist nicht mehr so jung, wie sie einmal war, und bald schon wird sich die Mehrheit der Amerikaner mit dem Thema der Inkontinenz auseinandersetzen müssen.«

Das war nicht Bruce; der Regisseur hatte vorsorglich den Ton heraufgefahren, um auf Sendung zu gehen. Es war nach neun, und die Fernsehwerbung verlagerte ihren Zielgruppenschwerpunkt von Arbeitern und Schulkindern zum »Kaffeeklatsch«-Publikum, womit junge Mütter und alte Leute gemeint waren. Brausennuckelnde Früchtchen mußten Schnullern, Stilleinlagen, Haftcremes und Windeln sowohl für Kleinkinder als auch für Erwachsene weichen.

»Nein, ich mach mir keine Sorgen um Copycat-Morde«, sagte Bruce und hatte einige Schwierigkeiten mit dem Sprechen, weil eine junge Frau eine nach Menthol schmeckende Paste auf seinen Lippen verrieb. »Ich glaube nicht, daß die Leute im Kino oder vom Fernseher aufstehen und das tun, was sie eben gesehen haben. Sonst würden sich die Leute, die diese Sendung sehen, allesamt das Haar betonieren und ihr Hirn mitsamt der Zellulitis absaugen lassen.«

Es war wohl nicht gerade eine Bemerkung, die ihn bei seinen Medienkollegen beliebt machte, aber so war Bruce eben. Hart, sarkastisch und ein kleiner Streithammel. Wenn man morgens um neun mit Lederjacke und Sonnenbrille im Fernsehen auftrat, gehörte es schon fast zum Pflichtprogramm, sich aggressiv zu geben. Außerdem war Bruce davon ausgegangen, daß Dale seine Antwort ohnehin nicht hören würde. Er sah ihr an, daß sie zu der Sorte von Moderatorinnen gehörte, die Antworten ihrer

Gäste als Pause nutzte, in der sie sich ihre nächste Frage überlegen konnte.

»Gut, gut, darauf sollten Sie hinweisen, wenn wir auf Sendung sind«, sagte Dale abwesend und prüfte ihren Eyeliner.

»Fünfzehn Sekunden bis zur Sendung«, sagte der Aufnahmeleiter. Vier, drei , zwo, eins ...«

Olivers Miene erstrahlte. »Wir sprechen mit Bruce Delamitri, dem Favoriten für den Oscar des ›Besten Regisseurs‹ heute abend. Doch inmitten allen Ruhms und aller Herrlichkeit lauert eine sehr reale Kontroverse.«

Dann hatte Dale das Wort. »Bruce Delamitris Filme sind harte, gewalttätige, geistreiche, freche Thriller, in denen das Leben klein und mies und der Leichenberg erschreckend groß ist. Erinnert Sie das an irgendwas?«

»Sag du es mir«, sagte Ollie und trug seine ernste und nachdenkliche Miene zur Schau.

»Wie wär's mit Amerikas Straßen?« sagte Dale ebenso gewichtig. »Die Straßen Amerikas, hart, gewalttätig und gefährlich, wo Kinder zu schnell groß werden und das Sterben eine Art zu leben ist.«

»Du willst sagen, daß Bruce Delamitris Filme das Leben auf den Straßen Amerikas widerspiegeln?«

»Manche sagen spiegeln, andere sagen steuern. Amerika, die Entscheidung liegt bei dir. Gleich nach der Werbung sind wir wieder da.«

Ein weiteres Mal wurde das Studiolicht gedimmt. Oliver und Dale saßen im Dunkeln und raschelten mit ihren Zetteln.

»Haben Sie empfindliche Zähne? Sagen Sie bei Eiskrem *autsch«*, wenn Sie eigentlich *mmmmhhh* sagen sollten?«

- 2 -

Am Morgen, nachdem es passiert war, sah eine junge Frau – fast noch ein Kind – über einen kahlen Resopaltisch hinweg einer Polizistin in die Augen. Man verhörte das Mädchen gleich neben dem Zimmer, in dem Bruce saß. Im Gegensatz zu Bruce jedoch hielt man diese Frau für äußerst gefährlich, und deshalb war sie angekettet – die dürren Handgelenke an ihren fast ebenso dürren Fußgelenken. Tatsächlich war sie derart zierlich gebaut, daß es schien, als könne sie die Handschellen abstreifen, wenn sie nur wollte, und sich dann mit dem nächsten Windhauch verflüchtigen. Es war ihr egal, ob man sie fesselte oder nicht. Sie wußte sowieso nicht, wohin sie sollte.

»Name?« sagte die Polizistin.

Am Abend zuvor hatte man eben jenem mageren Wesen im Diner eines Motels abseits vom Pacific Highway, etwa hundert Meilen nördlich von Los Angeles, genau dieselbe Frage gestellt.

»Die Leute haben schon alles mögliche zu mir gesagt«, hatte sie erwidert.

Der Koch, mit dem sie sich unterhielt, zwinkerte ihr wissend zu. »Ich wette, unter anderem *hübsch.*«

Der Koch hatte recht. Sie war wirklich hübsch, mit ihren großen Augen und dem schmalen Gesicht. Falls Disney jemals *Bambi* auf die Bühne bringen wollte, würde man nach einem solchen Mädchen suchen.

Kichernd nahm die junge Frau das Kompliment des Kochs entgegen. »Flirten Sie etwa mit mir?« fragte sie und spielte wie ein schüchterner Backfisch mit ihrer Handtasche.

»Ist doch nichts dabei, wenn man sich mit einem hübschen Mädchen unterhält, oder?« sagte der Koch.

»Wohl nicht. Außer daß Sie froh sein können, daß mein Freund Sie nicht hört. Besonders kalfornische Männer, die er für einen Haufen schwuler Säcke hält.« Die junge Frau sammelte ihr Kleingeld ein, das noch auf dem Tresen lag.

»Sein Name ist« – Pause – »Bruce Delamitri.«

Es war Oliver Martins Stimme. In der Ecke des Raumes hing ein Fernseher, und die Kellnerin hatte ihn lauter gedreht. Sie mochte *Coffee Time USA*.

»Er ist wahrscheinlich der meistgefeierte Künstler, der heute im Filmgeschäft tätig ist. Ein großartiger Autor, ein großartiger Regisseur. Hollywoods Goldkind.«

»Nach allem, was ich gehört habe, macht er auch eine großartige Nudelsauce.«

Oliver und Dale versprühten ihren moralischen Zauber. Ihr Gast, Bruce Delamitri, grinste zynisch von der Mattscheibe herab. Das Mädchen am Tresen drehte sich nach ihm um. Einen Moment lang starrte ihr Bruce in die Augen. Viel später sollte sich das Mädchen fragen, ob sie in diesem Moment etwas gespürt hatte.

Der Koch interessierte sich nicht für *Coffee Time USA*. »Du meinst, dein blöder Freund hält mich für schwul?«

»Das meint er nicht so«, sagte das dürre Mädchen ausweichend, während sie ihre Cokes und Burger und Pommes einsammelte und sich zur Tür aufmachte. »Er ist einfach so knallhart, daß für ihn wohl so ziemlich alle schwul aussehn.«

»Komm bald wieder, Kleine. Dann zeig ich dir, wer hier schwul ist«, sagte der Koch. »Und bring deinen Freund mit.«

»Der legt Sie um«, rief das Mädchen beiläufig über ihre Schulter hinweg, als die Tür hinter ihr ins Schloß fiel.

»Heute nacht ist Oscarnacht«, verkündete der Fernseher.

»Dann erzählen Sie uns mal von gestern nacht«, sagte die Polizistin am nächsten Morgen.

»Na, ich schätze, er ist irgendwie auf die Idee gekommen, als wir gefrühstückt haben und Bruce Delamitri bei Oliver und Dale in *Coffee Time* war. Wir waren in einem Motel; ich mag Motels.

Die sind so nett und sauber, und man kriegt Seife und so was. Wenn ich könnte, würde ich immer da wohnen, in Motels.«

Das Mädchen lief über den Parkplatz vom Diner zu den Apartments hinüber. Ein schwerer Sommerregen war niedergegangen, und sie lief barfuß. Sie suchte die Pfützen. Warmes Wasser auf warmem Asphalt gab ihr ein gutes Gefühl. Sie hatte sehr empfindsame Füße; manchmal, wenn man sie auf die richtige Weise anfaßte, ging ihr ein Schauer durch den ganzen Körper. Dauernd wollte sie ihren großen, starken Freund dazu bringen, ihr die Füße zu massieren. Ebensogut hätte sie ihn bitten können, ihr eine Klopapierhülle zu häkeln.

»Ich steh nicht auf New Age und diesen ganzen schwulen Hippiescheiß«, sagte er dann, »weil er meiner Meinung nach die Seele dieser großartigen Nation zersetzt und uns allesamt zu Waschweibern macht. Und jetzt hol mir ein Bier.«

Es gab bestimmte Themen, bei denen er absolut unnachgiebig war, was aber keineswegs bedeutete, daß er nicht sanft und zärtlich sein konnte, wenn er wollte, und wenn er es war, wie sehr liebte sie ihn dann.

Sie kam mit dem Essen in ihr kleines Apartment. Er lag auf dem Bett, genauso wie sie ihn zurückgelassen hatte, eine Waffe auf der Brust, eine andere an der Hüfte.

»Hier ist das Essen, Süßer. Da es ja Frühstück sein soll, hab ich dir einen Bacon Burger mitgebracht. Ich hab ihm gesagt, er soll aufpassen, daß der Speck gut durch ist. Ich weiß, daß du kein rohes Schweinefleisch magst.«

»Ruhig mal eben, Zuckerschnecke. Ich seh mir gerade was im Fernsehen an.«

Auf dem Bildschirm arbeitete Bruce Delamitri eben an seinem herablassendsten Lächeln. »Copycat-Morde? Ich *bitte* Sie!« sagte er. »Ich meine, also *wirklich*. Die ganze Sache ist doch die reine Medienmache, die Story *du jour*. Vier Sender auf der Suche nach einer Kontroverse.«

Bruce konnte manchmal sein eigener und schlimmster Feind sein. Man verhöhnt die Moderatoren von *Coffee Time* nicht. Nicht, wenn man die Herzen und Seelen des Mittleren Westens für sich gewinnen will, was der Grund für Bruces Auftritt war. Viele Zuschauer von *Coffee Time* sahen in Oliver und Dale ihre engsten und treuesten Freunde und waren auf oberschlaue, spöttische Filmschulabsolventen, die taten, als wären diese Freunde dumm, nicht eben gut zu sprechen.

Oliver spürte an der Atmosphäre, daß dieses Interview umkippte. Er wußte, daß »Atmosphären« jedweder Art im Vormittagsprogramm nicht gut waren, und er suchte stets eine gemeinsame Ebene mit seinen Gästen.

»Kommen Sie, Bruce, das müssen Sie doch zugeben«, flehte er. »Wir haben hier eine sehr ernste Situation. Da draußen gibt es zwei astreine Irre, die mit gezückter Waffe Einkaufszentren stürmen und alles niedermähen, was ihnen über den Weg läuft, stimmt's? Und in Ihrem für den Oscar nominierten Film *Ordinary Americans* gibt es ein sehr ähnliches Pärchen, das genau das gleiche tut. Die beiden echten Irren haben ihre Blutspur durch drei Staaten gezogen und einen Haufen unschuldiger Leute massakriert...«

»Und jedesmal, wenn in den Medien über diese Verbrechen berichtet wird«, unterbrach Bruce, »illustriert man die Geschichte mit einer Aufnahme aus dem Film. Wer stellt also die Assoziation her? Die Irren selbst? Oder sind es die amerikanischen Nachrichtenredakteure, die verzweifelt einen originellen Blickwinkel auf die nächste langweilige Meldung über Mord und Totschlag werfen wollen? Copycat-Morde, meine Fresse! Menschen sind keine Pawlowschen Hunde. Man kann nicht einfach eine Glocke läuten und sie zum Sabbern bringen. Sie tun einfach das, was sie sehen. Wenn es so einfach wäre, Menschen zu manipulieren, wäre kein Produkt jemals ein Flop und keine Regierung je gescheitert.«

Im Apartment des Motels wurde es dem dürren Mädchen langsam langweilig, sich Bruce auf der Mattscheibe anzusehen.

»Baby?« sagte sie.

»Klappe, Süße. Ich muß gerade was überlegen.«

Es klopfte an der Tür.

Mit einem Satz war der Mann vom Bett aufgesprungen, raste durchs Zimmer und drückte sich an die Wand neben der Tür, nackt – bis auf seine Tätowierungen und die beiden Waffen, die er in Händen hielt. Er legte einen Finger an die Lippen, bedeutete dem Mädchen, nicht zu reagieren.

Sie warteten. Im Fernseher dozierte Bruce weiter: »Unsere Industrie ist in Gefahr. Sie steht unter Beschuß. Wir sind die Sündenböcke, die Prügelknaben. Jedesmal, wenn irgendwer rumballert, wem gibt man die Schuld? Immer kriegt Hollywood die Schuld. Immer kriege *ich* die Schuld. Die mögen meine Filme nicht und sagen, sie wären böse. Klar, sie haben das Recht auf ihre freie Meinung. Nur haben sie kein Recht, ihre feigen und reaktionären Meinungen allen anderen aufzuzwingen. Zensur bleibt Zensur, und die ist Scheiße!«

»Provozierend? Anregend?« Aus dem Fernseher sprach Oliver in das Zimmer hinein, in dem die beiden Flüchtigen warteten. »Darauf können Sie Ihre Großmutter verwetten. Sie sehen *Coffee Time USA*. Gleich nach der Werbung sind wir wieder da.«

»Jetzt können Sie essen, was Sie wollen, und trotzdem schlank bleiben.«

Wieder klopfte es an der Tür zum Motelzimmer. Keine Antwort.

Dann hörte man Schlüssel klappern. Das Mädchen lag noch auf dem Bett, doch jetzt hielt es selbst eine Waffe in der Hand, die es unter dem Kopfkissen hervorgezogen hatte.

»Wer ist da?« rief das Mädchen.

»Bitte, ich würde jetzt gern Ihr Zimer machen!« sagte eine zarte, lateinamerikanische Stimme.

»Nein, ist schon okay. Brauchen Sie nicht.«

»Okay«, sagte das Zimmermädchen. »Ich bringe Ihnen nur zwei frische Handtücher.«

»Wir wollen keine Handtücher.«

»Okay.« Es folgte eine Pause. »Möchten Sie Seife?«

»Nein.«

»Okay.« Wieder eine Pause. »Wie wär's mit Pulverkaffee und Milch? Oder vielleicht haben Sie noch genug?«

»Wir haben reichlich. Wir brauchen nichts.«

»Okay, dann ist ja gut. Vielen Dank.«

Der Mann, der jeden Muskeln angespannt hatte, entspannte sich ein wenig.

Doch dann meldete sich die zarte Stimme erneut. »Dann seh ich nur mal nach der Minibar, bitte.«

Plötzlich flog die Apartmenttür auf, und das Zimmermädchen sah sich einem wütenden, splitternackten Mann gegenüber. Sie hätte kaum erstaunter sein können, wenn sie gewußt hätte, daß er im Schutz des Türrahmens zwei automatische Waffen in Händen hielt.

»Nix hier dauernd stören, comprende? Wir hier auf Los Flitterwochos. Wir machen amore wie fuckin' Speedy Gonzalez. Okay?«

Er knallte die Tür zu und ging wieder ins Bett. Seine Freundin war nicht begeistert. »Es gab keinen Grund...«

»Ich versuch, mir hier was im Fernsehen anzusehen!«

Sie wußte, daß sie ihm nicht weiter widersprechen durfte, und sackte schmollend auf dem Bett in sich zusammen.

Noch immer hielt Bruce im Fernsehen Vorträge. »Man kann einen Film nicht verbieten, nur weil er einem nicht gefällt. Heute verbietet man Sex und Gewalt, und was kommt morgen? Homosexualität? Schwarze? Juden?«

Betreten rutschten Oliver und Dale auf ihren Stühlen herum. Worte wie »Schwarze« und »Juden« waren nicht die richtigen Worte für *Coffee Time USA*.

»Ich habe in den vergangenen Wochen viel über die Mall-Killer gehört«, fuhr Bruce fort. »Reden wir also über sie. Ich habe einen Film über zwei Geisteskranke gedreht, und siehe da: Hier haben wir zwei echte Geisteskranke. Hey, und was soll ich euch sagen? Irgendwer zählt zwei und zwei zusammen, und schon bin ich schuld! Ich trage die Verantwortung. Oh, *ja!* Gab es denn keine Irren, bevor ich den Film gemacht habe? Gab es die Kopfkranken und Psychopathen nicht schon, bevor der Film überhaupt *erfunden* war? Sind Blaubart und Jack the Ripper in eine Zeitmaschine gestiegen, um sich meinen Film anzusehen? Haben sie gedacht: ›Hey, tolle Idee! Wenn ich wieder in meine Zeit zurückkomme, fange ich an, Leute umzubringen?‹«

»Aber Sie können doch nicht bestreiten...«, setzte Dale mit einem mutigen Versuch an, seinen Redefluß zu stoppen. Es war sinnlos. Dieses Thema lag Bruce am Herzen.

»Wir sind die Sündenböcke! Die Nation steht vor einer verheerenden Krise von Recht und Ordnung, und irgend jemand soll die Schuld dafür bekommen. Die Politiker wollen die Prügel dafür nicht einstecken, und wer kriegt sie also? Wir, die Entertainer, die Künstler. Ich will Ihnen mal was sagen: Künstler erschaffen die Gesellschaft nicht, sie reflektieren sie. Und wenn Ihnen das nicht paßt, ändern Sie nicht uns, ändern Sie die Gesellschaft.«

Oliver warf die nächste Werbepause ein, und im Motelzimmer holte sich der nackte Mann das nächste Budweiser.

»Na, wo er recht hat, hat er recht«, sagte er, nachdem er den Deckel der Flasche mit dem Kolben seiner Smith & Wesson abgeschlagen hatte.

»Ich finde, er redet wie ein Wichser«, gab seine Freundin mürrisch zurück.

»Hey, alle sind Wichser, Baby, so oder so. Das kann man niemandem vorwerfen. Eins ist mal sicher. Bruce Delamitri macht die scheißbesten Filme der Welt, und wenn die ihm diesen Oscar nicht geben, bin ich ganz sicher reichlich angepißt.«

Wieder klopfte es an der Tür.

»Bitte«, sagte das Dienstmädchen. »Ich muß nach der Minibar sehen. Tut mir leid.«

Der Mann stand vom Bett auf. »Ich kümmer mich drum, Süße.«

»Erzählen Sie mir von ihm«, sagte die Polizistin.

»Ich hab immer nur dagesessen und ihn angesehen«, sagte das junge Mädchen, »und gedacht, daß er der coolste, hübscheste Mann war, der je gelebt habt. Besser als alle. Man könnte Elvis und Clint Eastwood und James Dean nehmen... und ich weiß nicht wen... all die anderen coolen Typen, und sie in einen Mixer tun, und man hätte noch immer keinen, der nur halb so cool ist wie er.«

In der anderen Vernehmungszelle antwortete Bruce gerade auf eine ähnliche Frage. »Sie müssen wissen, daß er ein psychotisches Monster war«, erklärte er seinem Gegenüber. »Hören Sie, was ich sage? Ein Monster, der Teufel... ein Monster.«

- 3 -

»Ich stehe hier auf brennenden Beinen.«

Es war inzwischen elf und zwölf Uhr am Morgen nach der Oscarverleihung, und die Polizei hatte Bruce fast zwei Stunden lang allein gelassen. Sie hatte ihm ein kleines Frühstück gebracht, das er zu seiner eigenen Überraschung gegessen hatte, und seitdem saß er da und trank kalten Kaffee (Behördenmischung) und sah sich selbst in den verschiedenen Morgensendungen an. *Coffee Time USA* ersparte er sich: Das hätte er nicht ertragen. Er konnte sich gut vorstellen, wie glücklich Oliver und Dale gewesen wären, wenn sie hätten sehen können, wie tief er gesunken war, nach dem Auftritt, den er sich am Tag zuvor bei ihnen geleistet hatte. Welche Krokodilstränen sie vor seinen blutigen Überresten vergießen würden! Nein, das konnte er sich nicht anschauen, obwohl er auf keinem der zahlreichen anderen Kanäle, die seine Geschichte brachten, mehr Trost fand.

Immer und immer wieder nahm er seinen Oscar entgegen. Auf ABC und CBS und NBC. Auf Fox und CNN und etwa einer Million anderer Kabelsender; da war er, grinste wie ein Idiot, als welcher er sich später auch entpuppt hatte.

»Ich stehe hier auf brennenden Beinen.«

Brennende Beine? Grauenvoll. Häßlich, kitschig, plump, bedeutungslos.

Sie waren begeistert.

»Ich möchte Ihnen danken.« Natürlich wollte er das. »Jedem einzelnen in diesem Saal. Jedem einzelnen im Filmgeschäft. Sie haben mich gefördert und mir geholfen, nach den Sternen zu greifen. Mir geholfen, besser zu sein, als ich es verdient habe. Besser als die Besten ... zu denen Sie allesamt hier gehören. Was soll ich sagen?«

Hier schien Bruces Stimme zu versagen, und mehr als eine Milliarde Menschen fragte sich, ob er gleich weinen würde. Doch das tat er nicht. Obwohl er inzwischen selbst zu dem Haufen gehörte, war er doch davon nicht so besessen, daß er auf Knopfdruck losheulte.

»Ich bin demütig«, log er, »demütig und klein ... doch außerdem stolz und groß, groß im Herzen, groß in der Liebe, groß im Blasen« (einen unheimlichen Augenblick lang hatte es den Anschein, als sollte ein nie dagewesener Moment der Aufrichtigkeit das Protokoll durchbrechen. »Hat er gerade ›groß im Blasen‹ gesagt?«, wollte sich das glitzernde Gefolge eben fragen. Doch Bruce hatte sich nur mitten im Wort unterbrochen, um seine Gefühle herunterzuschlucken), »groß im blasenden Sturm unnachgiebiger Entschlossenheit, als Künstler so gut wie möglich zu sein«, fuhr er fort, »der beste Amerikaner zu werden, der ich sein kann, und meine persönliche Beziehung zu Gott zu vertiefen. Ich danke dir, Amerika. Danke, daß du mir die Chance gibst, Teil dieser großartigen Industrie voll wunderbarer Menschen zu sein. Menschen, deren außergewöhnliches, ehrfurchtgebietendes, monumentales, überragendes, gottgesandtes Talent mich zu dem Künstler gemacht hat, der ich heute bin. Ihr seid der Wind unter meinen Schwingen, und ich flattere für euch. Gott segne euch alle. Gott segne Amerika. Gott segne auch den Rest der Welt. Danke.«

Bruce sah sich selbst auf dem Bildschirm, und ihm wurde schlecht. Er mußte vor Entsetzen ernstlich würgen. Eine Woge der Übelkeit wallte in ihm auf, als wäre ein Airbag aufgegangen und würde seinen Mageninhalt den Hals hinaufdrücken. Er schluckte angestrengt, und in seiner Kehle brannte Magensäure. Wie übel konnte einem werden? Ziemlich. Er war schon so lange wach, und sein Polizeikantinenfrühstück legte sich unangenehm auf das fünfzehn Stunden alte Gemisch aus Appetithäppchen und Alkohol, das er in seinem früheren Leben verzehrt hatte.

Wie hatte er nur eine so *peinliche* Rede halten können? Kein Wunder, daß es ihm hochkam. Es war der beißende Geschmack der Scham. Schließlich stellte dieser Mann auf dem Bildschirm mit der goldenen Figur in der Hand Bruce auf seinem Zenit dar: So würde man ihn in seinem ruhmreichsten Augenblick in Erinnerung behalten.

Ich stehe hier auf brennenden Beinen!

Das Heulen von Sirenen riß Bruce aus seinen Gedanken. Jetzt sah man Streifenwagen auf dem Bildschirm. Dieselben Bilder seines von Einsatztruppen umzingelten Hauses, die man schon den ganzen Morgen gezeigt hatte. Wieder sah man seinen ganzen Garten voller Bullen. Seine Auffahrt voller Bullen. Sein Dach voller Bullen. Wie viele Bullen konnten sich über ein einziges Haus hermachen? Alle Bullen von Los Angeles, so schien es Bruce. Und Fernsehleute. Alles voll mit Fernsehleuten. In seinen Blumenbeeten ... vor seinen vier Garagen ... walzten um seinen Pool.

Bruce wünschte, sie hätten ihn in ein Zimmer ohne Fernseher gesetzt. Natürlich hätte er ihn abstellen können, aber aus irgendeinem Grund tat er es nicht.

Die Nachrichtensendung kam ein weiteres Mal zum Limousinenstau. Langsam entstiegen die Stars und großen Tiere ihren ellenlangen Autos. Bruce hatte sich dieselben Aufnahmen schon so oft angesehen, daß er die Reihenfolge auswendig kannte. Da war er wieder. Der lange, langsame Strom von Smokings, polierten Unterkiefern, wundervollen Brüsten und lachhaften Kleidern. Absurden Kleidern. Haarsträubenden Kleidern. Jede einzelne dieser Frauen war wie ein ertrinkender Schwimmer, der verzweifelt Aufmerksamkeit erregen will. Hier drüben bin ich! Seht mich an!

Da war das Rote wieder, geschlitzt bis zu den Achseln. Diese Schenkel! Hollywood-Schenkel. Und Nippel. Nippel wie Fingerhüte. Die hat sie eben im Auto eisgekühlt, hatte Bruce beim ersten Mal voller Anerkennung gedacht. Er wußte Professionalismus zu schätzen, die Hingabe einer Schauspielerin an ihr Handwerk.

Dann war Bruce selbst an der Reihe. Jedesmal kam er nach der Roten mit den Schenkeln und Nippeln. Die Kameras der wartenden Paparazzi blitzten schon, bevor sein Wagen überhaupt stand. Er war der Star dieser Show, der heiße Tip für den »Besten Regisseur« und den »Besten Film«. Welch ein Abend! Welch ein Augenblick! Der Star der Show.

Inzwischen hatte der nächste Tag begonnen, und noch immer war er der Star, wenn auch der einer ganz anderen Show. Wer auch immer gesagt haben mochte, jede Publicity sei gute Publicity, war ein Idiot.

Der alte Bruce stieg aus seiner Limousine und betrat den roten Teppich, wie er es an diesem Morgen schon zwanzigmal auf allen Kanälen getan hatte. Umdrehen, lächeln, winken. Die Fliege prüfen. Am Ohrläppchen zupfen. Unsichere, bescheidene Körpersprache. Kaum erkennbare Bewegungen, die schrien: »Liebt mich, ihr Scheißer! Seht her! Seht her! Das ist *mein* Abend. Ich bin der größte Regisseur der Welt, und trotzdem bin ich anständig genug, so zu tun, als wäre ich nur ein ganz gewöhnlicher Mensch.« Bruce kannte jedes schmeichlerische, kleine Zucken auswendig. Wie sie jubelten. Wie sie ihn liebten.

Nur daß er sie nicht liebte, ebensowenig wie er sich für einen gewöhnlichen, normalen Menschen hielt. Jeder schlüpfte bei solchen Anlässen in die Rolle, die von ihm erwartet wurde. Das Fernsehen hat die ganze Welt gelehrt, wie man sich zu benehmen hat. Ausgenommen natürlich die Demonstranten... Propheten – im nachhinein betrachtet...

Die Streikposten. »Mothers Against Death«, die Mütter gegen den Tod. Wenn *die* heute morgen nicht zufrieden waren...

»Mr. Delamitri«, rief die unbekannte Frau, die inzwischen zum Fernsehstar geworden war, »mein Sohn wurde ermordet. Ein unschuldiger Junge, auf der Straße niedergeschossen. In Ihrem letzten Film gab es siebzehn Morde.«

Bruce saß in der kleinen, kahlen Verhörzelle, sah sich sein früheres Ich an und dachte: Ja, und es gab auch reichlich Sex in dem Film, aber ich wette, *du* hattest so was schon lange nicht mehr.

Das hatte er gedacht. Wieso hatte er es nicht gesagt? Er konnte sich des unangenehmen Gefühls nicht erwehren, daß alles anders gekommen wäre, wenn er die Wahrheit gesagt hätte. Das war natürlich vollkommen irrational, aber seit ihn die Polizei allein gelassen hatte, quälte ihn der Gedanke, daß Aufrichtigkeit ihn vor dem schrecklichen Schicksal hätte bewahren können, das nun von ihm Besitz ergriffen hatte.

»Ich stehe hier auf brennenden Beinen.« Heiliger Strohsack! Brennende Beine? Allein dafür verdiente er, was mit ihm passiert war.

Selbstverständlich hatte er nicht ehrlich sein können, besonders nicht gegenüber diesen Demonstrantinnen. Nicht in seinem alten Leben, da war seine Perspektive eine andere gewesen. Es war eine Sache, Oliver und Dale mit einer Tirade über die Absurdität zu belegen, daß ein Filmemacher die Schuld für einen Mord in einer Stadt zugeschoben bekam, die er im Leben noch nicht besucht hatte, und eine andere, dasselbe mit aufgebrachten Angehörigen von Mordopfern zu tun. Es wäre das Allerschlimmste gewesen. Man stelle sich die Schlagzeilen vor: »Bruce Delamitri beschimpft trauernde Mütter.« Es wäre die herausragende Geschichte der ganzen Feier geworden, ein furchtbarer, gräßlicher Skandal. Bruce merkte, daß er über diesen Gedanken lachte. Als könnte es ihm jetzt nicht egal sein. Seltsam, wie sich die Perspektive ändert, wenn die Bullen auf deinem Rasen stehen und sich ein Sonderkommando seinen Weg durch dein Dach gebahnt hat.

Bruce stellte den Ton ab. Er wußte auswendig, was die Moderatoren sagten. Was sollten sie sonst sagen? Das Ganze war sicher die spektakulärste Schicksalswendung, von der sie je mit makabrem Vergnügen berichten durften. Die Katastrophe, die über Bruce hereingebrochen war, hatte (seiner Ansicht nach zumindest) das Ausmaß einer griechischen Tragödie mit, wie er zugeben mußte, all der dazugehörigen Ironie.

Hybris, Stolz, kommt vor dem Fall. Wenn ein Mensch so groß, so dreist, so schön ist, daß er zu der Überzeugung gelangt, Regeln, die für andere gelten, würden nicht mehr für ihn gelten, dann schiebt das Schicksal seinen Stiefel in die Tür, und man kann nicht größer, dreister und schöner sein als bei der Verleihung des Oscars für den »Besten Regisseur«.

Bruces Haus kam wieder ins Bild. Diesmal ohne Cops: Es war die »Vorher«-Aufnahme, ruhig, friedlich, damit dem morgendlichen Amerika eindeutig klar wurde, was Bruce verloren hatte. Ein hinreißendes Stück Film aus einem Videoführer über die Häuser von Hollywoods Elite. Er wußte noch, wie der Hubschrauber bei den Aufnahmen über ihn hinweggeflogen war und daß er es als empörendes Eindringen in seine Privatsphäre empfunden hatte. Wieder die Frage nach der Perspektive. Er war ein Mann, für den so etwas wie Privatsphäre nicht mehr existierte. Er war öffentliches Eigentum. Sein Rasen war im Fernsehen, und überall standen die Bullen. Er gehörte den Nachrichtenagenturen der ganzen Welt. Sie konnten ihm mit einem Hubschrauber in den Hintern fliegen und behaupten, daran bestünde öffentliches Interesse. Bruce starrte das traumhafte Haus an, in dem er gelebt hatte. Er sah sich in dem kahlen Zimmer um, in dem er jetzt saß.

Was für eine Reise er hinter sich hatte!

In vierundzwanzig Stunden.

Für die Frau mit den Handschellen in der Nachbarzelle war die jetzige Umgebung ein Fortschritt. Hier gab es keine Kakerlaken, keine verlausten Hunde, die nach Futter suchten. Hier gab es weder Autowracks noch aufgeplatzte Mülltüten, in denen sich die Ratten tummelten. Diese junge Frau stammte nicht aus einem Herrenhaus auf den Hügeln von Hollywood. Ihr Zuhause war ein zerbeulter Wohnwagen auf einem Campingplatz in Texas. Auch sie hatte einen weiten Weg hinter sich.

Doch blieb sie von ihrer Umgebung völlig unberührt. Es war ihr egal. Die Bullen waren ihr egal, und Bruce war ihr egal. Ihr war egal, woher sie kam oder wo sie gelandet war. Sie wäre ohnehin am liebsten tot gewesen. Er war weg, und sie war allein. Sie hatte ihn erst vor kurzem kennengelernt, und jetzt war alles vorbei. Sie war allein.

- 4 -

»Ich habe nur gesagt, es ist, als wollte man eine Nadel im Heuhaufen suchen.«

Wenn es nicht so ernst gewesen wäre, hätte ein zufälliger Beobachter vielleicht gelacht: Die fast groteske Szenerie stand in krassem Gegensatz zu dem banalen Gespräch, das dort geführt wurde.

Es war am frühen Nachmittag vor der Oscarverleihung, und man hatte die Gefangenen in einen dunklen, feuchten Kellerraum gesperrt. Toni, eine Frau von Anfang Zwanzig, lag rücklings auf dem Tisch, die Hand- und Fußgelenke an dessen Beine gekettet. Ihr Freund Bob hing von einer Kette an der Wand. Man hatte seine Kleidung zerschnitten, und er machte einen eher traurigen Eindruck, wie er da in den Fetzen von etwas hing, was einmal ein italienischer Anzug gewesen war.

Der Mann, der die Bemerkung zum Heuhaufen gemacht hatte, hieß Errol. Er und sein Begleiter, der nur auf die Anrede Mr. Snuff reagierte, waren Gangster. Sie trugen mächtige Pistolen unter ihren Armen, was höchst unbequem gewesen sein muß, und ihre Unterhaltung war gleichmäßig von dem Wort »Motherfucker« durchsetzt. Errol und Mr. Snuff waren der Ansicht, daß Bob ihnen hinsichtlich verlorengegangener Drogen etwas verheimlichte. Bob stritt das natürlich ab, und man hatte eine Durchsuchung vorgenommen, ohne Erfolg, was Errol zu dem Vergleich mit der Nadel im Heuhaufen veranlaßt hatte.

Ein Vergleich, der Mr. Snuff nicht unerheblich ärgerte. »Und ich sage, es ist blöd, so was zu sagen«, fuhr er ihn unfreundlich an. »Es gibt gar keine Heuhaufen mehr. Jedenfalls nicht, was die Erfahrungen der Durchschnittsbürger angeht.«

»Das ist doch pedantisch«, sagte Errol.

»Hör zu, Mann, wenn die nackte Wahrheit pedantisch ist, dann bin ich es wohl auch, denn ich wette, wenn du alle Leute im Umkreis von hundert Meilen von da, wo wir jetzt sind, fragen würdest, ob sie schon mal einen Heuhaufen *gesehen*, geschweige denn ihr Besteck in einem liegengelassen haben, würden sie sagen: ›Verpiß dich, Motherfucker.‹«

Errol erkannte den Kern der Unklarheit. »Ich meinte nicht Besteck«, sagte er.

»Was bitte?«

»Mit der Nadel, auf die sich die Formulierung ›eine Nadel im Heuhaufen‹ bezieht, ist kein Drogenbesteck gemeint. Es geht um eine Nadel zum Nähen.«

Mr. Snuff stürzte sich streitlustig auf dieses Argument: »Es ist doch ganz egal, von was für einer Nadel wir hier reden, du blöder Arsch«, erklärte er. »Die Sache ist doch, daß niemand sie im Heuhaufen verlieren kann. Du solltest deine Vergleiche dem zwanzigsten Jahrhundert anpassen, Mann.«

Bob, der noch immer an der Wand hing, stöhnte leise. Die beiden Gangster ignorierten ihn.

»Wie wäre es, wenn du sagen würdest, es ist, als wollte man eine Line Koks in einer Schneewehe finden? Das ist doch ein Bild, das man verstehen kann.«

Jetzt war Errol an der Reihe zu widersprechen. »Nein, Mann, das ist Quatsch«, sagte er wütend. »Die Sache mit Nadel und Heuhaufen ist doch, daß es sich um zwei verschiedene Sachen handelt, und obwohl es schwierig wäre, ersteres in letzterem zu finden, wäre es doch nicht unmöglich. Kokain und Schnee sind im Grunde identisch. Das eine läßt sich vom anderen nicht unterscheiden. Die eine Vorstellung ist unwahrscheinlich, die andere ist unmöglich... was ein vollkommen anderes Ding ist.«

»Es sei denn, du schniefst den ganzen Scheiß weg. Du würdest den Unterschied bestimmt merken, wenn du es dir durch die Nase ziehst.«

Errol lachte. Es war für beide Männer eine Erleichterung. Fast wäre die Auseinandersetzung ernst geworden, doch jetzt war die Spannung verflogen. Zumindest für die beiden Gangster. Für Toni und Bob blieb die Lage angespannt.

»Das stimmt«, räumte Errol grinsend ein. »Wenn du eine ganze Schneewehe schniefst... das Zeug, das dich um drei Uhr morgens Unsinn reden läßt, das ist dann das Kokain.«

Nachdem Mr. Snuff einen derart wirkungsvollen Punkt für

sich verbuchen konnte, war er in der Laune, großzügig zu sein. »Ich will ja keine Staatsaffäre daraus machen«, sagte er freundlich. »Ich finde nur, daß Sprache das Leben der Menschen widerspiegeln sollte, die sie sprechen. Nicht irgendwelchen Bauernquatsch mit Nadeln und Heuhaufen oder ... oder ... der frühe Vogel fängt den Wurm. Ich will keinen Scheißwurm, Mann. Außerdem, wenn ich ein Pferd hätte, was ich nicht habe, würde ich keine Zeit damit verschwenden, den Motherfucker zur Tränke zu führen, wenn er gar nicht durstig ist.«

Wieder stöhnte Bob. »Laßt mich gehen. Ich hab nichts abgezweigt, Mann.«

Er hätte ebenso zwei Betonklötze anflehen können. »Beleidige mich nicht, Bob. Meinst du, ich kann nicht zählen? Meinst du, Mr. Snuff hier und ich, wir sind zu blöd zum Zählen?«

Eilig versicherte Bob Errol, eine derartige Beleidigung habe keineswegs in seiner Absicht gelegen.

»Und wie kommt es dann, daß ich den Unterschied zwischen hundert Kilo und neunundneunzig Kilo nicht kennen soll, du Wanderratte? Ein hundertstel Unterschied ist nicht unerheblich. Angenommen, ich würde ein hundertstel Teil von dir abschneiden? Meinst du, du würdest es merken?«

Es wäre ein dümmerer Mann als Bob nötig gewesen, den Hintersinn in Errols Frage mißzuverstehen, aber dennoch half er ihm auf die Sprünge, indem er Bob bei den Weichteilen packte. Man sagt, daß Männer, die die altchinesische Kunst des Kung Fu ausüben, in der Lage sind, ihre Hoden beim ersten Anzeichen von Gefahr einzuziehen. Wahrscheinlich aber können auch sie es nicht, wenn ein berüchtigter Gangster die fraglichen Hoden fest im Griff hat.

»Ich habe euch gegeben, was Speedy mir gegeben hat«, protestierte Bob. »Ich habe nicht gestohlen. Ich bin kein Dieb.«

Errol ließ Bobs Hundertstel los und wandte sich Toni zu. Bisher hatte sie sich am Gespräch nicht beteiligt, und vielleicht verspürte Errol so etwas wie gesellschaftlichen Druck, sie mit einzubeziehen. Schließlich waren Mr. Snuff und er die Gastgeber.

»Toni?« sagte er. »Ist dein Freund ein Dieb?«

»Hör zu, Errol«, sagte Toni, wobei sie versuchte, ruhig und nachdenklich zu klingen, was keine leichte Aufgabe ist, wenn man ausgestreckt und ordentlich gefesselt auf einem Tisch liegt, »wir kommen so nicht weiter.«

»Das weiß ich.«

»Wenn Bob dir sagt, was du hören willst, legst du ihn um.«

»Ich leg ihn sowieso um.«

»Aber du kannst ihn erst umlegen, wenn er dir gesagt hat, wo dein verdammtes Hundertstel ist. Also sagt er es dir nicht. Wir werden Weihnachten noch hier sein.«

Es war ein tapferer Versuch. Daß sie überhaupt denken konnte, in Anbetracht ihrer entsetzlichen Lage, war ein Wunder, aber Errols Problem derart präzise zu formulieren, das war wirklich eindrucksvoll.

»Okay, Bob«, sagte Errol und richtete seine Waffe auf Toni. »Wenn du es mir nicht sofort sagst, erschieß ich sie.«

Es war ein hoffnungsloses Unterfangen. Schließlich war Bob ein fieser Drogendealer. Die Chance, daß ein Appell an seine Ritterlichkeit ihn treffen würde, war äußerst gering. Auch Toni wußte das, doch bevor sie noch Zeit hatte, den Wunsch zu äußern, daß man sie aus dieser Sache rauslassen sollte, schoß Errol auf sie.

Es war eine machtvolle Geste: der Gestank von Pulver, der nachhallende Knall auf derart beengtem Raum, der Schrei, das Blut. Da alles hätte einen besseren oder gar ehrenhafteren Menschen als Bob dazu gebracht, etwas zu sagen und Toni weitere Unbill zu ersparen. Aber natürlich, Bob war kein guter Mensch, und ganz sicher kein ehrenhafter.

»Ich habe das Zeug nicht gestohlen«, sagte Bob.

Errol setzte sich an den Tisch und nahm die sterbende Frau, die darauf lag, gar nicht wahr. Er war mit seinem Latein am

Ende. Er hatte zusammen mit Mr. Snuff Bobs Wohnung durchsucht, seinen Wagen, seine Sachen. Wo, um alles in der Welt, mochten die verschwundenen Drogen sein?

»Könnte sich jemand ein ganzes Kilo Heroin in den Arsch schieben?« fragte er.

»Könnte sein«, sagte Mr. Snuff. »Die Leute schieben sich alles mögliche in den Arsch.«

Ein Paar Plastikhandschuhe lagen auf dem Tisch neben einer Waage. Errol hatte sie vorhin zum Wiegen des Heroins getragen. Er nahm einen Handschuh, schüttelte Tonis Blut ab und zog ihn an.

»Ich hab kein Heroin im Arsch, Mann«, sagte Bob in der Hoffnung, Errol vielleicht die Mühe weiterer Untersuchungen zu ersparen.

»Ich wünschte, ich könnte dir vertrauen, Bob«, sagte Errol. »Wenn ich ehrlich sein soll, ist die Aussicht, mit meinem Finger in deinem Arschloch rumzubohren, nicht gerade nach meinem Geschmack. Aber ich kann dir nicht vertrauen, Bob, was ja der Grund für unsere Unstimmigkeiten ist.«

Errol schob seine Hand von hinten in Bobs Boxershorts und führte seine Untersuchung durch. »Hier sind keine Drogen«, sagte er.

»Vielleicht hat sie das Zeug«, sagte Mr. Snuff und spähte zwischen Tonis Beine. »Ich glaube, hier sind keine Drogen«, sagte er unter ihrem Rock hervor, »aber eine sehr hübsche...«

Dann plötzlich sagte eine Stimme aus dem Nichts: »Vielen Dank. Bis hierhin. Aufhören.«

Und sie hörten auf.

Errol erstarrte. Mr. Snuff erstarrte. Sie alle erstarrten. Man sah nicht die leiseste Bewegung. Mr. Snuffs Kopf blieb unter Tonis Rock. Errols Miene verriet gelangweilte Gleichgültigkeit, Bobs schmerzverzerrte Grimasse wirkte wie angemalt. Alles hatte aufgehört... *wirklich* aufgehört. Keiner machte *irgendwas*. Toni blutete nicht mehr. Keiner atmete auch nur.

- 5 -

Erneut meldete sich die Stimme. »Zurück, aber langsam, schön langsam.«

Mr. Snuff zog seinen Kopf unter Tonis Rock hervor, und Errol schob seinen Finger wieder in Bobs Hintern.

Tonis Körper begann, das Blut, das er verloren hatte, wieder in sich aufzusaugen. Der rote Fleck auf dem Tisch schrumpfte in sich zusammen. Es schien sogar, als erwachte sie wieder zum Leben.

Errol zog seinen Finger aus Bob hervor und setzte sich an den Tisch. Er schien Schmerzen zu haben: Er gab traurige, gutturale Laute von sich. Er zog den Handschuh aus, stand wieder auf, und während er sich vom Tisch zurückzog, sprach er Bob mit denselben seltsam unverständlichen Lauten an. Er zog seine Waffe und richtete sie auf Toni.

Ein Wunder kam über Toni. Ihre Wunde heilte. Fast alles Blut, das sie verloren hatte, war wieder in ihrem Körper, und alles, was von der Explosion blieb, war die Kugel.

Dann erschoß Toni Errol.

Oder zumindest schoß sie *auf* ihn. Eine Kugel trat aus ihrem Körper und flog dem Gangster entgegen. Zum Glück für Errol war seine Wafffe im Weg, und die Kugel, die Toni ihm entgegenschleuderte, verschwand direkt in seinem Lauf.

Wieder sprach die geisterhafte Stimme.

»Gut. Vielen Dank. Belassen wir es für einen Moment dabei.«

Und plötzlich war es dunkel. Bob, Toni, Errol und Mr. Snuff verschwanden allesamt. Es war, als wären sie nie dagewesen. Für den Augenblick zumindest hatten sie aufgehört zu existieren.

»Ich wollte nur, daß Sie die letzte Sequenz rückwärts sehen«, sagte Bruce Delamitri, »weil ich glaube, daß es leichter fällt, die Einstellungen zu dekonstruieren, wenn man nicht vom Erzählfluß abgelenkt wird. Denken Sie an diesen Trick, wenn Sie Ihre Schnitte prüfen.«

Welch ein Satz! Ruhig, bestimmend, allwissend. Bruce spürte, wie seine Triebe erwachten – tief in seinen Calvin Kleins. Das Gefühl, das er am frühen Morgen genießen durfte, als er Oliver und Dale bei *Coffee Time USA* niedergemacht hatte, war nichts gegen dieses Summen, das ihn jetzt durchfuhr, wenn zweihundert hündchengleiche Collegekids mit unverbrauchten Gesichtern an seinen Lippen hingen. Sie saßen da, ehrfurchtsvoll, konnten kaum fassen, daß der große Mann, der *größte* Mann, der allergrößte, allerobergrößte, epochale *Hypermann* von allen wirklich da war und zu ihnen sprach!

Bruce liebte es, vor seinen Studenten anzugeben. Besonders vor den Mädchen. Punkige mit riesenhaften Doc-Martens-Stiefeln am Ende schlanker, zarter Beine. Adrette in schicken, kleinen Pullis mit niedlichen John-Lennon-Brillen. Gruftis, in Schwarz gehüllt, mit blasser Haut und rotem Nagellack. Hartgesottene Vampirellas mit gepiercten Bauchnabeln und wer weiß was noch. Nicht, daß Bruce ein schmieriger, alter Regisseur gewesen wäre. Eigentlich arbeiteten Frauen gern mit ihm: Er war als zurückhaltend bekannt. Aber das hier war anders. Das hier bereitete ihm besondere Freude. Als Bruce das College besucht hatte, war er eher ein komischer Vogel gewesen und hatte sich extrem anstrengen müssen, um bei Mädchen etwas zu erreichen. Oh, sie *mochten* ihn wirklich. Alle fanden ihn lustig mit seiner perfekten Imitation der Soundeffekte vom *Texas Chainsaw Massacre* und seiner Weltraumpistole aus Plastik, die er gestohlen hatte, als er Komparse bei *Krieg der Sterne* gewesen war. Seine ansteckende Begeisterung für absolut alles, was mit Filmen zu tun hatte, war immer reizvoll gewesen. Aber lustig und begeistert zu sein, brachte einem keine Nummer ein. Ebensowenig verschafft es einem den Respekt der anderen Jungs, die allesamt auf Kurosawa standen, als er selbst noch James Bond anbetete.

»Natürlich ist *Die Glorreichen Sieben* ein besserer Film als *Die Sieben Samurai*«, sagte er immer. »Vor allem hat er keine Untertitel.«

Bruce war auf dem College beliebt gewesen, aber keiner hatte ihn jemals so angestarrt, wie diese Kids ihn jetzt anstarrten.

Er war zu Hause. Die Filmhochschule an der University of Southern California, wo er drei glückliche, wenn auch sexuell unerfüllte Jahre verbracht hatte. Endlich war er dorthin zurückgekehrt, wo er *wirklich* aufschneiden wollte. Deshalb hatte er sich darauf eingelassen, ausgerechnet am Tag der Oscarverleihung von den *Coffee-Time*-Studios quer durch L. A. zu fahren, um vor seiner Alma mater zu sprechen. Drei wunderbare Stunden damit zu verbringen, Ausschnitte seiner Filme anzusehen und zu diskutieren. Um aufzuschneiden. Welchen Grund sollte sonst irgend jemand haben, zurückzukehren und vor seinem College zu sprechen? Wenn Studentenkomitees berühmt gewordenen alten Knaben oder Mädchen schrieben, ob sie wiederkommen und eine Rede halten wollen, glauben sie, von diesen einen großen Gefallen zu erbitten. Sie selbst finden den Laden Scheiße und können es kaum erwarten, ihn hinter sich zu lassen. Doch für den alten Knaben oder das alte Mädchen stellt diese Einladung die langersehnte Anerkennung dar, eine Möglichkeit, mit dem linkischen Schwachsinn ihrer ausgehenden Jugend abzurechnen. Eine seltene Gelegenheit, rückwärts durch die Zeit zu gehen und – zumindest in Gedanken – all die glorreichen Ideen zu verwirklichen, aus denen nie etwas geworden war.

Da saß Bruce nun also, ein König auf seinem Podium, aufgeplustert vor lauter Stolz, in Erwartung einer wundervollen Stunde, in der er diesen feinen, jungen Menschen endlich zeigen konnte, wie brillant er wirklich war.

Bruce gegenüber saß Professor Chambers, ein traurig wirkender, verstaubter alter Typ, den die Studenten gebeten hatten, diese Veranstaltung zu moderieren. Ein Lehrer hatte die Leitung! Zu Bruces Zeiten hätte ein obercooler Teenager das getan, aber die Zeiten hatten sich geändert. Die Atmosphäre der Sixties, in denen die Jugend noch voll unendlicher Zuversicht zu sein scheint, war unwiederbringlich verlorengegangen. Inzwischen wehte ein kälterer Wind, und die Studenten waren erheblich ängstlicher, konservativer. Daher ihr Entschluß, einem Professor den Vorsitz dieser wichtigen Veranstaltung zu übertragen: Sie fühlten sich sicherer, wenn jemand von der Obrigkeit dabeiwar.

»Also«, sagte Bruce, »irgendwelche Fragen oder Bemerkungen zu dem Clip, den wir eben gesehen haben? Hören wir uns an, was die Zukunft zu sagen hat.«

Darauf folgte natürlich Schweigen. Die Angst, dumm oder uncool dazustehen, ist ein mächtiger Zensor, besonders wenn man gerade als die Zukunft bezeichnet wurde.

»Ich würde gern etwas fragen, wenn ich darf«, sagte Professor Chambers.

Bruce fluchte innerlich. Der alte Sack würde doch wohl nicht die Stillosigkeit besitzen und versuchen, sich selbst etwas vom Widerschein des Ruhmes zu sichern? Bruce hatte nicht drei Stunden des Oscartages geopfert, um die Feinheiten des scheißpostmodernen *film noir* mit einem Arschloch von einem Akademiker zu diskutieren. Er hatte es getan, um vor Nymphchen herumzustolzieren.

»Machen Sie nur, Professor«, sagte er und warf den Kids im Publikum ein halbes Grinsen zu, als wollte er sagen: »Lassen wir dem traurigen alten Bock seinen Willen.«

»Glauben Sie, man hätte in Ihrer Szene möglicherweise dieselbe Wirkung erzielen können, ohne sich in die Geschlechtsteile der weiblichen Protagonistin zu vertiefen?«

Bruce staunte nicht schlecht. Wollte dieser Mann ihn *kritisieren?* Wohl kaum. Arsch und Zwirn, Bruce war für den Oscar nominiert!

»Bitte, *wie?*« fuhr Bruce ihn an.

»Ähem.« Professor Chambers räusperte sich, war sich peinlich der Situation bewußt, daß alle Blicke zweifelsfrei auf ihn gerichtet waren. »Ich habe mich nur gefragt, ob man Ihrer Ansicht nach in dieser Szene dieselbe Wirkung hätte erzielen können, ohne sich in die Geschlechtsteile der weiblichen Protagonistin zu vertiefen.«

Es folgte eine bedeutungsschwere Pause, in welcher Bruce überlegte, ob er den Professor wie ein kleines, bärtiges Insekt mit seinen supercoolen spitzen Stiefeln zertreten sollte. Nach kurzer Überlegung befand er jedoch, daß es uncool wäre. Er wollte dem Mann nicht mehr Bedeutung schenken, als er verdiente – nämlich überhaupt keine. Statt dessen entschloß sich Bruce, ihn mit einem amüsierten Blick zu vernichten.

»Die Geschlechtsteile des Mädchens werden nicht gezeigt«, sagte Bruce. »Haben Sie den Ausschnitt nicht gesehen, *Professor?*«

»Ich bin mir darüber im klaren, daß die Geschlechtsteile des Mädchens nicht wirklich gezeigt werden«, sagte Professor Chambers einigermaßen nervös. »Dennoch scheinen sie mir eine unangemessen zentrale Rolle im Lauf der Dinge einzunehmen.«

Der Typ kritisierte ihn *tatsächlich.* Als wäre er Thema eines Aufsatzes! Bruce kam zu dem Schluß, daß die Sache schon zu weit gegangen war. Er wollte mit coolen Kids reden, nicht mit alten Wichsern.

»Ich mache keine billigen Filmchen«, sagte er entschieden und wandte sich vom Professor ab, um sich erneut an diesem Meer bewundernder und erwartungsvoller junger Mienen zu weiden.

Professor Chambers seufzte. Mit seinem faltigen Gesicht und dem Bart sah er älter aus, als er nach Jahren war. Er fühlte sich wie ein Schulmeister, der gezwungen wurde, sich mit einem brillanten, aber eigensinnigen Schüler auseinanderzusetzen. Er fand sich nicht altmodisch oder langweilig. Einmal hatte er sogar eine Würdigung der Lyrik Jim Morrisons für den *Boston Literary Review* geschrieben. Seiner Ansicht nach gab es jedoch Grenzen. Erotik war eine Sache, Pornographie eine andere. Er hatte das Gefühl, daß die Beschäftigung mit Geschlechtsteilen in Arztpraxen oder Liebesbeziehungen vonnöten war. Nicht bei der Suche nach Kokain.

»Dennoch«, sagte er zum Rücken von Bruces Lederjacke, »sieht sich die Figur Mr. Snuff die Geschlechtsteile dieses Mädchens an. So ist es doch, oder nicht?«

»Ironischerweise«, erwiderte Bruce, ohne sich umzusehen.

»Ironischerweise?«

»Ja.«

»Das verstehe ich nicht.«

Bruce sammelte alle Reserven seiner Geduld zusammen, die eigentlich keine Geduld mehr war. »Die Figur Mr. Snuff«, sagte er, als späche er zu jemandem, der sein Hirn einer Organbank gespendet hatte, »sieht sich die Geschlechtsteile der Figur Toni auf eine Art und Weise an, die für den Zuschauer eine ironisierende Nebeneinanderstellung impliziert. Haben Sie das begriffen, *Professor*?«

»Nein, ich fürchte, das habe ich nicht mitbekommen. Eine ironisierende Nebeneinanderstellung ist mir entgangen. Stell ich mich furchtbar dumm an?«

Bruce warf einen Blick voll verzweifelter Toleranz in die Runde, doch die mitfühlende Reaktion, die er erwartet hatte, wollte sich nicht einstellen. Die Studenten waren etwas durcheinander: Die meisten hielten eine ironisierende Nebeneinanderstellung für etwas Unanständiges, das man im Bett machte. Einige kicherten verschämt.

»Bei allem Respekt«, fügte der Professor leise hinzu, »fand ich es eigentlich nur unanständig.«

Plötzlich wurde die Lage etwas angespannt. Bruce haßte – wie die meisten Menschen – Spannungen. Seine ganze Pose war entspannt und cool. Er war der erwachsene Teenager mit Ray

Bans, der sich einen *Dreck* um irgendwas scherte. Das freche Genie um die Dreißig, das alle Regeln mißachtete. Es war sein Job, Autoritätspersonen wie College-Professoren zu piesacken, nicht umgekehrt. Und ausgerechnet an diesem Tag, dem Tag der Oscarverleihung, an dem er sich in der süßen Ekstase des Ruhmes sonnen, sich in einer Woge hormondurchfluteter Bewunderung der Jugend aalen sollte, pinkelte ihm dieses verstaubte, alte Fossil bei seinem großen Auftritt ans Bein.

Bruce gab sich alle Mühe, ruhig zu bleiben. Er erinnerte sich daran, wie weit er über dem alten Sack stand. Am Morgen erst hatte die *New York Times* ein begeistertes Porträt von zweitausend Worten über ihn veröffentlicht und dabei Formulierungen wie »Kulturikone«, »Zeitgeist« und »Bildnis der letzten Dekade« benutzt. Kulturikonen ließen sich nicht von bärtigen Gnomen mit Kugelschreibern in der Brusttasche aufziehen.

»Sie erinnern sich, daß die folgende Einstellung ein Blickwinkel aus der Möse des Mädchens ist, oder?«

Das brachte ihm einen leichten Lacher ein, ganz wie Bruce es berechnet hatte. Unflätige Worte in Hörsälen zu benutzen, zeigte nur, daß er wirklich einen Scheißdreck auf irgendwas gab.

»Blickwinkel?« fragte der Professor.

»Himmelarsch! Ich dachte, Sie geben hier einen Filmkurs. Blickwinkel, verdammt, Blickwinkel!«

»Ich weiß, was ein Blickwinkel ist. Ich weiß nur nicht...«

»Wir sehen Mr. Snuffs Gesicht aus dem Blickwinkel von Tonis Vagina.«

»Der Blickwinkel der Vagina?«

»Ja, der Blickwinkel der Vagina.«

Das war für den Professor eine gänzlich neue Vorstellung. Er fragte sich, wie eine Vagina einen Blickwinkel haben konnte, und falls sie es konnte, wie dessen Haltung wäre.

»Es tut mir leid, aber ich...«

»Mr. Snuff starrt die Vagina an«, schnauzte Bruce, »und auf unterschwellige Weise erwidert die Vagina diesen Blick.«

»Und das ist ironisch, ja?«

»Die Ironie liegt in dem, was wir von diesem Bild mitnehmen, Professor. Ich möchte zeigen, daß all das zu Mr. Snuffs alltäglicher Arbeit gehört. Ich muß sein Gesicht unter diesen außergewöhnlichen Umständen sehen, damit ich seine gleichgültige Miene zeigen kann. Er langweilt sich beinahe. Es ist nur ein Job, ein amerikanischer Job.«

Diese nüchterne Behauptung war zuviel für Professor Chambers. In seiner Stimme war leiser Ärger zu hören. Man hätte ein gutes Gehör gebraucht, um ihn auszumachen, aber er war da. Die Studenten, die ihren Lehrer kannten, rutschten nervös auf ihren Plätzen herum.

»Ist es Ihrer Erfahrung nach ein verbreiteter Beruf, Frauen in den Bauch zu schießen und dann auf der Suche nach Drogen in ihren Vaginen herumzustochern?« wollte der Professor wissen.

»Mord ist es, Mann. Mörder zu werden, ist in Amerika ein Berufsbild wie Lehrer oder Zahnarzt.

»Vielleicht nicht ganz so verbreitet.«

»Ha! Meinen Sie.«

»Statistisch gesehen, denke ich, werden Sie feststellen, daß ich recht habe.« Professor Chambers beschloß, nicht weiter auf diesen Punkt einzugehen. »Mr. Snuffs nächste Textzeile ist vielleicht einer der Momente, die mir an Ihrem Film am wenigsten gefallen, Mr. Delamitri.«

»Es bricht mir das Herz.« Bruce lächelte die Studenten müde an, und sie belohnten ihn mit Gelächter.

»Hmm, ja, nun, mir ist klar, daß Geschmack subjektiv ist und Sie anders sind als ich. Nichtsdestotrotz scheint mir Mr. Snuffs Bemerkung ›hübsche Pussy‹ die Grenzen des guten Geschmacks gänzlich zu überschreiten.«

Bruce stöhnte hörbar. Inzwischen war er ernstlich sauer. Es war ihm egal, was die hübschen, jungen Dinger dachten. Es war eine Sache zwischen ihm und diesem jämmerlichen Mann, der sich alle Mühe gab, Bruces brillanten, erstaunlichen und provozierenden Bildern billig-pornographische Lüsternheit anzuhängen.

»›Hübsche Pussy‹ ist eine wichtige Zeile, eine zentrale Zeile… die entscheidende Zeile des ganzen Films! Ich habe sie mit reingenommen, damit auch der letzte Penner begreift, worauf ich hinauswill.«

Das Publikum war peinlich berührt. Konfrontationen wie diese waren heutzutage auf dem Campus eine Seltenheit: Die Konsequenzen einer Kränkung der einen oder anderen Interessengruppe waren zu schwerwiegend. Bruce spürte die Nervosität und versuchte, seinen Zorn zu bändigen.

»Hören Sie, Mr. Chambers, es ist mir sehr wohl klar, daß manche Leute diese Sequenz beunruhigend finden könnten. Darüber hinaus stehe ich der Möglichkeit, daß die Bilder, die ich zeige, andere Leute erregen mögen, keineswegs blind gegenüber. Die Frau wird mißhandelt und geschändet, gefesselt, erschossen, und als sie ihren letzten Seufzer tut, muß sie hinnehmen, daß ein fremder Mann ihren Intimbereich untersucht. Ich zeige diese Bilder keineswegs leichtfertig.«

»Ich freue mich, das zu hören.«

»Ich bin mir meiner Verantwortung bewußt, all das in einen angemessenen Kontext zu stellen. Deshalb habe ich den Blickwinkel der Vagina für Mr. Snuffs Reaktion gewählt.«

»Welche ist, zu lächeln und zu bemerken, daß die Figur Toni eine hübsche Pussy hat.«

»Ganz genau!« explodierte Bruce. »Hören Sie sich verdammt noch mal an, wie er es sagt! Er sagt nicht: ›Wow, sieh dir das an! Ich bin dabei, das Geschlechtsteil eines sterbenden Mädchens zu untersuchen. Wenn das nicht *irre* ist! Dreh ich hier total *durch*, oder was?‹ Er zuckt mit den Schultern und sagt, es sei eine ›sehr hübsche Pussy‹. Er sagt es so dahin. Er ist entspannt, es ist ihm egal. Er ist bei der Arbeit. Wie ich schon sagte, es ist für ihn nur ein Job, ein amerikanischer Job. Das sollen die Leute aus dieser Szene mitnehmen.«

Der Professor seufzte. Er hatte genug von seinen Filmstudien. Drogen, Waffen, Vaginen, diese nie enden wollende Verwendung des Wortes »Motherfucker« – das alles war so deprimierend.

»Vielleicht sollten wir uns den nächsten Ausschnitt ansehen«, sagte er und nickte dem Studenten zu, der sich um die Technik kümmerte.

Der Film lief, und die Szene begann. Sie spielte in einer billigen Bar an einer Landstraße. Eine fast nackte Frau tanzte verführerisch zu langsamer Countrymusik aus einer Jukebox. Zwei aggressive und unangenehme Trucker warfen dem Mädchen vom Tresen aus lüsterne Blicke zu.

Also, dachte Bruce, dagegen kann der alte Sack wohl kaum was einzuwenden haben.

- 6 -

Der junge Mann und das magere Mädchen lagen noch immer auf dem Bett in ihrem Motelzimmer. *Coffee Time* war schon lange zu Ende, und jetzt sahen sie sich Videos an.

Da war eine Frau auf dem Bildschirm, die in einer billigen Bar an einer Landstraße zur Musik aus der Jukebox tanzte.

»Ich hab die Schnauze voll von der Glotze«, sagte das Mädchen.

»Sei still, Süße«, erwiderte der Mann. »Das ist wichtig. Was ich hier im Moment gerade mache, Zuckerschnecke, das ist Recherche.«

»Recherche wofür? Du machst keine Recherche. Du siehst dir nur blöde Filme an, die du schon hundertmal gesehen hast. Ich will nach draußen.«

»Was ich hier recherchiere, Herzchen«, sagte der Mann, und seine Stimme nahm eine gewisse Härte an, »ist unsere Rettung. Hörst du, was ich sage? Weil ich einen Plan habe, der unsere Rettung ist. Du willst doch gerettet werden, oder, meine Hübsche?«

»Klar will ich gerettet werden. Jeder will gerettet werden.«

»In diesem Fall, meine Zuckerbohne, halt die Klappe.«

Er konzentrierte sich auf den Fernseher und machte lauter. Langsam breitete sich klebrige Countrymusik im Zimmer aus, Musik, die dreißig Jahre alt und seitdem für jedermann abgrundtief und unendlich uncool gewesen war. Musik, die zwischenzeitlich hip geworden war. Alles wird glaubwürdig, wenn man nur lange genug wartet. Was für die eine Generation das reine Grauen ist, wird zum Kitschkultklassiker der nächsten.

Die Frau tanzte immer weiter. Und was für eine Frau! Der Traum eines jeden Truckers. Die Lieblingsphantasie aller Cowboys. Armer White Trash; aber White Trash, der aussah, wie wenn er eben erst vom Olymp herabgestiegen wäre. Braungebrannte, wohlgeformte Beine, die endlos von den lackierten Zehennägeln an ihren nackten Füßen bis zur Jeans hinaufreichten, die zu winzigen Shorts zerschnitten waren und ihren Hintern nur höchst unvollständig bedeckten. Ein nackter Bauch, der sich im Rhythmus wand. Ein perfekt geformter Nabel, wie ein Kelch, ein gebräunter Unterleib, der in wundervollem Kontrast zum weißen Leinen der wohl kleinsten Weste stand, die eine Frau nur tragen und dabei dennoch hoffen konnte, daß sie damit ihre Brüste vor der Öffentlichkeit verbarg. Brüste, die nichts von Sir Isaac Newton und seinen absurden Theorien zur Erdanziehung wußten. Darüber eine Wolke – nein, eine Mähne – von unfaßbar blondem Haar, gekrönt von halbgeschlossenen Augen und vollen Lippen. Volle, feuchte Lippen, die sich niemals schlossen, sondern träge offenstanden, leicht geöffnet, bereit – wie sich leicht vorstellen ließ – zu allem.

Es gibt eine gymnastische Übung für Kinder, bei der man ihnen sagt, sie sollen ihre Vorstellung von einer abstrakten Idee tanzen, etwa Hunger oder Wind. Das Mädchen in der Bar tanzte ihre Vorstellung von einem Orgasmus. Ihre Hüften, ihr Po, die

Schultern, ihre nackten Füße glitten über den Boden, alles schien anzudeuten, daß ihr dieser Tanz zu den Klängen einer Jukebox am hellichten Tag in einer beschissenen Bar höchste sexuelle Erregung bescherte. Während sie so tanzte, schoben sich die Hände gelegentlich zwischen ihre Beine, strichen über die kleine Ziehharmonika aus Stoff, die unter dem Reißverschluß ihrer Jeans hervorlugte.

Wenn diese Frau nicht in einer öffentlichen Bar zur Musik masturbierte, so ahmte sie diesen Vorgang doch sehr gut nach. Das entging auch den beiden guten, alten Truckerknaben nicht, die sich an den Tresen lehnten, mit ihren Bierflaschen auf den Bierbäuchen. Selbstverständlich starrten sie die tanzende Frau an, glotzten lüstern. Sabbern wäre wohl kein zu starkes Wort. Ihre Unterkiefer sackten ab, die Erektionen stiegen an. Hätten sie nicht beide einen so mächtigen Wanst gehabt, wären sich Kinn und Erektion vielleicht begegnet.

»Hurrr, hurrrr«, sagte einer der alten Knaben.

»Hurrr«, erwiderte der andere, und trotz der Armseligkeit ihrer Sprache war klar, daß sie die Reize der jungen Frau meinten. Vielleicht schmeichelte ihr die plumpe Aufmerksamkeit, denn sie schien ihren Tanz auf die beiden auszurichten. Eine grobe Übersetzung ihrer Körpersprache mochte lauten: »Sollte einer von den beiden hohen Herren sich bemüßigt fühlen, mich durchzuficken, würde er in mir eine willige Kollaborateurin finden.« So zumindest interpretierte der größere und häßlichere der beiden Typen ihren Blick, denn er verließ den Barhocker, den er zwischen seinen breiten Arschbacken eingeklemmt hatte, und machte sich, nachdem er etwas Tabak auf den Boden gerotzt hatte, grunzend auf den Weg zu der fast nackten Sirene, die da vor ihm tanzte.

Wie unterschiedlich sie waren. Sie so schön, daß es fast nicht zu ertragen war, eine laufende, sprechende, lebende Puppe, ein Sexpüppchen, quälend verführerisch. Er hingegen ein widerlicher Drecksack, Bierflasche in der Hand, so viele Kinnpartien, daß es aussah, als ruhte sein Gesicht auf einem Stapel Pfannkuchen, sein Bauch so feist, daß die eine Seite in einer anderen Zeitzone als die andere lag. Die Brust der Frau mochte sich den Newtonschen Gesetzen widersetzen, doch dieser kolossale Wanst schien seine eigene Anziehungskraft zu besitzen. Zumindest machte die Frau den Eindruck, als würde sie zu ihm hingezogen, und es war kaum vorstellbar, daß dieser Vorgang von einem irgendwie gearteten Begehren hervorgerufen wurde.

Und doch deutete alles in ihrem Benehmen darauf hin, daß dem so war. Tatsächlich hatte es den Anschein, als gefiele ihr dieser Mann. Sie formte einen Kußmund, wackelte mit dem Hintern in seine Richtung. Seine plumpen Bewegungen und das sabbernde Grunzen schienen sie zu erregen und zu deutlicheren Darstellungen gelenkiger Sexualität anzuspornen. Sie nahm ihm die Bierflasche weg, und obwohl nur noch ein Fingerbreit darin war, nahm sie einen Schluck. Der Mann hatte schon einige Zeit daran herumgenuckelt, und es ließ sich nur vermuten, wieviel von dem Rest Bier eigentlich Spucke war, aber nichtsdestotrotz sog die Frau gierig daran, wölbte ihre fleischigen Lippen schmollend um den Flaschenhals, als wollte sie sagen: »Normalerweise mach ich das natürlich lieber mit den Schwänzen von dicken, häßlichen Truckern.«

Die Frau leerte die Flasche, aber anstatt sie wegzustellen, rollte sie sie auf ihrem Bauch herum, offenbar so erhitzt, daß sie jede Gelegenheit, sich abzukühlen, nutzen mußte. Nachdem sie die Flasche eine Weile herumgerollt hatte, stellte sie sie auf den Kopf, so daß ein kleines Rinnsal von Schaum über ihren Bauchnabel und dann oben in ihre winzigen Shorts lief, was die Aufmerksamkeit (als wäre das überhaupt nötig) auf den Umstand lenkte, daß das Knopfloch offenstand und nur der Reißverschluß die Hose oben hielt.

»Hurrr«, sagte der alte Kerl, wie von ihm nichts anders zu erwarten war.

Die Frau stellte seine Flasche auf die Jukebox und schloß die

Lücke zwischen sich und ihrem Verehrer. Nun war ihr Leib an seinem, und ihre Hüften rotierten vor und zurück. Der Trucker, der offenbar meinte, von seiner Seite wäre eine Geste gefordert, legte seine Arme um sie und packte sie an Stelle einer formellen Vorstellung am Hintern.

»Ich heiße Angel«, flüsterte sie seinen zahlreichen Kinnpartien zu.

»Wer will schon wissen, wie du heißt, Süße?« sagte der Trucker. »Pussy ist Pussy.«

Da hatte er sich im Ton vergriffen. Was auch immer sich Angel von diesem ekelhaften Mann zu hören erhofft hatte, das jedenfalls war es nicht gewesen. Ihre Laune schlug um, während er sie noch fest packte.

»Laß los, Freundchen«, sagte sie. »Ich trag meine Titten lieber draußen vor dem Brustkorb.«

Ihr Appell stieß auf taube Ohren. Er grub seine mächtigen, fetten Bananenfinger in ihren Hintern und riß sie fester an sich.

»Süße, wenn du wie eine Hure tanzt, wirst du auch wie eine Hure behandelt«, knurrte er. »Wie wär's, wenn du Daddy ein Küßchen geben würdest?«

»Eher leck ich das Zeug ab, das ich meinem Hund aus dem Arsch schneide«, erklärte Angel trocken. Mit diesen Worten streckte sie einen Arm aus, nahm die Bierflasche von der Jukebox und schlug sie dem Fettwanst über den Schädel, wobei der Boden der Flasche zersprang. Diese Geste war deutlich genug, so daß der Mann tat, worum man ihn gebeten hatte, und losließ, nur tat er es eher unwillig und schien durchaus bereit zu sein, mit seiner großen Wurstfingerfaust auszuholen und die Frau zu schlagen. Da kam sie ihm allerdings zuvor. Auf dem Tresen stand ein schwerer Bierkrug. Irgendwie bekam Angel ihn zu fassen und schlug ihn dem Kerl seitlich an den Kopf. Der sackte in sich zusammen, halb benommen, fiel auf den schmierigen Boden der Bar, wo er ausgestreckt in Dreck und Blut und Bier liegenblieb. Am Tresen befreite der andere seinen Hocker aus dem Griff seiner Arschbacken. Angel ließ den Krug fallen und brachte mit einem Griff in ihre winzigen Shorts – durch irgendein Wunder, denn ganz sicher hatte das Ding vorher dort nicht sein können – eine kleine, stupsnasige Pistole hervor.

»Setz deinen Arsch wieder hin und halt die Fresse!« schrie diese Frau voll seltsamer emotionaler Gegensätze, während sie ihre Waffe auf den zweiten Trucker richtete. Fast konnte man die Angst hören, als der erschrockene Bursche den Hocker wieder in seinen ausufernden Schweineschmalzarsch einführte und schwieg.

Inzwischen wandte Angel ihre Aufmerksamkeit wieder ihrem ehemaligen Tanzpartner zu, der noch immer halb benommen auf dem Boden lag.

»Schwanzlutschender Arschficker!« schrie sie in wilder, unkontrollierbarer, wahnsinniger Wut, trat dem verletzten Mann gegen den Kopf und ins Gesicht. »Willst du mich immer noch? Willst du immer noch 'ne Pussy, du gottverdammte schwule Sau? Na, du machst nie wieder eine Frau an, du blöder Arsch!«

Die zerbrochene Flasche, mit der sie ihren Angriff auf den Trucker begonnen hatte, war noch in ihrer Hand. Sie ließ sich auf die Knie fallen und rammte dem erstaunten Mann die scharfe Seite in den Unterleib. Wie ein Geysir schoß das Blut aus seinem Hosenstall.

Der Mann tippte auf die Fernbedienung, und das Bild erstarrte, das Blut hielt auf dem Weg zu Angels Gesicht mitten in der Luft an.

»Gerade fing es an, mir Spaß zu machen, Süßer«, sagte das Mädchen.

»Ich muß mal eben pissen«, sagte der Mann. »Spiel bloß nicht mit der Fernbedienung rum, Kindchen. Ich bin hier bei der Arbeit. Ich hab da einen Plan.«

- 7 -

Hundert Meilen weiter südlich saßen Bruce und Professor Chambers unter dem gleichen Standbild, das zeigte, wie Blut aus dem Unterleib des feisten Truckers spritzte. Es gab Applaus von den Studenten, was Bruce dankbar registrierte. Er fühlte sich, als wäre er wieder auf sicherem Terrain. Der senile, bärtige alte Knacker, der ihm gegenübersaß, konnte wohl kaum etwas gegen ein derart kraftvolles und positives Stück Film einzuwenden haben. Wie sich herausstellen sollte, konnte er das sehr wohl.

»Finden Sie nicht, daß es sich um eine ziemlich klischeehafte Szene handelt?« wollte Professor Chambers wissen.

Bruce konnte die Unverfrorenheit dieses abscheulichen kleinen Gnoms nicht fassen. Wofür hielt der sich? Oder besser und exakter auf den Punkt: Was *war* er? Ein Lehrer. Was hatte der schon Großartiges geleistet?

»Haben Sie eine Ahnung, wieviel ich *verdiene?*« wollte Bruce schon schreien. »Sind Sie sich darüber im klaren, daß die Académie Française ein Essen für mich gegeben hat?«

Das sagte er nicht, aber er hätte es natürlich tun können. Er knallte dem alten Wichser alles um die Ohren, was er hatte.

»Klischee? *Klischee?*« sagte er und sprang auf. »Bitte entschuldigen Sie, wenn ich einwende, daß das schlimmste, abgegriffenste Klischee, das ich je produziert habe, immer noch weit origineller ist als alles, was Sie je gesagt oder getan haben.«

Das war ein Fehler. Es war als Scherz gedacht gewesen, mehr oder weniger, aber so hörte es sich absolut nicht an. Bruce hatte gehofft, sarkastisch und respektlos zu klingen, der Punk mit Lederjacke und spitzen Stiefeln, der der Obrigkeit die lange Nase zeigt. Er vergaß, daß er kein Punk, sondern ein unglaublich reicher, oscarnominierter Regisseur war, während Professor Chambers als Angestellter im öffentlichen Dienst seine vierzigtausend Dollar im Jahr bekam. Bruce war Goliath, und der Professor war David, nicht umgekehrt. Die Kids im Saal fingen an, miteinander zu tuscheln. Schweiß lief an Bruces Rücken herunter und in seine schwarzen 501s hinein. Er hatte zugelassen, daß er wütend wurde. Wütend zu werden war uncool, und das wußte er. Angeblich wollte er doch der Mann sein, dem alles egal war. Er merkte, daß ihm nichts anderes übrigblieb, als sich zusammenzureißen, in den sauren Apfel zu beißen und dann zu Hause den Hund zu treten.

»Nur ein Scherz«, sagte er mit jungenhaftem Lächeln. »Man behandelt einen Professor nicht respektlos, stimmt's?«

Die Studenten entspannten sich ein wenig. Bruce hatte seinen nicht unerheblichen Charme in diese scherzhafte, halbe Entschuldigung gelegt, und es funktionierte – bei den Studenten. Allerdings nicht beim Professor, der wieder auf den Bildschirm sah und traurig den Kopf schüttelte. Die Frau in Hot pants saß noch immer rittlings auf dem Trucker, die zerschlagene Flasche bohrte sich noch immer in seinen Unterleib, der blutige Geysir hing noch immer wie ein gräßlicher, roter Dorn mitten in der Luft.

»Ich soll diesen gewalttätigen Softporno gut finden, weil die Frau am Ende triumphiert, ja?«

»Aber natürlich«, sagte Bruce. »Es ist enorm wichtig, daß die weibliche Protagonistin als gebührend starke Persönlichkeit gezeigt wird.«

Das rief vereinzelten Applaus der jungen Frauen im Publikum hervor. Mit Genugtuung registrierte Bruce sogar das eine oder andere Johlen.

»Aber ganz genau!« rief ein Mädchen mit einem Nasenring.

»Hmmm.« Professor Chambers nuckelte an seinem Kugelschreiber, als wäre dieser eine Pfeife. »Sie können sich gar nicht vorstellen, wie voll ich die Nase von Filmemachern wie Ihnen habe, die auf zynische Weise ihren schmutzigen, schlüpfrigen Darbietungen das Mäntelchen eines lächerlich zweidimensional antisexistischen Programms umhängen.«

Langsam wurde es albern. Himmelarsch, Bruce war hier zu *Gast*! Wann würde ihn dieser garstige, alte Mann endlich in Frieden lassen? Bruce flüchtete sich weiter in selbstgerechten Feminismus, dem modernen Äquivalent des Versteckens hinter Mutters Schürze. »Vielleicht empfinden Sie Darstellungen starker Frauen als bedrohlich?«

»Aber ganz genau!« rief das Mädchen mit dem Nasenring. Bruce hätte sie küssen können. Glücklicherweise tat er es nicht. Hätte er es getan, hätte sie ihm ein Verfahren wegen Vergewaltigung angehängt. Professor Chambers schien sie nicht mal gehört zu haben.

»Ich finde eine Frau, die einen ungebildeten Flegel absichtlich erregt, um ihm dann eine zerschlagene Flasche in den Intimbereich zu rammen, nicht stark. Ich finde sie psychotisch.«

»Hören Sie, Freundchen, eine Frau kann sich anziehen und tanzen, wie sie will.«

»Wie *Sie* wollen. Es ist *Ihre* Phantasie, Mr. Delamitri. Das ganze Szenario wurde von Ihnen erschaffen, und die Schauspielerin, die diese Rolle spielt, hat angezogen, was Sie wollten, und getan, was Sie ihr gesagt haben.«

Die junge Frau mit dem Nasenring blieb still. Wie alle anderen auch. Die Debatte wuchs ihnen über den Kopf. Sie mochten einfache Zusammenhänge, und es dämmerte ihnen, daß das, was ihr Professor und ihr Held dort diskutierten, absolut nicht einfach war.

»Ja, ich habe es mir ausgedacht«, räumte Bruce ein, »aber woher habe ich es denn? Solche Sachen passieren da draußen.« Inzwischen war es ihm egal, ob er cool wirkte. Er hatte eine These vorzubringen, eine Position zu verteidigen. Er wollte auf die gleiche Weise zu dem Professor durchdringen wie dieser zu ihm. »Die Verbindung von Sex und Gewalt ist real. Es gibt sie, es passiert, überall in den USA. Das ist nicht meine Schuld. Ich habe nicht damit angefangen, und ich habe niemanden ermordet. Ich halte nur den Spiegel hoch.«

»Ein ziemlich schmeichlerischer Spiegel, oder?«

»Wie bitte?«

Der Professor fuhr unbeirrt fort. »Wieso müssen Ihre Mörder und Psychopathen so attraktiv sein, Mr. Delamitri? So cool? Mir scheint, wenn in der Szene, die wir eben gesehen haben, eine fette, langweilige Frau belästigt worden wäre, wäre diese bei Ihnen vergewaltigt worden. Abgesehen davon, daß es eine solche Szene nicht gegeben hätte, weil der Sinn und Zweck der ganzen schmuddeligen Angelegenheit darin lag, uns eine schöne Frau vorzuführen, die auf provozierende Weise fast unbekleidet war und ...«

Bruce ließ ihn nicht aussprechen. Chambers war ihm in die Falle gelaufen. Bruce hatte dieses altmodische, infantile Argument schon oft gehört, und er war in der Lage, es mit aller Verachtung, die es verdiente, zu vernichten.

»Haben Sie schon mal eine griechische Statue einer häßlichen Frau gesehen? Kennen Sie ein Schlachtengemälde, auf dem die Männer nicht cool und edel wirken? Auf dem das Blut nicht aufregend und verführerisch aussieht? Künstler erschaffen Bilder und Geschichten. Das ist unsere Aufgabe. Blasse, häßliche Menschen, die ein langweiliges Leben ohne Sex und Abenteuer führen, geben keine guten Geschichten ab. Ich bin kein Journalist. Es gehört nicht zu meinen Pflichten, über das Leben zu berichten. Ich bin Künstler. Meine Pflicht gilt meiner eigenen Muse, meinem kreativen Ich. Ich nehme, was ich will, um zu erschaffen, was mir gefällt.«

»Wirklich? Ich dachte, Sie sagten, Sie wären ein Spiegel.«

»Ich bin ... ich bin ...« Bruce wußte, wann er das Handtuch werfen mußte. »Ehrlich gesagt, bin ich schon reichlich spät dran.«

Im Motelzimmer war der harte Mann aus dem Badezimmer zurück, hatte sich ein Bier aus der Minibar genommen und sich wieder neben das Mädchen gelegt.

»Das war mal wirklich ein guter Film«, sagte er. »Nur muß ich ihn mir vielleicht noch ein zweites Mal ansehen.«

»Ach, Süßer«, sagte das Mädchen, »können wir jetzt nicht mal rausgehen? Irgendwas *tun*?«

»Möchtest du ins Gefängnis kommen, Zuckerschnecke?«

»Nein, natürlich nicht.«

»Möchtest du auf dem Stuhl gegrillt werden? Möchtest du spüren, wie deine Augäpfel schmelzen, bevor du überhaupt *tot* bist?«

»Sag nicht solche Sachen!« Plötzlich liefen Tränen über ihre blassen Wangen.

»Dann geh mir noch einen Burger holen und laß mich meinen Film sehen. Schließlich arbeite ich hier an unserer Erlösung.«

- 8 -

Der Abend dämmerte.

Die Suchscheinwerfer, die den Himmel über dem Theater erleuchteten, waren meilenweit zu sehen. Immer mehr Menschen versammelten sich, und Bruces Limousine wurde langsamer. Stretch-Limos haben etwas Seltsames an sich: Normalerweise kann man sie für den doppelten oder dreifachen Preis eines gewöhnlichen Taxis mieten, und trotzdem bleiben sie ein wichtiges Symbol für überdimensionalen Reichtum und Berühmtheit. Bruce ging der Gedanke durch den Kopf, daß aus dieser Beobachtung die Erkenntnis einer tiefen Wahrheit zu ziehen wäre, aber welche, das wollte ihm nicht einfallen.

Der lange Wagen kroch ein paar Meter voran, hängte sich an das Nummernschild vor ihnen, ein pinkfarbenes auf dem STAR stand. Bruce lächelte. Eins war klar: Wer es sich an den Kotflügel kleben mußte, war ganz sicher kein Star.

Ein Limousinenstau. Nur in Hollywood konnte man einen

echten Limousinenstau erleben. Einen Verkehrskollaps, hervorgerufen von Stretch-Limos. Auch das war eine Beobachtung, in der sich erhellende Ironie finden ließ. Mag dein Auto noch so lang sein – im Stau sind alle gleich lang. Sie reichen vom Vordermann zum Hintermann. Nicht übel, dachte Bruce. Damit konnte er heute abend bei der Presse aufwarten, um zu zeigen, daß er noch immer mit beiden Beinen auf dem Boden stand, selbst wenn er was ganz Besonderes war.

Der Wagen kam zum Stehen.

Bruce lehnte sich in das babyweiche, schwarze Leder zurück, seine Rundum-Ray-Bans zwischen sich und der Welt, einen Drink in der Hand und den Oscar so gut wie in der Tasche.

Er begann über einen besonders grausamen und sinnlosen Mord nachzudenken, den er plante. In seinem Kopf hatte er schon klare Konturen angenommen. Ein heruntergekommener, koreanischer Drugstore im Valley. Zwei weiße Kids betreten den Laden. White Trash-Kids. Besser noch: weiße Mittelklasse-Kids, die so tun, als wären sie Trash. Sprechen natürlich Dudespeak oder sonst einen Scheißdialekt, den diese hirnlose Generation heutzutage sprechen mochte. (»Generation X? Generation Xtrem dummdreist«, sagte Bruce häufig auf Parties.) Die beiden Kids gehen an den Tresen und bitten um eine kleine Flasche Jack und eine große Pepsi zum Mixen. Aber die alte Koreanerin kennt die Gesetze und will ihre Lizenz nicht verlieren, und deshalb fragt sie nach dem Ausweis.

»Hier ist mein Ausweis, alte Hexe«, sagt einer der Jungen und holt eine Machete hervor. Nicht irgendein blödes, kleines Messer, sondern eine *Machete*. Natürlich sagt die alte Dame den Jungs, sie sollen das mit dem Ausweis vergessen, nimmt sogar eine große Flasche Bourbon und bietet sie ihnen an, auf Kosten des Hauses. Aber es ist zu spät. Sie ist den Jungs zu nahe getreten. Sie hat sie respektlos behandelt. Man hat es mit ihnen zu weit getrieben, und sie lassen es sich nicht mehr gefallen, weil sie – offen gestanden – von der ganzen Scheiße die Schnauze voll haben. Also schwingt der Junge der entsetzten Frau seine Waffe in großem Bogen entgegen und hackt ihr den Kopf ab. Blut spritzte aus dem Hals der Toten, was die beiden Kids dermaßen begeistert, daß sie über den Tresen springen und sie in Millionen Stücke hacken.

Bruce wollte das Ganze mit Musik unterlegen, mit schwerem Heavyrock vielleicht oder irgendwas Witzigem oder Ironisierendem wie »Happy Days are Here again« oder »All You Need is Love«. Er wollte es wie ein Popvideo aussehen lassen. Vielleicht konnte er einen Fernseher im Hintergrund zeigen, auf dem ein Tom-und-Jerry-Cartoon lief. Dabei konnte Jerry – während die beiden Kids die alte Koreanerin aufschlitzten – Tom mit einem Dampfbügeleisen bearbeiten oder mit einem Rasenmäher in Würfel schneiden.

»Was wollten Sie uns damit sagen, als Sie Ihren brutalen Mord dem Zeichentrickfilm gegenübergestellt haben?« würden Arschgeigen wie Professor Chambers fragen.

»Ich wollte Ihnen damit sagen, daß im Fernseher der koreanischen Frau Tom und Jerry lief«, würde er hintergründig antworten, und Hunderte von Filmstudenten würden Aufsätze über seine Ironie verfassen.

»Bruce Delamitri versucht uns zu sagen, daß Amerika inzwischen in seinem eigenen Zeichentrick auftritt«, würden sie schreiben. »Wir alle sind Tom, wir alle sind Jerry, gefangen in einem ewigen Kreislauf fast surrealer Gewalt.«

Der Chauffeur brach in Bruces Gedanken ein. »Da ist eine mörderische Schlange vor uns, Mr. Delamitri. Wir werden wohl eine Weile hier festsitzen.«

Eine Limousinenstau. Ein Stau von Stretch-Limos. Es war fast schon peinlich.

Draußen standen Tausende von Menschen, die alle glotzten. Überall Gesichter, eine ganze Wand davon. Bruce spähte durch die Finsternis seiner Sonnenbrille und versuchte, sich ein hübsches Gesicht näher anzusehen, wurde jedoch enttäuscht. Trotz ihrer Aufregung wirkten sie doch allesamt trist und traurig. Trash. Armer weißer, schwarzer, brauner und gelber Menschenmüll.

Er warf einen Blick auf die Kindersicherung an der Tür. Nicht daß er meinte, in Gefahr zu sein – die Menge war wohlgeordnet, und die Cops hielten sie mit fester Hand hinter den Absperrungen –, aber man fühlte sich doch etwas entblößt. All diese Leute wollten etwas, das sie nie bekommen würden.

Vielleicht würden sie es sich eines Tages trotzdem nehmen. Es ging Bruce kurz durch den Kopf, daß eine Prinzessin im alten Rußland aus ihrer Kutsche wahrscheinlich in ganz ähnliche Gesichter geblickt hatte, kurz bevor ihre Welt 1917 in Scherben fiel.

Aber was wollten sie, daß sie sich am Straßenrand dermaßen die Hälse verrenkten? Bestimmt nicht Frieden, Brot und Freiheit. Was dann? Sie konnten nichts sehen: Sämtliche Limousinen hatten verspiegelte Scheiben, so daß sie sich nur selbst sehen konnten. Wieder diese Ironie: Bruce war heute ganz besessen davon. Je angestrengter diese Leute versuchten, einen Blick in seine Welt zu werfen, desto deutlicher sahen sie ihr eigenes Spiegelbild, das sie dort anstarrte. Das war es! Die ganze Wahrheit in einem bestürzenden Bild. Warum waren Bruces Filme so erfolgreich? Weil die Leute sich selbst in ihnen wiederfanden. Vielleicht besser aussehend und etwas cooler, aber dennoch sie selbst, mit ihren Ängsten, ihren Lüsten, ihren geheimsten Sehnsüchten und Phantasien. Dieser verdammte Professor hatte unrecht gehabt, und er, Bruce, hatte recht gehabt. Er *war* ein Spiegel. Er schuf keine Welt, die sich die Leute ansehen konnten. Sie schufen eine Welt, die er filmen konnte.

Sie waren seine Musen, diese plumpen Glotzer, die seinen Wagen angafften und herauszufinden versuchten, wer drinnen sein mochte. Zeigten, deuteten mit den Fingern und konnten doch nur ihr eigenes Spiegelbild sehen, das mit dem Finger auf sie deutete.

»Richtig so, zeigt ihr nur«, sagte Bruce laut. »Zeigt nur mit dem Finger, klagt euch an, denn ihr und ihr allein tragt die Verantwortung für das, was ihr seht. Was ihr seid. Was ihr tut.«

Vor ihnen hatte das Starlet im roten Kleid ihre Pirouetten gedreht und ihre Schenkel und Nippel in Stellung gebracht.

Dann kam sein Auftritt auf dem roten Teppich.

Er stieg aus seiner Limousine, wollte die Menge kaum beachten, nur lässig ins Theater schlendern, als ginge er in eine Bar. Vielleicht würde er den Heerscharen ein kurzes, cooles Nicken gönnen, aber sicher nicht mehr als das. Die Art Schlendern und Nicken, die sagte: »Bin ich hier der *einzige*, der merkt, daß das alles Quatsch ist?« Das hatte er vorgehabt, aber statt dessen tauchte Doktor Showbiz wie aus dem Nichts auf und verpaßte ihm eine Spritze in den Arm. Die Menge jubelte, und er konnte nicht widerstehen, sich heimlich einen Moment in ihrer Aufmerksamkeit zu aalen. Er drehte sich um, er winkte, er prüfte seine Fliege, er zupfte liebenswert an einem Ohrläppchen.

Liebt mich, ihr Sackgesichter, dachte er. Seht her! Seht her! Dieser Abend gehört mir. Ich bin der größte Regisseur der ganzen Welt und doch anständig genug, so zu tun, als wäre ich ein ganz normaler Mensch.

Ach, er ist ein ganz normaler Mensch, dachte die Menge, und der Jubel wurde doppelt laut. Nur die Demonstranten, die jubelten nicht... Warum sollten sie auch? Ihrer Ansicht nach hatte Bruce ihre Kinder ermordet.

Auf ihren Transparenten stand »MAD« (Mothers Against Death). Es war schon erstaunlich, welche Mühe sich die Leute gaben, passende Akronyme zu finden, diese verschlungenen Pfade, die sie zu nehmen bereit waren, um etwas zu finden, was ihrer Meinung nach schmissig klang. Diese Mütter waren nicht gegen den Tod, sie waren gegen Gewalt und Mord. Aber das buchstabierte sich nicht peppig genug, weshalb aus ihnen die »Mothers Against Death« (durch Gewalt und Mord), beziehungsweise »MAD« werden mußten. Sie begleiteten ihn seit

Monaten, diese Mütter, deren Söhne und Töchter er angeblich ermordet haben sollte.

»Hollywood glorifiziert den Mord«, stand auf ihren Plakaten. »Wir wollen Familienunterhaltung.«

Inzest zum Beispiel, dachte Bruce, sagte es aber zum Glück nicht. Selbst coole Einzelgänger mit spitzen Stiefeln mußten wissen, wo die Grenze war.

»Mr. Delamitri«, rief eine der Mütter, »mein Sohn wurde ermordet. Ein unschuldiger Junge, auf der Straße niedergeschossen. In ihrem letzten Film gab es siebzehn Morde.«

Ja, und in dem Film gab es auch reichlich Sex, aber ich wette, *du* hattest schon lange keinen mehr. Wiederum dachte er es, sagte es jedoch nicht.

Diese Leute waren rationalen Argumenten nicht mehr zugänglich. Bruce wandte sich von ihnen ab und winkte dem Rest der Menge zu.

»Wo ist deine Alte?« rief ein übelwollender Witzbold.

Komisch, daß manche Leute zu glauben scheinen, es wäre vollkommen in Ordnung, den Reichen und Berühmten gegenüber unflätig zu sein, als brächte das viele Geld mit sich, daß die Trennung von deiner Frau nicht schmerzlich wäre. Bruce hatte nicht in der Öffentlichkeit geheiratet, und ganz sicher wollte er sich nicht in der Öffentlichkeit scheiden lassen, aber die ganze Schlammschlacht war natürlich dennoch von öffentlichem Interesse.

»Wo sind deine Manieren, du jämmerlicher, kleiner Niemand?« hätte Bruce ihm am liebsten entgegnet, aber das tat er selbstredend nicht. Er lächelte nur ein »Was soll ich dazu sagen?«-Lächeln, und für diese kleine Kapitulation belohnte ihn der neugierige Mann mit nach oben gerichtetem Daumen und die Menge mit vereinzeltem Jubel.

Der Spiegel, den Bruce hochhielt, hatte zwei Seiten. Gelegentlich sah er sein eigenes Spiegelbild darin. Er wollte, daß diese Leute ihn liebten, ihn achteten. Also lächelte und winkte er, und in ihren Gesichtern spiegelten sich seine Schwäche und seine Verlogenheit.

Es fing an zu regnen. Ein sommerlicher Sturm kam auf. Bruce hastete über den roten Teppich ins Theater. Er trug den echten, originalen Smoking, den Bogart in *Casablanca* getragen hatte, aber er war nur geliehen, und er wollte nicht, daß er naß wurde.

Nördlich von L. A. war der Sturm bereits losgebrochen. Der Highway schimmerte wie schwarzes Lackleder, die Lichter leuchteten auf dem Asphalt.

In dem 57er Chevrolet stierten der junge Mann und die noch jüngere Frau auf die Straße hinaus, während die altertümlichen Wischblätter gegen den Wolkenbruch ankämpften.

»Man muß den Komfort der Klasse opfern«, hatte der Mann gesagt, als er erklärte, welches Auto er stehlen wollte. »Sogar so ramponiert und mit ausgelutschter Maschine ist dieser Wagen besser als jede ausländische Blechkiste zwischen hier und Los Angeles.«

»Wenigstens geht das Radio«, sagte das Mädchen und fand einen Hardrocksender. Eigentlich mochte sie etwas sanftere und hübschere Musik, aber sie kannte seinen Geschmack. Außerdem wollte sie Nachrichten hören. Es gefiel ihr, berühmt zu sein.

»Moderne Desperados... Bonnie und Clyde am Ende des Jahrtausends... ein mexikanisches Zimmermädchen tot im Motelzimmer aufgefunden, mit sauberen Handtüchern und Seife in den Händen...« Das Mädchen dachte, wie merkwürdig es gewesen war, sich Filme anzusehen, während die ganze Zeit das tote Zimmermädchen da vor dem Fernseher gelegen hatte.

»...Koch mit vierzehn Schußwunden im Motel aufgefunden...«

Sie hätte ihm nie erzählen sollen, daß der Mann mit ihr geflirtet hatte. Sie hatte gewußt, was passieren würde, und genauso war es gewesen.

Das Radio kam zu den Nachrichten aus dem Showbiz.

»... live draußen vor dem Theater, in dem die Oscars verliehen werden... ich sehe, wie Bruce Delamitri sich der Menge stellt.«

»Zeig es ihnen«, murmelte der Mann, während er in den Regen starrte. »Sorg dafür, daß du gewinnst, Bruce. Sorg einfach nur dafür, daß du gewinnst.«

- 9 -

»Bruce Delamitri! Yeah, zeig es ihnen! Suuuuper!« rief das unglaublich süße, blonde »Ex-Model-jetzt-Schauspielerin« und dehnte ihr letztes Wort im Licht der Scheinwerfer in vollen Zügen.

Insgesamt teilen sich die Leute, denen man die Präsentationen bei Preisverleihungen überträgt, in zwei Gruppen: die großen Namen und die kleinen. Die großen Namen sind diejenigen, die selbst nominiert sind und überredet wurden, am Abend an anderer Stelle mit anzupacken, damit die Sache in Schwung kommt. Das wollen sie natürlich nicht, da es den Auftritt eines Stars erheblich schwächt, wenn man ihn eben erst auf die Bühne gebeten hatte, um dem einen oder anderen Niemand den Gong für das »Beste ausländische Drehbuch« zu überreichen. Dennoch lassen sich große Stars oft auf diese lästige Pflicht ein, weil sie sich des klitzekleinen, unbedeutenden Verdachts nicht erwehren können, daß eine Weigerung irgendwie ihre eigenen Chancen negativ beeinflussen könnte. Üblicherweise weigern sich große Namen, die nicht nominiert wurden, die Präsentation zu übernehmen. Selbstverständlich erscheinen sie trotzdem gern und sitzen geduldig amüsiert im Parkett, aber sie sind keineswegs bereit, vor dem Messias eines verhaßten Rivalen selbst Johannes den Täufer zu spielen. Was bedeutet, daß die Organisationen einer solchen Veranstaltung gezwungen sind, auf die zweite Gruppe zu bauen: kleine Namen, Leute, die entweder erst kurze Zeit oder schon sehr lange dabei sind. Erstere sind noch nicht so berühmt, daß sie größere Begeisterung auslösen, und letztere sehen dem Schicksal entgegen, nur noch einmal in ihrem Leben Begeisterung auszulösen, und zwar – widersinnigerweise – wenn sie sterben. Diese Leute sind es, die die Lücken zwischen den wirklich wichtigen Namen füllen.

Bruce bekam eine Noch-nicht-berühmt-Genug.

Natürlich hätte es nicht so sein sollen. »Bester Regisseur« ist ein Juwel in der Krone der Akademie, und unter normalen Umständen hätte eine der Medienberühmtheiten Bruce seine Statue überreichen sollen. Aber Hollywood ist ein ängstliches Städtchen. Niemand möchte mit irgendwelchen Kontroversen in Verbindung gebracht werden, und mit seiner bannerschwingenden Bande von wütenden Müttern im Schlepptau war Bruce ausgesprochen umstritten. Sein Name auf der Kandidatenliste reichte aus, daß sämtliche glitzernden Superstars, die man ursprünglich angesprochen hatte, Kopfschmerzen bekamen.

»Bruce Delamitri! Yeah, zeig es ihnen! Suuuuper!«

Wie ein eifriges Hündchen sprang Bruce von seinem Platz auf, als er seinen Namen hörte. Eigentlich hatte er die Augenbrauen überrascht hochziehen und sich dann langsam und eher zögerlich aufrichten wollen. Statt dessen sah es aus, als hätte er eine Sprungfeder am Hintern. Er fing sich etwas, grinste aber noch immer wie ein Schwachsinniger, als er sich zum Podium begab. Hinter ihm nahm ein Statist im Smoking seinen Platz ein. Schließlich ist die Oscarverleihung – wenn es hart auf hart geht – vor allem eine Fernsehsendung, und das perfekte Bild darf nicht durch Lücken in den Sitzreihen gestört werden.

Das süße Starlet strahlte Bruce an, als er ihr entgegenging. Mit festem Griff und hart an ihren unglaublichen, absurd perfekten Leib gepreßt, hielt sie die dreißig Zentimeter große, goldene Ikone. Wäre Bruces Mund nicht so ausgetrocknet gewesen, hätte er wahrscheinlich gesabbert. Es fühlte sich *gut* an.

Während der ganzen endlosen Zeremonie bisher war in seinem Kopf ein einziges Chaos von möglichen Dingen gewesen, die er sagen wollte. Er wollte sich gegen die neue Rechte und deren drohende Zensur aussprechen, die Art und Weise verurteilen, wie eine vernünftige Debatte hysterischer Entrüstung gewichen war, an das Recht auf Redefreiheit erinnern, die heilige Individualität des Künstlers in einer Demokratie reklamieren. Im Grunde wollte er ein absoluter und vollkommener Held sein.

Vor einer Milliarde Menschen.

Das hatte man ihm gesagt: Eine Milliarde Menschen sah zu. Eine *Milliarde*. Auf dem langen Weg den Gang hinauf, dem strahlenden Starlet entgegen, versuchte er, sich bildlich vorzustellen, was die bedeuten mochte. Er dachte an die Gesichter vor dem Theater, die in seine Limousine geglotzt hatten. Er stellte sich den ganzen Himmel voller solcher Gesichter vor, einen weiten Himmel, einen Wüstenhimmel voll gaffender Gesichter von einem Horizont zum anderen, die ihn allesamt anstarrten. Er konnte es nicht. Es bedeutete nichts. Hundert Leute, eine Milliarde Leute... beides waren viele Leute, wenn sie einen anstarrten.

Dann war Bruce auf der Bühne, stand allein im Rampenlicht, mit dem Oscar in der Hand.

Das war seine Chance, Klartext zu reden. Sich über die frömmlerische, gefühlsduselige Manipulation zu erheben, die den Abend bisher geprägt hatten. Wie der »Beste Schauspieler«, der seinen Preis für die Rolle eines Hirngeschädigten bekommen und allen Ernstes ein hirngeschädigtes Mädchen mit auf die Bühne gebracht hatte, um ihr den Preis zu überreichen. Oder die »Beste Schauspielerin«, die so viele Herzen für sich gewonnen hatte, indem sie ihren Preis in einem Kleid entgegennahm, das einer riesenhaften Aids-Schleife nachempfunden war. Wie die »Beste männliche Nebenrolle«, die darauf hingewiesen hatte, daß Hollywoods Pflicht in der »Inspirationalisierung« der Welt bestünde, und die »Beste weibliche Nebenrolle«, die vom Podium herab das Publikum um mehr Verständnis für alles bat. Die endlose Liste der Danksagungen an Mom, Dad, »mein kreatives Team«, »die vielen, vielen Leute, deren hingebungsvolle Arbeit es mir ermöglicht hat, ich zu sein«, Gott in Amerika.

Jetzt war Bruce an der Reihe. Zu sagen, wie es wirklich war.

»Ich stehe hier auf brennenden Beinen.«

Auf brennenden Beinen?

Es kam so heraus. Trotz seiner nobelsten Absichten zu sagen, was er tatsächlich empfand, ergriff das unglaubliche Ausmaß der Zeremonie von ihm Besitz. Die Milliarde Menschen im Spiegel nahm von ihm Besitz. Plötzlich war er nicht mehr er selbst. Aus ihm war ein Automat geworden, ein willenloses Sprachrohr für rührseliges, sentimentales Gefasel.

»Ich möchte Ihnen danken. Jedem einzelnen in diesem Saal. Jedem einzelnen im Filmgeschäft. Sie haben mich gehegt und gepflegt und mir geholfen, nach den Sternen zu greifen.«

Was sollte er tun? Er konnte nicht den Abend sprengen. Niemand mag Miesmacher, besonders wenn dieser Miesmacher mit festem, männlichem Griff genau das Ding hält, das alle Anwesenden am meisten begehren. Denk an Brando. Er war nicht der einzige, dem die Indianer oder die *Native Americans* oder wie auch immer man sie nennen mochte, leid taten. Alle hatten ein schlechtes Gewissen, aber das Thema bei der Oscarverleihung aufs Tapet zu bringen? Es wirkte nur selbstgefällig und grob. Außerdem hatten die Leute, die draußen protestierten, ihre Kinder verloren. Das hatte natürlich nichts mit ihm zu tun, aber dennoch stand es einem Mann mit seinen Verdiensten nicht zu, aus den olympischen Höhen der Oscarverleihung auf Trauernde herabzupinkeln.

»Ihr seid der Wind unter meinen Flügeln, und ich flattere für euch. Gott segne euch alle. Gott segne Amerika. Gott segne auch den Rest der Welt. Danke.«

Im ganzen Saal brach stürmischer Applaus aus. Es waren Ovationen der Erleichterung. Bruce Delamitri hatte sich wie ein Erwachsener benommen. Als sein Name aufgerufen wurde, hatten sich viele Leute gefragt, ob er die Gelegenheit nutzen würde, aussfallend und polemisch zu werden. Schließlich vertrat Bruce das junge, energische, coole, zynische Hollywood, das sich schlicht einen *Dreck* um irgendwas scherte. Es war sehr gut möglich, daß er traurige Berühmtheit erlangen würde, weil er sich höhnisch und aggressiv gab. Einige eher schreckhafte Gemüter fürchteten, er könne sogar diese bemitleidenswerten Demonstranten draußen vor dem Theater erwähnen, die versuchten, diesen großen Abend zu verderben. Doch welch angenehme Überraschung! Bruces Rede war ein Vorbild an oscarwürdigem Anstand und guten Manieren gewesen. Wie aus dem Lehrbuch: ehrlich, zurückhaltend, patriotisch und sehr, sehr bewegend.

Hollywood hieß einen der Seinen in den eigenen Reihen willkommen. Bruce trat vom Podium direkt in die wartenden Arme der oberen Ränge aus dem Establishment der Unterhaltung.

Oben am Küstenhighway schaffte man endlich die Leichen des mexikanischen Zimmermädchens und des Kochs weg, die Kontakt mit einem moralischen Vakuum gehabt und den Preis dafür gezahlt hatten. Die Soldaten der Nationalgarde schüttelten die Köpfe. Die Detectives schüttelten die Köpfe.

»Jerry hat mir noch heute morgen ein Steak gebraten«, sagte einer der Soldaten, als der Karren, auf dem Jerrys Leiche lag, auf den Parkplatz hinausgerollt wurde. Von vorn hatte Jerry noch ausgesehen wie Jerry. Er hatte eine ganze Menge Kugeln abbekommen, aber moderne Hochgeschwindigkeitswaffen hinterließen saubere Einschußlöcher. Nicht so die Austrittswunden. Jede Kugel schiebt auf ihrer Reise durch den Körper einen sich ausdehnenden Fleischkegel vor sich her, und wenn sie wieder austritt, richtet sie schrecklichen Schaden an. Von vorn war Jerry nur leicht perforiert. Von hinten war er nichts als eine blutige Masse.

Das Mädchen war erdrosselt worden.

»Warum haben sie das getan?« fragte sich der Soldat. »Ich meine, wieso mußten diese Dreckschweine das tun? Es gab keinen Grund. Kein Geld und nichts. Wieso haben sie es dann getan?«

Entgegen weitverbreiteter Mythen verbringen amerikanische Polizeibeamte keineswegs den ganzen Tag damit, Leichen von Wänden und Böden zu kratzen. Das Morddezernat von Washington, D. C, vielleicht, aber nicht der Durchschnittscop. Der Tod ist in ihrem Job nichts Ungewöhnliches, aber er ist auch nicht die Norm, und die beiden Nationalgardisten waren mit dem Mord nicht so vertraut, daß sie ihm gleichgültig gegenüberstehen konnten.

»Es gibt keinen Grund«, antwortete einer der Detectives. »Diese Kids machen das nur aus Spaß. Vielleicht waren sie auf Drogen, haben sich irgendwelchen satanischen Heavy Metal angehört, oder vielleicht hatten sie auch nur gerade wieder einen Film gesehen.«

Noch immer waren einige Reporter am Tatort.

»Sie halten diese Tat also definitiv für einen weiteren Copycat-Mord, Chief?« fragte einer übereifrig. »Es muß der Mall-Killer sein, nicht?«

»Na ja, das hier ist kein Einkaufszentrum, oder? Obwohl, Teufel auch, diese Psychopathenschweine sind nicht eben wählerisch, was die Orte angeht, an denen sie ihre Mordlust austoben. Ich weiß es nicht... sagen Sie es mir! Vielleicht haben die irgendwas kopiert, was sie vorher gesehen haben, vielleicht waren es zwei andere Irre, die wiederum die anderen kopiert haben.«

»Ein Copycat-Copycat?« fragte der Reporter und schrieb wie manisch mit.

»Ich weiß es nicht. Vielleicht ist es ein Copycat-Copycat-Copycat. Ich weiß nur, daß zwei gewöhnliche, unschuldige Amerikaner tot sind.«

»Und das ist der Punkt, nicht?« sagte der Reporter und hielt an den Worten des Detectives fest wie ein Hund an seinem Knochen. »Genau das ist es, nur eine weitere, gewöhnliche Geschichte von gewöhnlichen Amerikanern.«

»Nun, ich weiß nicht, was Sie gewöhnlich nennen«, erwiderte der Cop. »Ich komme jetzt seit über dreißig Jahren in diesen Diner, und bisher wurde hier noch nie jemand erschossen.«

Doch der Reporter schrieb nicht mehr mit.

- 10 -

Der Ball des Gouverneurs. *Die* Party nach den Oscars. Der Glitzer, der Glamour, die *Brüste*! Alles voller Brüste, so weit das Auge reichte, ein großes, weiches, wogendes Meer aus Brüsten, das sich von einer Seite des riesigen Ballsaals zur anderen erstreckte. Wenn irgend etwas Bruce von diesem irrationalen, unangenehmen Gefühl des Scheiterns befreien konnte, das seine Rede wie einen Schatten über seinen Triumph geworfen hatte, dann dieser Ball der Brüste.

Er stand am oberen Absatz der Treppe, die zur Tanzfläche führte, und suhlte sich im Augenblick dieses glorreichen Geschehens. Von seinem Aussichtspunkt konnte er die tausend besten Dekolletés Hollywoods bewundern, was selbstverständlich hieß: die besten der Welt. Was für ein wundervoller Gedanke! Vor ihm wölbten sich die zweitausend weltbesten Titten, cremig-weiß, kaffeebraun, wie Oliven von der Sonne geküßt, hoben und senkten sich im Rhythmus der Nacht. Das Beste, was Mutter Natur zu bieten hatte, das Beste, was sich mit Geld kaufen ließ. Preßten sich an Seide und Lurex und Samt und Gummi von tausend Millionen-Dollar-Kleidern. Brüste um Brüste um Brüste rangen darum, den Zwängen der Kleider zu entfliehen, die sie einengten. Zum zweiten Mal an diesem Tag spürte Bruce, wie der Trieb in seinen Calvins erwachte. War das ein Oscar in seiner Tasche, oder war er nur verdammt extrem zufrieden mit sich selbst? Der Sieger! Der Mann der Stunde. Der beste Regisseur weit und breit.

Gefangen von der berauschenden Atmosphäre aus Sex und Erfolg vergaß Bruce das Gefühl, gescheitert zu sein. Alle hielten schreckliche Reden bei der Oscarverleihung. Es hatte Tradition.

Klar.

Absolut.

In gewisser Weise war es cool, kitschig zu sein. Denk an Elvis.

Genau.

Dieser Gedanke hielt ihn über Wasser, als Bruce durch das Meer von Brüsten watete.

»Danke, vielen Dank«, hörte er sich immer wieder sagen und kämpfte darum, seine Antworten an die Gesichter und nicht an die Brüste zu richten. Die Etikette hinsichtlich der Dekolletés hatte er noch nie beherrscht. Eine Frau, die ihre Titten wie auf dem Präsentierteller herumtrug, wäre doch traurig, wenn sie annehmen mußte, daß niemand sie beachtete. Andererseits machte es einen etwas billigen Eindruck, sie bewundernd anzustarren. Bruce dachte daran, seine Sonnenbrille aufzusetzen, entschied sich jedoch dagegen. Statt dessen konzentrierte er sich darauf, großherzig im Triumph zu wirken.

»Ich persönlich dachte, Soundso hätte ihn bekommen sollen«, log er. Er persönlich hielt Soundsos Film für hypersentimentalen Scheißdreck, den sich keiner zweimal angesehen hätte, wenn Soundso nicht eine Frau wäre. Aber er versuchte, nett zu sein.

»Nein, wirklich, ich glaube, sie hätte ihn eher verdient als ich.« Heuchelei.

»Ich freue mich nur, wenn sich jemand meinen Film ansieht.« Heuchelei bis zum Abwinken.

»Schön, Sie zu sehen, Mann.« Bruce nestelte leidenschaftlich an der Hand irgendeines gutaussehenden Stars herum. »Dieser

Bullenfilm, den Sie gemacht haben, hat mir gefallen. Wir sollten uns mal treffen. Fände ich gut. Das könnte witzig werden.«

»Hast du diesen Bullenfilm gesehen, den er gemacht hat?« vertraute Bruce einem weiteren Gegenüber an. »Gedreht von einem Schwachkopf, gespielt von einem Kretin. Ich will nicht abfällig klingen, aber der Typ hatte eine Talenttotaloperation.«

Mehr Brüste. Mehr Glückwünsche. Ein paar Drinks.

»Ich freue mich über die Schauspieler, das muß ich sagen. Eigentlich ist es ihr Film ... ich hatte nur die Idee, hab das Geld beschafft, das Skript geschrieben, die Besetzung vorgenommen, Regie geführt und allen Beteiligten genau gesagt, was sie tun sollen.«

Noch mehr Drinks. Noch mehr Brüste. Freudestrahlend sprach er jetzt direkt zu seinem Publikum.

»Ihr seid der Wind unter meinen Schwingen, und ich flattere für euch. Gott segne euch alle. Gott segne Amerika. Gott segne auch den Rest der Welt. Danke.«

Bruces Stimme wehte durch die Bäume. Das junge Pärchen lag auf einer Decke, die auf dem feuchten Boden ausgebreitet war. Eben erst hatten sie sich im dichten, warmen Regen geliebt.

»Klappe, Süße«, sagte der Mann und hielt einen Finger an die Lippen seiner Geliebten.

»Ganz sicher die umstrittenste Oscarverleihung der letzten Jahre«, sagte das Radio, »besonders vor dem Hintergrund eines weiteren sinnlosen Mordes, von dem angenommen wird, daß die berüchtigten Copycat-Mörder ihn verübt haben, die man als Mall-Killer kennt.«

Das Mädchen kicherte nervös und aufgeregt. »Berüchtigt!« flüsterte sie ihrem Freund ins Ohr.

»Stimmt genau, Süße. Berühmt-berüchtigt.«

Sie legte sich auf der triefnassen Decke zurück und ließ den Regen auf ihren zerbrechlich wirkenden Körper prasseln, wo er schimmernde Perlen auf ihrer weißen Haut bildete.

Berüchtigt.

Gemeinsam lachten sie über ihre Verrufenheit. Er strich mit seiner Hand über ihren Bauch und ihre Brüste, sammelte dabei Wasser ein. Dann liebten sie sich noch einmal, während das Radio zwanzig Minuten werbefreien Rock zwischen die tropfenden Bäume dröhnte. Kein Gequatsche, kein Werbescheiß, nur purer hundertprozentig tonnenschwerer Heavyrock flog ihnen um die Ohren.

»Tja«, sagte der Mann, als sie fertig waren, während er aufstand und seine Jeans anzog. »Ich nehme an, der Motor müßte inzwischen abgekühlt sein. Wir sollten lieber weiterfahren. Wir haben noch einiges vor.«

Bruce trank, und er hatte aufgehört, nett zu sein.

Obwohl er eine Art Style-Junkie war, blieb diese Sache mit der Abstinzenz eine Hollywoodmode, der er sich nie hatte anschließen können. Er gehörte zur neuen Gattung der harten »Hey, ich rauche – ruft ihr jetzt die Bullen?«-Typen.

»Ich trinke gern«, sagte er oft. »Ich mag den Geschmack, und ich mag die Verpackung. Es ist eine unbestreitbare Tatsache, ästhetisch gesehen, daß eine Flasche Jack oder Jim auf einem Eßtisch erheblich mehr hermacht als eine Flasche Evian. Glauben Sie mir, ich bin Regisseur.«

Unter normalen Umständen war Bruce ein sonniger Trinker, nicht eine dieser traurigen Jekyll-und-Hyde-Figuren, die beim dritten Glas zu Soziopathen mutierten. An diesem Abend jedoch, obwohl (oder vielleicht weil) es der größte Abend seines Lebens sein sollte, schenkte ihm der Bourbon nicht dieses vertraute, warme Glühen.

Es lag an all diesen Leuten vor seiner Nase.

Wohin er auch sah, war alles voller Menschen – Freunde, Bewunderer, Jobsucher, Goldgräber –, und doch wollte er plötzlich im Grunde allein sein. Er hätte nichts lieber getan, als sich mit seiner ganzen einsamen, angetrunkenen Pracht an eine Wand zu lehnen, die Brüste zu bewundern und nicht mehr an sich zu denken. Nur konnte er es nicht, weil dauernd Leute kamen und über ihn redeten. Glückwünsche wären in Ordnung gewesen, aber ständig wollten sie ihr überschwengliches Lob mit einem Gespräch rechtfertigen. Wieso konnten sie ihm nicht einfach sagen, daß er toll war, und sich verpissen? Statt dessen mußte er nett zu ihnen sein. Er wollte nicht nett sein. Er war auf dem Podium schon nett gewesen, nett genug für ein ganzes Leben. Jetzt war Schluß mit nett. Er hatte sich ausgenettet. Man sollte nicht von ihm erwarten, daß er den ganzen Abend, *seinen* Abend, damit verbrachte, nett zu sein.

»Danke, das ist sehr freundlich, vielen Dank. Das ist wirklich sehr freundlich von Ihnen.«

Es konnte nicht ewig so weitergehen, und das tat es auch nicht.

»Hören Sie, ich hab nur einen Film gedreht. Ich habe kein Mittel gegen Krebs erfunden!« Das brachte sie zum Schweigen.

»Dieser Oscar hat nichts zu bedeuten«, fügte er hoheitsvoll hinzu und fand sich in sein Thema hinein.

»Er ist eine pestkranke Puppe.« ...»Eine Statue ohne Status.« ...»Ein Weihnachtsmann ohne Eier.« ...Das letzte fand Bruce am besten.

»Seht ihn euch an.« Er hielt seinen Oscar hoch, wedelte damit herum und deutete auf das goldene Schwert, das neckisch die entscheidenden Teile seiner Anatomie verdeckte. »Ein Weihnachtsmann ohne Eier.«

Die Leute lachten, wenn auch nervös. Man kam nicht zum Ball des Gouverneurs und verarschte den Oscar. Das war, als ginge man in die Kirche und verspottete das Kreuz. Der Oscar war der meistbegehrte, glanzvollste Preis von allen, mächtiges Symbol der größten Unterhaltungsindustrie der Welt. Zynismus war nicht nur schlechter Stil, sondern zutiefst verloren. Jeder wußte, daß der Oscar – mit Eiern oder ohne – das ultimative Ziel war und Bruce ihn um jeden Preis hatte haben wollen. Ihn sich zu holen und dann danach den Oberschlauen zu spielen, war kein gutes Benehmen. Auch Bruce wußte das, aber es war ihm egal. Nachdem er es in seiner Rede versäumt hatte, zu sagen, was er dachte, holte er es jetzt nach.

»Hören Sie, wenn ein Film gut ist, ist er nicht auf die Billigung eines Dreißigzentimetereunuchen angewiesen!«

Es war die Erinnerung an die Gesichter im Spiegel, die ihre Finger anklagend auf ihn richteten. Es waren die schrecklichen, irregeleiteten Mütter mit ihren traurigen Geschichten von verlorenen Kindern. Es waren Oliver und Dale und dieser selbstgefällige, kleine Professor.

Sie alle lauerten in seinem Hinterkopf, nörgelten an ihm herum, versuchten ihn zur Rechenschaft zu ziehen, ihm den Spaß zu verderben. Offenbar reichte es nicht, coole, clevere, spannende Filme zu drehen, auf die die Leute abfuhren. Nein, man erwartete außerdem von ihm, daß er versuchte, unbegreifliche Auswirkungen vorauszuahnen, die seine Arbeit haben oder auch nicht haben mochte.

Absurd. Infantil.

Dennoch hatte er seine Chance gehabt und nichts gesagt. Schlimmer noch: Er hatte so getan, als wäre alles ganz prima. Er fand sich selbst dermaßen scheinheilig, daß er die Scheinheiligkeit aller anderen sah. Er konnte nicht glauben, daß dieses überschwengliche Lob, mit dem die Leute ihn überhäuften, ehrlich gemeint sein sollte. Warum sollten sie die Wahrheit sagen? Er hatte es nicht getan. Er hatte feige versäumt, die Möglichkeiten der Oscarverleihung zu nutzen und sich zur Debatte über die allgemeine Zensur zu äußern. Vor aller Öffentlichkeit das ganze gefährliche, reaktionäre Gerede von Copycat-Morden anzuprangern, diesen Unsinn, daß man Kinder vor sich selbst schützen müsse. Er hatte die Chance gehabt, die berühmte Dreißigzentimeterstatue sowohl Professor Chambers als auch dem Senatsausschuß für Geschmack und Anstand, den besorgten Müttern amerikanischer Blödmänner und jedem einzelnen frömmelnden, schönfärberischen Trottel der moralischen Mehrheit Amerikas in den kollektiven Arsch zu rammen. Er hatte die Chance gehabt, aber er hatte sie nicht genutzt.

»Brennende Beine«, ausgerechnet!

»Noch einen Jack Daniels.«

»Noch einen Jack Daniels!«

Der verschreckte Ladenbesitzer holte eine weitere Flasche Whiskey hervor und legte sie in den Karton neben Schnaps und Proviant, der auf dem Tresen stand. Voller Stolz sah das magere Mädchen, daß der erbärmliche Mann sprang, um genau das zu tun, was ihr Freund befahl. Der besaß eben natürliche Autorität und Durchsetzungskraft. Das liebte sie an ihm. Sie hatte das Gefühl, als würden seine Befehle auch ohne die Uzi-Maschinenpistole, mit der er den Ladenbesitzer bedrohte, befolgt.

Sie waren gerade dabei, den Laden eines kleinen, ländlichen Wohnwagenparks zu überfallen, auf den sie gestoßen waren, nachdem sie den Highway hinter sich gelassen hatten.

»Es wird Straßensperren geben«, hatte er gesagt, als er den großen, schwankenden, alten Wagen auf den Kiesweg lenkte, »und die sollen uns erst kriegen, wenn wir bereit sind.«

»Bereit, errettet zu werden?« fragte sie eifrig.

»Ganz genau, Baby, bereit, errettet zu werden.«

Sie rutschte über die mächtige Sitzbank und lehnte ihren Kopf an seine Schulter. Die weiten Redwoods glitten an den Scheiben vorüber, und eine Zeitlang frönte sie der Vorstellung, für immer im Wald bleiben zu können. Im Scheinwerferlicht des Chevy sahen die Bäume so dicht und freundlich aus, daß sie dachte, sie könnten dazwischen vielleicht eine verborgene Hütte bauen und sich von Beeren und Rehfleisch ernähren.

Es war ein köstlicher Gedanke, und wenn sie durch die nasse Windschutzscheibe und tief in die dunklen Schatten spähte, konnte sie sich beide fast schon sehen, wie sie da in der Tür ihres kleinen Märchenhauses standen, er mit einer Axt in der Hand, sie mit einem Tablett voll frisch gebackener Brötchen. Ganz allein auf der Welt.

Als der Wohnwagenpark auftauchte, schien es ihr, als wären sie vielleicht auf halbem Weg zwischen Phantasie und Realität angekommen.

»Mieten wir uns einen Wohnwagen«, hatte sie gebettelt. »Wir könnten ein paar Tage bleiben. Ich wette, hier draußen haben die noch nicht mal von uns gehört.«

Einen Augenblick lang hatten die Bäume und die Nacht und der Duft des Regens sie zu der Vorstellung verführt, daß sie in einem anderen Zeitalter lebte, als Menschen sich noch in den Wäldern versteckten, als man noch fliehen und abtauchen konnte. Als Menschen noch mal von vorn beginnen konnten.

»Süße, wir sind kaum fünfzehn Meilen vom Interstate entfernt. Meinst du, die haben keinen Fernseher und kein Telefon?« sagte ihr Freund. »Außerdem hat *jeder* in den Vereinigten Staaten von uns gehört.«

»Aber könnten wir nicht eine Nacht bleiben? Ferien machen, ja?«

»Heute abend ist nicht irgendein Abend, Zuckerschnecke. Heute abend ist *der* Abend. Wir holen nur ein paar Sachen und fahren weiter.«

Also waren sie vom Kiesweg abgebogen und hatten den alten Ladenbesitzer gezwungen, seine Bude aufzumachen. Sie hätten nach zwei Minuten wieder draußen sein sollen. Eigentlich war es ja die einfachste Sache der Welt. Schließlich hatten sie schon hundertmal irgendwelche Provinzläden auseinandergenommen.

Aber diesmal ging der Raub daneben. Diesmal gab es ein Problem.

Der Ladenbesitzer hatte keine Twinkies.

Keine Twinkies? In jedem Laden gab es Twinkies.

»Ich *will* aber Twinkies«, sagte das Mädchen und stapfte wütend mit dem Fuß auf. »Du hast *gesagt*, daß ich welche kriege.«

»Ich weiß, ich weiß, Baby, aber ich kann sie ja schließlich nicht aus Hundefutter basteln, oder?«

Aus dem Hinterzimmer war Werbung zu hören. Der Ladenbesitzer hatte ferngesehen, als der Überfall begann.

»Du bist ein modernes Mädchen. Du weißt, was du willst, und du willst es jetzt!«

»Nein ist keine Antwort.«

»Wieso warten, wenn man schon heute alles haben kann?«

Es hätte Werbung für alles mögliche sein können. Sogar für Twinkies.

»Du kriegst alles, was du willst!« rief das Mädchen. »Whiskey und Donuts und Zigaretten, und ich krieg nicht mal Twinkies!«

»Ich weiß, Zuckerbohne, aber was soll ich machen? Es tut mir leid.«

»Bitte erschießen Sie mich nicht.« Der Ladenbesitzer konnte vor Angst kaum sprechen.

»Für mich bedeutet Freiheit, das zu tun, was ich tun möchte, wann immer ich es tun möchte«, sagte der Fernseher im Hinterzimmer.

»Was hast du gesagt?« fragte der junge Mann den Ladenbesitzer.

»Ich... ich habe gesagt: Bitte erschießen Sie mich nicht... die sind erst gestern ausgegangen. Wir sind ein kleiner Laden. Wir haben kein großes Lager.«

»Meinst du, ich würde jemanden erschießen, weil er keine *Twinkies* hat?«

»Ich... habe Pop Tarts.«

»Himmelarsch, wofür hältst du mich eigentlich?« Der junge Mann war so aufgebracht, daß er den Ladenbesitzer trotzdem erschoß.

»Komm schon, Süße. Wir halten an einem 7-11, wenn wir nach L. A. kommen.«

- 11 -

Inzwischen war Bruce von einer Menschenmenge umringt, die einen Skandal witterte. Irgendein Kritiker stand ihm auf den Füßen, ein lautstarker Feuilletonredakteur der L.-A.-*Times* oder vielleicht auch aus der Gartenbauredaktion, jedenfalls irgendwas, worauf er ziemlich stolz war. Beim Schwanze des Propheten, der Mann war ein aufgeblasener kleiner Pisser.

»Ich muß sagen«, sagte der Pisser, »meiner Ansicht nach ist *Ordinary Americans* ein wunderbar verführerisches Stück filmischer Unterhaltung.«

»Filmische Unterhaltung.« Was für eine Phrase! Nicht »Kunstwerk«, nicht »kultureller Meilenstein«, nicht »Zelluloidspiegel des Geistes unserer Zeit«, sondern »filmische Unterhaltung«. Als machte Bruce Seifenopern oder so was.

Bruce fand nicht, daß er sich auf seine Arbeit etwas einbildete. Er war der erste, wenn es darum ging, einzuräumen, daß es »Popcorn« war, eine Mischung aus Pop und Kitsch, aber nur, wenn auch andere populäre und kitschige Werke wie *Romeo und Julia* und Beethovens *Fünfte* Popcorn waren.

»Und ich werde auf die Barrikaden gehen«, fuhr der Pisser fort, als Bruces Augen glasig wurden, »um für Ihr Recht einzustehen, daß Sie in Ihren Filmen so viele Leute töten können, wie Sie wollen. Die einzige Frage, die ich stelle, lautet – das alte Schreckgespenst: Ist es Kunst?«

»Ist es Kunst?« sagte Bruce. »Lassen Sie mich mal sehen. Das ist knifflig. Ist es Kunst, wenn in einem Film ein ganzer Haufen Leute erschosssen wird? Ich glaube, das läßt sich am besten beantworten, wenn ich Sie bitte, sich nicht wie ein lahmarschiger Wichser aufzuführen.« Vielleicht nicht gerade brillant, aber es half, den Pisser zu verscheuchen.

Nur brachte es Bruce keine Erleichterung. Ein Wichser wich dem nächsten. Wenigstens war es diesmal eine junge Schauspielerin. Sie war ein Jammerlappen, eine verwöhnte Göre. Ihre Konversation hatte diese banale Selbstverliebtheit, die entsteht, wenn einem nur selten widersprochen wird, und zwar aufgrund der Tatsache, daß sie sich kaum jemals mit jemandem unterhielt, der nicht mit ihr ins Bett wollte. Bruce wollte nicht mit ihr ins Bett, und so lauschte er der Konversation dieser jungen Frau mit weniger nachsichtigem Ohr, als sie gewohnt war.

»Nein, eigentlich glaube ich nicht, daß ich als Kind emotional mißbraucht wurde«, sagte er mit zusammengebissenen Zähnen. »Na, ich denke, ich müßte es wissen… Wirklich? Ist das so?«

Nach der jungen Frau zu urteilen war es absolut nicht notwendigerweise so, daß man sich des Umstands bewußt war, emotional mißbraucht worden zu sein. Sie selbst sei der erschrekkenden Wahrheit gegenüber ahnungslos gewesen, bis diese per Hypnotherapie ans Licht kam.

»Und was hat er dazu gesagt?«

Es war am folgenden Morgen, und das Mädchen (deren Namen Dove war) gab die Geschichte ihrer Begegnung mit Bruce vor Oliver und Dale bei *Coffee Time USA* zum besten, nachdem die Ereignisse der Oscarnacht inzwischen jeden, der in den vergangenen vierundzwanzig Stunden Kontakt mit Bruce gehabt hatte, zu einem wichtigen Charakterzeugen und einer begehrten Berühmtheit gemacht hatten. Auf allen Kanälen gaben Garderobenmädchen und Kellner ihre Ansichten zu Bruces Geisteszustand während der fünf bis sechs Sekunden preis, die sie »Auge in Auge« mit ihm verbracht hatten.

»Er hat gesagt, ich müßte doch ungemein erleichtert sein«, antwortete Dove und sah dabei wunderschön ernsthaft und von Sorgen gezeichnet aus.

»Moment mal, damit ich Sie richtig verstehe«, sagte Oliver und setzte seine Brille auf. Olivers Brille hatte keine Gläser, weil sich sein Teleprompter darin gespiegelt hätte. Dennoch hatte er sie stets dabei und setzte sie auf, wann immer er deutlich machen wollte, daß er tiefes Mitgefühl und Sorge empfand.

»Bruce Delamitri hat gesagt, Sie müßten *erleichtert* sein, verborgene Erinnerungen an emotionalen Mißbrauch entdeckt zu haben?«

»Ja, das hat er gesagt.«

»Was *sagt* man zu diesem Mann!«

»Er sagte, dann wäre ich doch fein raus. Ich könnte tun und lassen, was ich will – Drogen nehmen, rumbumsen, klauen, mich total hängen lassen –, und nichts davon wäre meine eigene Schuld, weil mir irgendein Hypnotherapeut den Opferstatus garantiert. Können Sie glauben, daß jemand so was sagt? Die ganze Nacht habe ich geweint.«

Gequält wand Dove bei dieser schmerzlichen Erinnerung das Taschentuch zwischen ihren zierlichen Fingern.

»Kamera vier.« Weit hinten im Kontrollraum gab der Regisseur seine Anweisungen aus. »Extreme Totale auf Doves Hände.«

Dale sah die Einstellung auf ihrem Monitor und legte ihre Hand auf die von Dove.

»Sie wollen sagen: Delamitri wollte nicht glauben, daß Ihr ganz realer Kummer mehr als nur ein Trick wäre?«

»Das stimmt. Er hat mich gefragt, wieviel ich meinem Hypnotherapeuten bezahlt hätte, und als ich dreitausend Dollar sagte, meinte er, das wären doch Peanuts.«

»Peanuts? Dreitausend Dollar?« sagte Oliver, der acht Millionen im Jahr verdiente. »Na ja, die Leute aus Hollywood haben wohl noch nie vorgegeben, in der realen Welt bei uns normalen Menschen zu leben, nicht wahr?«

»Er hat gesagt, hunderttausend Dollar wären noch billig gewesen. Es wäre wohl der Preis, den man zahlen muß, um sein Leben ungestraft versauen zu dürfen.«

»Diese Typen glauben einfach nicht, daß Anstand und gute Manieren auch für sie gelten, was?«

»Wohl nicht.«

»Und was haben Sie darauf gesagt?«

»Ich habe ihm erklärt, ich hätte eine tiefe und schmerzliche Wunde entdeckt.«

»Ganz genau, Dove. Gut pariert«, sagte Oliver. »Wir hören mehr von Doves tiefer und schmerzlicher Wunde und der kalten Gleichgültigkeit des Millionärs Delamitri für ihr Leid, gleich nach unseren Verbraucherinformationen.«

»Blähungen können einem das Leben erschweren«, sagte die nette, alte Dame, die mit ihren Hunden in einem Park stand.

»Ich habe eine tiefe und schmerzliche Wunde entdeckt«, sagte Dove in dem Versuch, ihren Platz zu behaupten, verpfuschte es jedoch, weil sie eine Schnute zog und schmollte. Sie fühlte sich bloßgestellt und verlor ein wenig den Boden unter den Füßen. Eigentlich hatte sie keine Ahnung, wie man Männer behandelte, die nicht versuchten, mit ihr zu schlafen. Bruce lachte nur. Inzwischen hörten Leute zu, aber das war ihm egal. Nachdem er selbst am früheren Abend vor einer Milliarde Menschen Scheiße erzählt hatte, wollte er sich von niemandem irgendwas bieten lassen.

»Oh, ich verstehe«, sagte er. »Eine tiefe und schmerzliche Wunde, wenn auch nicht so tief und schmerzlich, daß du sie entdeckt hättest, ohne jemandem mehrere tausend Dollar dafür zu bezahlen, damit er dich mit der Nase drauf stößt.«

»Das hat er nicht gesagt!« empörte sich Dale, als Dove ihr schreckliches Erlebnis am nächsten Morgen erneut durchlebte.

»Das hat er wohl gesagt«, protestierte Dove. »Alle haben es gehört.«

»Damit ich das alles richtig verstehe.« Oliver rückte seine Brille zurecht und warf einen Blick auf die imaginären Notizen, die er sich gemacht hatte. »Er hat den Wahrheitsgehalt des grausamen, emotionalen Mißbrauchs, den Sie erleiden mußten, rundweg abgestritten? Er hat Sie beschuldigt, es erfunden zu haben?«

»Ja, das hat er getan, Oliver.«

»Ist das legal? Ich bin mir nicht mal sicher, ob es legal ist.« Oliver sah aufmerksam in die Runde. Er vermittelte gern den Eindruck, daß hinter den Kameras ein Team von erstklassigen Anwälten und Rechercheleuten saß, die beim geringsten Nicken des großen Mannes in Aktion traten. In Wahrheit hielt hinter der Kamera eine Frau einen Schminkpinsel und eine andere einen Plastikbecher mit Wasser.

»Was haben Sie dann getan?« fragte Dale. »Was haben Sie gesagt?«

»Ich habe gesagt: ›Mr. Delamitri, der Umstand, daß Sie viel Geld damit verdienen, den Schmerz und das Leid anderer auszubeuten, gibt Ihnen keineswegs das Recht, auch mein Leid auszubeuten.‹«

»Aber ganz genau, meine Beste«, sagte Dale.

»Gut gemacht, Schwester«, sagte Oliver. »Wir sind gleich wieder da.«

»Als Frau haben Sie ein Recht auf feste, hochstehende Brüste, ganz unabhängig von Ihrem Alter.«

Dove log bei *Coffee Time*. In Wahrheit war sie nicht so couragiert gewesen. Eigentlich hatte sie nur dagestanden, mit Tränen der Verlegenheit in den Augen, und sich gefragt, wieso dieser Mann so *gemein* war.

»Was ist schon so ein kleiner Schmerz?« sagte Bruce. »Ich meine, was wärst du ohne diesen Schmerz?«

»Wie bitte?« schniefte Dove.

»Ich werde es dir sagen. Du wärst dieselbe nutzlose, maßlose, dumme Pute, zu der Gott dich gemacht hat, nur hättest du niemanden, dem du die Schuld daran geben könntest.«

Inzwischen kämpfte Dove mit den Tränen. Was war schiefgegangen? Die Leute sollten doch normalerweise mitfühlend gurren, wenn man ihnen von emotionalem Mißbrauch erzählte, und nicht emotional mißbrauchen.

»Mal langsam, Bruce. Du hast schon ein paar intus.« Ein alter Freund von Bruce versuchte, ihn mit sich zu ziehen, da er zu dem Schluß gekommen war, daß sowohl Bruce als auch die Firma, die seine Filme vertrieb, dieses Benehmen morgen früh bereuen würden.

»Und ich will dir sagen, wieso ich ein paar intus habe«, antwortete Bruce triumphierend. »Weil ich eine suchtgefährdete Persönlichkeit bin, deshalb. Weißt du, woher ich das weiß? Ein Richter hat es mir gesagt. O ja, das hat er, als sie mich geschnappt haben, weil ich betrunken gefahren bin. Das war mein Plädoyer. Das habe ich gesagt. Nicht: ›Tut mir leid, Euer Ehren, ich bin ein unverantwortlicher Sack‹, sondern ›Ich kann nichts dafür, ich bin eine suchtgefährdete Persönlichkeit.‹ *Ich* habe den Alkohol getrunken, *ich* habe den Wagen gefahren, aber es *war nicht meine Schuld*! Ich hatte ein Problem, weißt du, und das hat mich vor einer Gefängnisstrafe bewahrt ... hey, Michael!«

Ein bedeutender Filmstar ging vorbei. Er wandte sich um, als Bruce ihn rief, und freute sich, daß jemand, der genauso berühmt war wie er, ihn grüßte.

»Wie steht's?« erkundigte sich Bruce.

Es war ein mieser Seitenhieb, und er traf ins Schwarze. Kürzlich erst hatte man den Star in der Presse als Serienehebrecher enttarnt. Er wandte sich ab, ohne Bruce weiter Beachtung zu schenken.

»Sexsüchtig«, erklärte Bruce Dove. »Hast du das gelesen? Das hat er in *Vanity Fair* gesagt, nachdem man ihn mit verschiedenen Damen im Bett erwischt hatte, mit denen er nicht verheiratet war. Er sagte, er wäre süchtig nach Sex. Nicht eine feige, verlogene, kleine Fickratte, nie im Leben. Nein. Ein Sexsüchtiger. Er hat ein Problem, also ist es *nicht seine Schuld*.«

Mittlerweile hatte sich eine kleine Gruppe versammelt, was für Dove einige Erleichterung brachte. Sie war ungemein froh, nicht mehr die alleinige Zielscheibe für Bruces Spott zu sein.

»Wahrscheinlich ist nichts die Schuld von irgendwem. Wir machen nichts falsch, wir haben Probleme. Wir sind Opfer, Alkoholiker, Sexoholiker. Wißt ihr, daß man Kaufoholiker sein kann? Es stimmt. Die Leute sind nicht mehr gierig, o nein. Sie sind Kaufsüchtige, Opfer des Kommerzes. Opfer! Menschen begehen keine Fehler mehr. Sie erleben negativen Erfolg. Wir bauen eine Gesellschaft von feigen, rückgratlosen, selbstgerechten, jammernden Heulsusen, die für alles eine Entschuldigung haben und für nichts Verantwortung übernehmen...«

»Er hat die Kaufsüchtigen angesprochen?« fragte Oliver am nächsten Morgen. »Glauben Sie, daß er möglicherweise auf seltsame, unheimliche Weise unbewußt einen Zusammenhang zu den Mall-Killern hergestellt hat? Denn was finden wir schließlich in diesen Einkaufspassagen? Läden, oder?«

»Stimmt«, sagte Dove, wenn auch leicht zögerlich.

»Und was finden wir in den Läden? Kaufsüchtige!«

»Und Mörder«, fügte Dale hilfreich hinzu.

»Genau«, sagte Oliver. »Vielleicht wußte Bruce Delamitris Unterbewußtsein auf seltsame, unheimliche Weise, was auf ihn zukommen würde.«

»Ich fühle mich von Ihrer Haltung bedroht«, sagte Dove.

Sie hätte nichts Schlimmeres sagen können.

»Bedroht? Mein Gott! Na und? Wen interessiert das? Ich fang gleich an zu heulen. Wir fühlen uns alle bedroht. Man sollte dich bei Gelegenheit mit einem Baseballschläger bedrohen, um die Perspektive zurechtzurücken. Wenn früher jemand was gesagt hat, was einem nicht gefiel, hat man ihm geantwortet, er solle es sich in den Arsch schieben. Jetzt geht man vor Gericht und sagt, man wäre Opfer einer Konversationsbelästigung.«

»Bruce, bitte.« Noch immer versuchte sein Freund, ihn zu beruhigen, doch Bruce sprach nicht mit ihm und auch nicht mit Dove. Er sprach mit Professor Chambers und Dale und Oliver und den aufgebrachten Müttern und den beiden irren Psychos, die irgendwo da draußen herumrannten und seine Plots klauten.

»Opfer! Jeder ist heutzutage ein verdammtes Opfer, und wir alle haben unsere Opferhilfsgruppen. Schwarze, Weiße, Alte, Junge, Männer, Frauen, Homos, Heteros. Alle suchen eine Entschuldigung für ihr Scheitern. Es wird uns alle umbringen, genauso wird es kommen. Eine Gesellschaft, die ihre Teilgruppen nach deren Schwächen definiert, muß sterben. Wir verlieren pro Jahr mehr Kinder durch Gewalt als damals im Vietnamkrieg. Aber geben wir den Gewalttätern die Schuld? Nein, wir geben meinen beschissenen Filmen die Schuld!«

»Geh nach Hause, Bruce«, sagte sein Freund.

Schon löste sich die Versammlung auf. Angewidert hatte Dove auf dem Absatz kehrtgemacht. Sein Freund hatte recht. Es war sein Abend, aber er hatte ihn versaut. Er war gelangweilt und langweilig. Er kam zu dem Schluß, daß er besser gehen sollte.

Dann sah er Brooke.

Durch die aufgetakelten Horden, weit drüben am anderen Ende der Busengalerie, sah er sie: Brooke Daniels. Zufall oder was? Bestimmt Synchronismus. Jeder hat eine spezielle Phantasiegestalt, eine bestimmte Popsängerin oder Schauspielerin, die Nummer eins im Partyspiel ist, wenn gefragt wird: »Wen würdest du nehmen, wenn du dir jemanden für eine Nacht aussuchen könntest?« Bis vor wenigen Tagen hätte Bruce wahrscheinlich »Michelle Pfeiffer in ihrem Batwoman-Kostüm« geantwortet. Dann hatte er im Büro seines Agenten zufällig ein paar Playboy-Magazine durchgeblättert. Brooke war aus dem Stand an die Spitze seiner Favoritenliste gesprungen. Und hier war sie in Fleisch und Blut und sah ohne Falzung und Heftklammern sogar noch besser aus.

»Entschuldigen Sie«, sagte er zu allen, die es hören wollten, und stürzte sich in die Menge, bahnte sich einen Weg dorthin, wo die Frau seiner jüngeren Träume mit einem kleinen Mann in gemietetem Smoking sprach.

»Hi, entschuldigen Sie, wenn ich dazwischenplatze, aber ich habe den Oscar für den ›Besten Film‹ bekommen und kann tun und lassen, was ich will.« Bruces zornige Verdrießlichkeit hatte sich augenblicklich verflüchtigt und war seinem üblichen Charme gewichen.

»Ganz und gar nicht, Mr. Delamitri, und meinen Glückwunsch. Ich bin Brooke Daniels.« Brooke lächelte und zog ihre Schultern ein winziges Stück zurück, um ihre großartige Figur noch etwas mehr hervorzuheben.

»Ich weiß, wer Sie sind. Ich habe Sie im *Playboy* gesehen... es war sensationell.«

»Vielen Dank. Dem scheine ich nicht entkommen zu können. Schließlich bin ich auch Schauspielerin, wissen Sie.«

Der kleine Knabe im geliehenen Smoking trat von einem Bein aufs andere, was keine langen Wege erforderte.

Brooke erinnerte sich ihrer guten Manieren. »Das ist... leider habe ich Ihren Namen nicht verstanden.«

»Kevin.«

»O ja, natürlich, Kevin. Das ist Kevin. Er ist aus Wales in England. Das ist Bruce Delamitri, Kevin.«

»Ich weiß«, sagte Kevin. »Ich habe *Ordinary Americans* gesehen. Himmel, bin ich froh, daß ich meine Oma nicht dabei hatte.«

Darauf schien es keine naheliegende Antwort zu geben, also gab Bruce auch keine von sich. Eilig füllte Brooke das folgende Schweigen, da sie aus irgendeinem Grund das Gefühl hatte, die gastgeberische Verantwortung läge bei ihr.

»Kevin hat auch gewonnen, Bruce. ›Bester ausländischer Animationskurzfilm‹. Er handelt von einem Jungen namens Midget...«

»Widget«, verbesserte Kevin.

»Ja, das stimmt«, sagte Brooke. »Und er hat einen Zauberslip mit Eingriff. Was ist ein Eingriff, Kevin?«

»Es geht um eine Unterhose mit einer Öffnung vorn, durch die man seinen Eumel stecken kann.« Kevin hoffte, daß sie seine britische Unverblümtheit charmant fand.

»Oh, ich verstehe.« Es sah nicht so aus, als ob sie es täte.

Bruce kam zu dem Schluß, daß es Zeit wurde, sich des Walisers zu entledigen. »Warten Sie mal. Sie meinen, *Sie* sind Kevin?« sagte er, als dämmerte ihm etwas. »Der Typ, der diese Trickfilme macht? Meine Güte, haben Sie ein Glück! Sharon Stone sucht Sie... ja, das stimmt, sie will mit Ihnen über Ihren Widget sprechen... nein, das ist kein Witz... ich weiß nicht, vielleicht mag sie Waliser, aber sie hat mir erzählt, daß ihre Nippel ganz hart geworden sind, als sie sich Ihren Film angesehen hat... das hat sie gesagt, wortwörtlich: Ihre Nippel wurden ganz hart... Sie sollten besser mit ihr reden.«

Im heimatlichen Pub wäre Kevin vielleicht darauf gekommen, daß er das Opfer eines eher kunstlosen Streiches geworden war, aber auf der Party des Gouverneurs? Im Gespräch mit Bruce Delamitri? Allerdings *hatte* er eben erst den Oscar gewonnen, so daß wohl alles möglich war, sogar die Vorstellung, daß die Arbeit des »Welsh Cartoon Collective« (in Zusammenarbeit mit dem Arts Council of Great Britain, Channel Four Wales und der Jugendinitiative irgendeiner Geschäftsbank) Sharon Stones Brustwarzen hart werden ließen. Er dankte Bruce für den Tip und trippelte davon.

»Das war ein bißchen grausam, oder?« erkundigte sich Brooke.

»Auf keinen Fall. Wie viele Männer dürfen fünf Minuten ihres Lebens in dem Glauben verbringen, daß Sharon Stone sich für sie interessieren könnte?«

Bruce fühlte sich schon viel besser. »Tolles Kleid«, setzte er an und meinte natürlich eigentlich die tolle Figur, denn das Kleid war offensichtlich nur etwas, das als Garnierung durchging.

»Danke. Kühn, wie ich zugeben muß, aber heutzutage ist es schwer, noch einen Eindruck zu hinterlassen. Haben Sie gesehen, was für einen Auftritt die Baywatch-Babes hatten? Es war wie Silicon Valley in der Erdbebensaison. Es kommt noch so weit, daß die einzigen Frauen, die Beachtung finden, tätowierte Lesben aus Neuseeland sind.«

Etwas später tanzten sie. Es erregte einiges Aufsehen, da Bruce am Ende einer sehr öffentlich ausgetragenen Scheidung stand.

»Darf ich etwas Peinliches sagen?« fragte Brooke.

»Klar.« Bruce hoffte verzweifelt, sie würde nicht den Umstand kommentieren, daß er seit fünf Minuten seine Erektion an ihren Bauch preßte.

»Ich habe Ihren Film nicht gesehen. Für den Sie den Oscar bekommen haben, *Ordinary Americans*.«

Aus irgendeinem Grund freute sich Bruce darüber. »Ist schon okay. Ich bestehe nicht darauf. Ist vielleicht sogar besser so. Vielleicht wären Sie losgegangen und hätten ein Einkaufszentrum überfallen.«

Einen Moment lang drang die bittere Erinnerung an seine Rede in Bruces knospende Verführung. Er zwang diese unseligen Gedanken aus seinem Kopf und konzentrierte sich auf den außergewöhnlichen Körper, den er in seinen Armen hielt.

Brooke hingegen schien das Gefühl zu haben, als wäre eine Entschuldigung angebracht. »Ich kann mir gar nicht erklären, wie es kommt, daß ich ihn nicht gesehen habe.«

»Na, wahrscheinlich sind Sie einfach nie ins Kino gegangen, wenn er lief…«

Eine Weile tanzten sie schweigend. Bruce dachte nach. Es war so lange her, daß er ein Mädchen gefragt hatte, ob sie sich mit ihm von einer Party stehlen wollte, daß er sich fragte, wie er das Thema anschneiden sollte. Jetzt hatte ihm Brooke den perfekten Einstieg geliefert.

»Vielleicht würden Sie ihn jetzt gern sehen?«

»Jetzt?«

»Klar, ich hab eine Kopie im Studio. Wir könnten uns ein paar Biere und Cracker mit ordentlich Kaviar drauf mitnehmen und ihn uns auf meiner Schneidemaschine ansehen.«

»Meine Güte, ich war schon mit Männern im Kino, aber es ist das erste Mal, daß mich der Mann mit dem Oscar zu einer Privatvorstellung einlädt. Kein schlechtes Date.«

»Dann kommen Sie also mit?«

»Nein, ich muß zum Volleyballtraining. Meine Güte, natürlich komme ich mit.«

»Prima. Ich glaube, der Film wird Ihnen gefallen. Allerdings sollte ich Sie vorwarnen: Er enthält einige Szenen mit drastischen Gewaltdarstellungen.«

- 12 -

INNEN, NACHT, EINE 7-11-FILIALE.

Ein Überfall ist im Gang. Entsetzte Kunden und Angestellte liegen am Boden mit den Händen an den Köpfen. Über ihnen ragen Wayne und Scout auf, armer White Trash, kleine Gauner, bereit zu töten. Beide sind schwerbewaffnet. Wayne ist Anfang Zwanzig. Er trägt Arbeitsstiefel, Jeans und eine zerfetzte Weste und hat Tätowierungen auf seinen muskulösen Armen. Scout gleicht einem obdachlosen Teenager. Sie trägt pinkfarbene Doc-Martens-Stiefel und ein mädchenhaftes, kleines Sommerkleid aus Baumwolle. Offensichtlich hat es bereits einen schrecklichen Zwischenfall gegeben: Überall liegt Geld herum, und zwei bis drei tote oder sterbende Menschen liegen zwischen den kauernden Kunden. Wayne und Scout stehen beide vor Begeisterung am Rande der Hysterie. Er reißt sie an sich.

WAYNE

(Schreit wild)

Ich liebe dich, Zuckerschnecke!

SCOUT

Ich liebe dich auch, Baby.

Sie umarmen sich. Ein Kunde, ein fetter Mann, der bäuchlings auf dem Boden liegt und dabei noch einen halbgegessenen Hamburger nah an seinen Mund hält, wirft verstohlen einen Blick auf Wayne und Scout. Wayne knabbert an Scouts Ohr. Nahaufnahme von Waynes Gesicht, als er sich von Scouts Kopf abwendet und merkt, daß der dicke Mann ihn ansieht.

WAYNE

Du siehst gern zu, was Fettsack?

Der entsetzte Mann sagt nichts. Als Antwort preßt er sein Gesicht so fest er kann zu Boden und legt die Arme um den Kopf. Waynes Blickwinkel ist jetzt nur noch die Halbglatze des Mannes mit seinen Wurstfingern darauf, die den halben Hamburger festhalten. Man hört einen lauten Knall, und ein Loch entsteht im kahlen Kopf. Blut läuft wie aus einem Hahn, kein Spritzen, sondern ein stilles, fast sanftes Quellen, das bald einen kleinen Tümpel bildet, den Hamburger einweicht und rot färbt.
Schnitt auf Wayne, der sein Opfer vollkommen ignoriert und seine Lenden an Scout reibt.

WAYNE

Oh, Jesusmaria! Killen macht mich geil! Ich fick dich, bis dir die Zähne klappern, Baby.

Waynes kräftige Hände umklammern Scouts Hintern. Fast scheint es, als bohrten sich seine Finger durch den dünnen Stoff. Schnitt zur Nahaufnahme der Hand des toten, dicken Mannes, die den Hamburger hält. (ANMERKUNG: Es sollte der Eindruck entstehen, daß der Burger und Scouts Hintern nur zwei Stücke Fleisch sind – zum Verschlingen bestimmt.)

Schnitt zu einer langen Doppelaufnahme von Wayne und Scout, wollüstig eng umschlungen. Rockmusik wummert in ihren Köpfen, und fast scheinen sie dazu zu tanzen. Falls sie es tun, ist es ein primitiver, sexueller Tanz, der Tanz zweier wilder Tiere, gefangen zwischen den beiden großen Mächten des Lebens: Überleben und Sex.

WAYNE

Komm schon, Süße.

Wayne schiebt Scouts Kleid über ihre Taille, so daß ihr Höschen sichtbar wird, das mit kleinen Herzchen oder niedlichen Zeichentrickfiguren verziert ist. Trotz ihrer deutlich erkennbaren sexuellen Leidenschaft bleibt Scout verschämt und kindlich.

SCOUT

Wir sind in einem Laden, Wayne, in der Öffentlichkeit! Wir können uns doch hier nicht lieben. Hier sind doch Leute. Die können uns sehen.

WAYNE

Kein Problem, Zuckerschnecke.

Wayne läßt Scout los und richtet seine Maschinenpistole auf die am Boden liegenden Gestalten. Sie zucken wie Puppen, als die Kugeln einschlagen. Schreie gellen durch den Raum.

Wir sehen eine Reihe von Nahaufnahmen.

Eine Mutter umarmt ein Kind, das eine Puppe umarmt, die plötzlich allesamt von Kugeln durchsiebt werden.

Ein Geschäftsmann weint, während er stirbt.

Ein Plakat zeigt eine glückliche Familie beim Einkaufen unter der Überschrift: »Wenn Sie ein Problem haben, wenden Sie sich vertrauensvoll an unsere Mitarbeiter.«

Eine sehr weite Einstellung des ganzen Ladens, eine Szene vom blutigen Gemetzel, mit Wayne in der Mitte, der triumphierend alles mit Kugeln durchsiebt. Die Muskeln und Adern an seinen kräftigen Armen sind gespannt von der Anstrengung, die ratternde Maschinenpistole unter Kontrolle zu halten.

Nahaufnahme von Scout. Sie starrt Wayne an, reglos vor Bewunderung. Schließlich verklingen die Schüsse.

WAYNE

Jetzt sind keine Leute mehr da, Schmusepuppe, jedenfalls keine, die wir irgendwie stören könnten.

SCOUT

Oh, Wayne, ich liebe dich einfach über alles.

Scout umarmt Wayne. Ein schlankes, fohlenhaftes Bein, zerbrechlich und verletzlich wirkend, trotz der großen Stiefel, die sie trägt, schlingt sich um ihn, während sie einen Arm ausstreckt, um Waynes Gesicht an ihr eigenes zu ziehen.

- 13 -

INNEN, NACHT, DER WOHNBEREICH EINER KALIFORNISCHEN VILLA.

Eine schöne, aber eher unpersönliche Einrichtung aus großzügigen, weißen Sofas, Tischen und Regalen aus Glas und Stahl. Wer auch immer hier wohnen mag, hat sich die Einrichtung von jemandem entwerfen lassen. Wayne und Scout stehen mitten im Raum. Ihre billigen, schmutzigen, blutverschmierten Kleider stehen in krassem Gegensatz zu den kalten Pastellfarben, von denen sie umgeben sind. Sie sind ganz high vor Aufregung. Eben erst sind sie eingebrochen, und staunend betrachtet Scout den Reichtum. Beide tragen Maschinenpistolen und haben noch weitere Waffen bei sich. Schnitt von der Totalen zu einer mittleren Doppelaufnahme, als Wayne Scout zärtlich auf die Stirn küßt.

WAYNE

(plötzlicher, überschwenglicher Schrei)

Nichts geht übers Töten, Scout. Alles hab ich schon probiert: Stock Cars, Broncos, Spielen, Stehlen, und ich sag dir: Nichts ist so aufregend wie das Töten.

Nahaufnahme von Scout. Ihre Augen sind geschlossen: Sie saugt die Atmosphäre förmlich in sich auf.

SCOUT

Schrei nicht so, Wayne. Ich genieß gerade die Stille hier. Ist das nicht ein wunderschönes Haus? Sind die Seidenkissen und die gläsernen Kaffeetischchen und das alles nicht einfach zum Verlieben?

Scout zieht ihre Schuhe aus und läuft herum. Nahaufnahme ihrer Füße, die genießerisch die dicken Teppiche und Läufer ertasten. Schwenk die Beine hinauf. Ihre Hände sind an den Oberschenkeln, spielen nervös mit ihrem Kleid herum. In Gedanken zieht sie das Kleid etwas hoch. Wir sehen eine Prellung am Oberschenkel. Doppelaufnahme. Wayne und Scout.

WAYNE

Weißt du, wieso sie diese gläsernen Kaffeetischchen haben, meine Hübsche? Willst du wissen, wozu sie die haben?

SCOUT

Damit sie ihren Kaffee abstellen können, Wayne.

WAYNE

Nein, dafür nicht, Baby. Sie haben die, damit sie drunterkriechen und sich gegenseitig dabei zusehen können, wie sie eine Wurst abseilen.

Nahaufnahme von Scout, deren Mund vor Staunen offensteht.

WAYNE

Ja, so ist das, Süße. Hab ich gelesen. Genauso ist das.

Totale des Raumes. Wayne hat sich auf ein riesenhaftes Sofa fallen lassen, die großen Stiefel an seinen Füßen liegen auf dem erwähnten Tisch. Seine Bemerkungen haben Scout einen ziemlichen Dämpfer verpaßt. Sie ist sehr impulsiv. Tränen steigen ihr in die Augen.

SCOUT

Das stimmt doch nicht, Wayne! Nein, das stimmt einfach nicht, und ich will nichts mehr davon hören. Immer wenn alles so schön ist, mußt du davon anfangen, daß die Leute auf ihren Kaffeetischen zur Toilette gehen.

WAYNE

So ist die Welt, Herzchen. Sie ist schräg. Die Leute sind schräg... die sind nicht alle so nett wie du und ich. Ach, komm schon, Süße, komm jetzt nicht schlecht drauf. Mir geht es gut. Geht es dir auch gut, Zuckerschnecke?

Scouts Stimmungen wechseln beängstigend schnell.

SCOUT

Ja, mir geht es gut, Wayne.

WAYNE

Mir geht es immer gut, wenn ich einen Haufen Ärsche umgelegt hab. Das bringt mich erst richtig in

Schwung, weißt du. Sie sollten Werbung dafür machen... wie für Alka Seltzer.

Nahaufnahme von Wayne.

WAYNE

Sie fühlen sich schlapp? Müde? Scheiße? Warten Sie nicht länger. Reißen Sie irgendeinem Penner den Arsch auf. Sie werden sich großartig fühlen.

Doppelaufnahme. Wayne lacht über seine Idee.

WAYNE

Weißt du, was Dr. Kissinger gesagt hat, Baby?

SCOUT

Du hast mir gar nicht erzählt, daß du beim Arzt warst, Süßer.

Scout sinkt neben Wayne auf das Sofa. Ihr Kleid rutscht hoch. Wieder sehen wir die Prellung, diesmal aus Waynes Blickwinkel. Er kann nicht verhindern, daß er es sieht. Verlegen zieht Scout eilig ihr Keid darüber.

WAYNE

Er war kein echter Doktor, er war Außenminister. Ein mächtiger Mann, hat mehr Leute umgebracht, als wir jemals schaffen werden, egal, wieviel Mühe wir uns geben. Also, weißt du, was er gesagt hat? Er hat gesagt, Macht wäre ein Aphrodisiakum, was bedeutet, daß es einen geil macht.

SCOUT

Ich weiß, was ein Aphrodisiakum ist, Süßer.

WAYNE

Man hat wohl kaum mehr Macht über einen Menschen, als wenn man ihn umbringt, deshalb denke ich, daß Töten wohl auch ein Aphrodisiakum ist.

SCOUT

Könnte sein, Baby.

Wayne fällt ein Witz ein. Begeistert setzt er sich auf, was bedeutet, daß er die Waffe auf seinem Schoß bewegen muß. Das macht ein rauhes, metallisches Geräusch.

WAYNE

Und, paß auf, Schmusepuppe... wenn man einen Schwarzen umlegt, ist es ein Afro-Amerikanisches-Disiakum!

Wayne fällt nach hinten, lachend, in die dicken Kissen. Er macht es sich auf dem Sofa so richtig bequem.

SCOUT

Ich weiß nicht, wovon du redest, Süßer, aber laß deine dreckigen Stiefel von dem Sofa da, und paß mit dem Blut an deiner Hose auf. Das hier ist ein hübsches Haus, und ich wette, daß die Leute, die hier wohnen, echt nett sind, und wir wollen ihr Sofa ja nicht mit Blut vollschmieren.

WAYNE

Das Blut ist trocken, Zuckerbohne. Blut trocknet echt schnell, weil es gerinnt. Wußtest du das, Süße? Wenn dein Blut nicht gerinnen würde, könntest du an einem winzigen Nadelstich sterben.

SCOUT

Das weiß ich, Wayne.

WAYNE

Und du würdest unter etwas leiden, das sich Homophobie nennt.

SCOUT

Süßer, Homophobie heißt, daß jemand nichts für Sex zwischen zwei Menschen des gleichen Geschlechts übrig hat. Ich denke, du meinst Hämophilie.

Scharfer Zoom zur Nahaufnahme von Wayne. Seine Miene wandelt sich so schnell wie die Bewegung der Kamera. Sein Gesichtsausdruck wechselt von glücklich über mürrisch zu finster. Scout kennt die Anzeichen.

Nahaufnahme von Scout. Sie bemüht sich um ein beiläufiges Lächeln.

Nahaufnahme ihrer Hand, die zittert.

Doppelaufnahme.

WAYNE

(mit kaum verhohlener Drohung)

Ist das so?

SCOUT

(ein mitleiderregender Versuch, lässig zu wirken)

Ja, Süßer, so ist das.

WAYNE

Ist das so?

SCOUT
(zitternd)
Ich glaub wohl, Süßer.

Mit einem plötzlichen Satz packt Wayne Scout mit einer Hand im Nacken, wobei er die Waffe fallen läßt, und reißt seine andere Hand zurück, zur Faust geballt, zum Schlag bereit.

WAYNE
Und wie nennst du eine Frau, die ein zu großes Maul hat, hm? Eine Frau mit dicken Lippen, so nennt man die.

Wayne stößt Scout vom Sofa auf den Boden. Sie schreit.

SCOUT
Nein! Bitte, Wayne, tu es nicht!

Wayne rutscht vom Sofa auf Scout, die auf den Knien liegt. Wieder packt er sie im Nacken, bereit zuzuschlagen.

Nahaufnahme seiner Finger, die sich in ihren Hals graben. Schwenk von Scouts Nacken zur Nahaufnahme ihres Gesichts, in dem der Mund nach Atem ringt, die Augen vor Entsetzen stumm und flehentlich.

Scouts Blickwinkel von Waynes Gesicht direkt über ihr, wie er auf sie herabsieht, seine Miene wutverzerrt.

WAYNE
Hältst du mich für dumm, Herzchen? Ist es das? Vielleicht sollten wir mal sehen, ob dein Blut gerinnt!

Scout schreit vor Entsetzen auf.

Doppelaufnahme. Wayne sitzt rittlings auf Scout. Es scheint, als wollte er sie schlagen. Statt dessen küßt er sie leidenschaftlich. Einen Moment später erwidert sie seinen Kuß und umarmt ihn.

SCOUT

Oh, Baby, du hast mir angst gemacht.

WAYNE

Das weiß ich, Zuckerschnecke, ich mach dir gerne angst, weil du genau wie ein kleiner Vogel bist, wenn du Angst hast.

Mittlerweile sexuell aufgeladene Atmosphäre. Wayne streckt sich auf Scout aus und arbeitet sich küssend an ihrem Körper entlang.

WAYNE

(zwischen den Küssen)

Würdest du gern in so einem Haus wohnen, Zuckerschnecke?

SCOUT

Oh, ja, klar. Als würde ich jemals die Chance kriegen.

WAYNE

Wir wohnen doch jetzt drin, oder, Süße? Ich wette, die haben oben so ein richtig großes, altes Bett. Am Ende der Himmelsleiter.

Wayne beginnt, Scout das Kleid auszuziehen.

WAYNE

Wie wär's, meine kleine Tollkirsche? Wie wär's, wenn wir nach oben gehen und ein bißchen Krach machen?

Scout löst sich von ihm und setzt sich auf.

SCOUT

Ich werde überhaupt nichts in fremden Betten machen, Wayne... Könnte sein, daß wir Aids kriegen oder sonst was.

WAYNE

Aids kann man nicht von Laken kriegen.

SCOUT

Wenn es schmutzige Laken sind, wenn sie fleckig sind.

WAYNE

Pfläumchen, diese Leute sind Millionäre, vielleicht sogar Milliardäre, die haben doch keine fleckigen Laken. Außerdem, selbst wenn sie welche hätten, könntest du kein Aids davon kriegen, es sei denn, du würdest sie in einen Mixer stecken und dir direkt in die Blutbahn spritzen! Ich wette, diese Leute haben Seide und Satin, und ich habe nicht oft Gelegenheit, mein kleines Mädchen auf Seide und Satin zu ficken.

SCOUT

Wenn wir irgendwas nicht tun, dann...

(Sie buchstabiert es)

...F-I-C-K-E-N, wir machen Liebe, und wenn du mich auf der Toilette einer schmierigen Kneipe von hinten nimmst, bleibt es trotzdem Liebe, und wenn es nicht Liebemachen ist, machen wir es auch nicht mehr, denn ich ficke nicht.

Wayne kuschelt sich an Scout. Nahe Doppelaufnahme.

WAYNE

Du hast recht, Süße, ich nehm alles zurück. Und im Augenblick könnte ich dir glatt deinen Verstand aus dem Kopf lieben. Also komm schon, Süße.

Wayne zieht Scout an sich. Ihr Widerstand wird schwächer. Seine Lippen sind an ihrem Ohr. Nahe Doppelaufnahme.

WAYNE

Gönnen wir uns 'ne Party. Ich wette, die haben ein Wasserbett und einen Spiegel an der Decke und alles... Weißt du was, Baby-Girl? Wenn ich deinen Arsch in den Fingern habe, würde ich ihn nicht mal loslassen, um einen Hundertdollarschein und eine Kiste kaltes Bier aufzuheben.

SCOUT

Oh, Wayne, du weißt, daß ich dir nicht widerstehen kann, wenn du so was sagst.

WAYNE

Na, das mußt du ja auch nicht, Zuckerbohne.

Totale. Wayne steht auf und schlingt die verschiedenen Waffen um seine Schulter. Dann nimmt er Scout in die Arme. Wir bleiben kurz bei seinen eindrucksvoll angespannten Muskeln. Dann trägt er sie hinaus.

- 14 -

Als Bruce sie ins Wohnzimmer seines traumhaften Hauses in Hollywood führte, fiel Brooke als erstes auf, wie sehr es hier nach Designerhand aussah. Es war schön, aber mit den großen, weißen Sofas, den Tischen und Regalen aus Glas und Stahl, die mit extrem kostspieligen Kunstgegenständen kärglich dekoriert waren, wirkte es absolut unpersönlich. Wie ein gewaltiges und unglaublich teures Hotel. Brooke war begeistert.

In Wahrheit hatte Bruce in den vergangenen drei oder vier Jahren so viel gearbeitet und sein Aufstieg war derart meteoritengleich gewesen, daß absolut keine Zeit geblieben war, Ordnung in sein persönliches Leben zu bringen. Noch immer hatte er seine alte Wohnung an der Melrose Avenue, wo sich all seine alten Filmplakate und Sachen wie die Space-Gun aus *Krieg der Sterne* befanden. Aber auf denen sammelte sich nun der Staub. Vielleicht würde er eines Tages mit allem umziehen und seine Welt wieder persönlicher machen, aber im Augenblick war er froh, wenn er einen Preis festsetzen und sich einen Lebensstil kaufen konnte, der seinem gesellschaftlichen Rang entsprach. Farrah, seine Fast-Ex-Frau, die Bruce bisher mit dem Anschein eines Privatlebens versorgt hatte, war es schon lange müde, mit einem filmbesessenen Workaholic verheiratet zu sein. Sie hatte sich aus seiner Welt zurückgezogen und das meiste Zeug (das sowieso ihr gehörte) und ihre gemeinsame Tochter mitgenommen.

Bruce hatte ohnehin nie sonderlich großes Interesse an persönlichem Lebensstil gehabt. Schon als Student war er bekannt dafür gewesen, daß er nur eine Jeans und einen Kochtopf besaß. Immer hatte er seine gewaltige kreative Energie ausnahmslos in seine Arbeit gesteckt. Da blieb keine Zeit, um Kissenhüllen auszusuchen und in Haushaltswarenläden zu stöbern. Bruce brauchte ein Haus nur, um irgendwo schlafen und sich waschen zu können. Natürlich: je luxuriöser, desto besser, und mit seiner momentanen Behausung hatte er so ziemlich den Gipfel an Luxus erklommen. Soweit es ihn anging, wäre er überaus glücklich gewesen, wenn es für immer und ewig so bleiben würde.

Diese Chance sollte er nicht bekommen.

Das erste, was ihm hätte auffallen sollen, als er Brooke ins Wohnzimmer folgte, war ein Paar Doc-Martens-Stiefel auf dem

Teppich, die da nicht gewesen waren, als er das Haus am Morgen verlassen hatte. Sie hätten ihm sofort auffallen müssen. Es hätte einen schnellen Zoom zu einer Nahaufnahme der Stiefel geben müssen und dazu düstere Musik, die ihn darüber in Kenntnis setzte, daß hier irgendwas auf schreckliche und gefährliche Weise nicht stimmte. Doch es gab weder Musik noch Nahaufnahme. Bruce nahm die Stiefel kaum wahr und ahnte nichts von ihrer Botschaft: daß er nämlich in geradezu monumentalen Schwierigkeiten steckte.

Bei dem kurzen Gedanken, den er ihnen widmete, dachte er, sie müßten wohl seiner vierzehnjährigen Tochter gehören, die sie bei irgendeinem früheren Besuch unter dem Sofa hatte liegenlassen, und jetzt hatte die Putzfrau sie wohl darunter hervorgeholt. Er kickte sie unters Sofa zurück. Mitten in einer Verführungsszene will ein Mann ganz sicher nicht daran erinnert werden, daß das Objekt seiner Begierde nur ein paar Jahre älter ist als sein eigenes Kind.

Mitten in einer Verführungsszene? Wohl kaum. Er hatte noch nicht mal damit angefangen, und die Sonne war schon aufgegangen. Er mußte langsam loslegen.

Ein jungenhaftes Grinsen, ein nervöses, schiefes Lächeln.

Extreme Nahaufnahme von Mädchenlippen.

Die Lippen öffnen sich ein wenig, zeigen weiße Zähne, zwischen denen sich eine Zungenspitze bewegt.

Fickmusik läuft. Zack, und sie sind dabei wie Karnickel auf Ecstasy.

Nicht ganz. Selbst oscargekrönte Regisseure können die Realität nicht außer Kraft setzen. Die lahmarschige Präsexpräambel mußte durchgepflügt werden, und es blieb nicht viel Zeit dafür. Es war Bruces eigene Schuld, daß sie so spät dran waren. Es war sein Vorschlag gewesen, sich *Ordinary Americans* anzusehen, einen Zweistundenfilm, und sie hatten das ganze Ding durchgehalten.

Allerdings war es die Sache wert gewesen, daran konnte kein

Zweifel bestehen, ein echter Egotrip. Nichts geht über ein hinreißendes Mädchen, das dein Meisterwerk bestaunt. Brooke war von seinem Film begeistert, oder zumindest hatte sie das behauptet..., und zwar mit so viel Überzeugungskraft, daß Bruce zufrieden war. Es war ein höchst seltsames Gefühl gewesen, neben diesem Mädchen zu sitzen, mehr als bereit, über sie herzufallen, während er sie jedoch bei ihrem Vergnügen an seiner großartigen Arbeit nicht stören wollte. Was wäre aufregender? Sie stöhnen zu hören, wenn es um sein Talent als Regisseur ging oder um sein Talent als Liebhaber? Jedesmal, wenn er sich bereit gemacht hatte, einen sanften Kuß auf ihre reizenden, nackten Schultern zu hauchen, bebten eben diese Schultern vor Freude über eine der zahlreichen, überschäumend geistreichen, ironisierenden Nebeneinanderstellungen von Bild und Dialog, mit denen der Film gespickt war. Jedesmal, wenn er bereit war, einen Arm um sie zu legen oder seine Hand »versehentlich« auf ihre zu legen, kam der Film zu einer weiteren seiner Lieblingsstellen, und er mußte aufhören, damit sie sich konzentrieren konnte.

Bruce hatte viele Lieblingsstellen, und Eitelkeit war stärker als Begierde. So hatte er sie den ganzen Film unbelästigt sehen lassen. Daher die späte Stunde, die Kälte der nahenden Morgendämmerung und der Umstand, daß er sich noch nicht mal im sprichwörtlichen ersten Stadium befand. Er verfluchte sich selbst dafür, daß er keinen kürzeren Film gemacht hatte. Immer wieder hatte er daran gedacht, die Diskothekenszene rauszuschneiden, denn Siebziger-Jahre-Kitsch war längst durch und doppeldurch. Andererseits war es eine so komische Szene, wie der Typ immer mehr und mehr Flecken auf sein weißes Travolta-Hemd bekam, erst Essen, dann Wein, dann Kotze und schließlich sein eigenes Blut. Ein Klassiker. Das konnte man nicht schneiden. Es wäre ein Verbrechen gewesen. Dennoch war der Film dadurch acht Minuten länger. Acht Minuten, in denen er mit seinem allerliebsten Playboy-Centerfold hätte Liebe machen können.

Schließlich hatte der Film doch sein Ende gefunden, und nun waren sie endlich in seinem Haus. Es wurde Zeit, einen Versuch zu starten.

»Es ist wirklich ein toller Film«, sagte Brooke.

Das hatte sie schon hundertmal gesagt. Sie wußte es, und er wußte es. Die betretene Präsexatmosphäre hatte sie zu einer dieser idiotischen Unterhaltungen geführt, bei denen niemandem etwas einfallen will und man fortwährend Themen anspricht, die längst beackert wurden.

»Ich kann gar nicht glauben, daß Sie sich das ganze Ding auf einer Schneidemaschine angesehen haben. Das zeugt von echter Hingabe.« Auch Bruce hatte diese Furche schon mehrfach durchpflügt.

»Na ja, wissen Sie, wie ich schon sagte: Es ist ein so toller Film«, sagte Brooke erneut.

»Ich freue mich sehr, daß Sie so empfinden, aber es zeugt doch von großer Hingabe, sich das ganze Ding so anzusehen... und dann auf einer Schneidemaschine.«

Brooke konnte sich einfach nicht dazu bringen, weiterhin zu wiederholen, wie toll der Film war. Also schwiegen sie.

Bruce sah auf seine Uhr. »Scheiße! Es ist schon fast vier.« So hatte es nicht klingen sollen, aber ihm war nicht klargewesen, daß es schon so spät war. »Ich dachte, es wäre vielleicht halb drei.«

»Ist das ein Problem?« erkundigte sich Brooke. »Hatten Sie irgendwas geplant?«

»Ich fürchte, ja. Meine Frau kommt um neun hierher.«

Das waren enttäuschende Neuigkeiten. Brooke war nicht hundertprozentig sicher gewesen, was sie wollte, als sie Bruces Einladung nach Hause gefolgt war, aber getrennt lebende Ehefrauen zu treffen, gehörte sicher nicht dazu.

»Ich dachte, Sie hätten gesagt, Ihre Scheidung wäre durch.«

Es stimmte, Bruce hatte das im Wagen gesagt, als sie von der Party beim Gouverneur kamen. Es war nicht wirklich gelogen gewesen. Die ganze Welt wußte, daß sie sich unwiderruflich getrennt hatten, und in ein bis zwei Tagen wäre die Sache auch endgültig durch.

»Das ist sie praktisch auch. Deshalb kommt sie her... Geldangelegenheit.«

Brooke zuckte mit den Achseln. »Oscar am Abend, Alimente am Morgen: das Leben auf Hollywoods Überholspur.«

Eine unangenehme Pause entstand. Wie sollte es auch anders sein? Zwei Fremde, die vor dem schwierigen Problem standen, ob sie miteinander ins Bett gehen sollten, und wenn ja, wie es dazu kommen sollte – und dann das. Ein Satz wie »Meine Frau besucht mich in zwei Stunden« kommt gleich nach »Ich bin drogenabhängig und benutze immer die Nadeln der anderen«.

»Ach, na ja...«, sagte Brooke. »Es war ein schöner Abend.«

Er hatte sie noch nicht mal aufgefordert, Platz zu nehmen. Beide standen noch, sahen sich über ein ausschweifendes Sofa hinweg an.

»Finden Sie wirklich?« Schwach, so schwach. Es hatte jungenhaft ängstlich klingen sollen, nervös und anziehend, aber so klang es nicht. Wieviel besser wäre es gewesen, zu sagen: »Er könnte noch schöner werden« oder »Nicht so schön wie du« oder sogar »Gern geschehen, wollen wir ficken?« Aber nein: »Finden Sie wirklich?« Jämmerlich. Einen Moment lang erinnerte sich Bruce an »Ich stehe hier auf brennenden Beinen«, und die Erektion, die seinen Hosenstoff seit drei oder vier Stunden spannte, ließ kurz den Kopf hängen.

Auch Brooke war nicht mehr so ganz auf der Höhe. Dieser große Mann, dieser oscargekrönte King of Cool mit seinen spitzen Stiefeln und Bogarts Smoking stand einfach nur da. Was erwartete er? Sollte sie sich ihm unaufgefordert anbieten? War das ein Machtspiel? Vielleicht fand er, etwas höflicher Small talk wäre unter seiner Würde. Vielleicht wurde von einer wie ihr erwartet, daß sie einfach an Bord kletterte.

»Das, das finde ich. Es war ein schöner Abend.«

Es war absurd. Sie sagte etwas Dämliches, er sagte: Ist das so? und sie sagte: Ja, so ist das. Wie lange konnten sie so weitermachen?

Brooke konzentrierte ihre ganze Phantasie auf den Versuch, den Dialog voranzutreiben. »Ein bißchen wie das erste Date. Wir haben getanzt, wir haben einen Film gesehen...«

»Das ist ein hübscher Gedanke. Es ist schon lange her, daß ich ein erstes Date hatte.«

Sie kamen voran.

»Bei mir auch«, bestätigte Brooke, und dann, nach einer winzigen Pause, sah sie ihm in die Augen und sagte: »Wirft die alte Frage bei ersten Dates auf, nicht? Wie weit soll man dabei gehen?« Mehr konnte sie nicht tun. Nicht, ohne sich auszuziehen. Jetzt lag es an ihm.

»Und... wie lautet die Antwort darauf?«

Sie war genervt. Ganz sicher würde sie nicht darum betteln, daß er sie anmachte. Er hatte sie von der Party mitgenommen und sie mit zu sich nach Hause gebracht. Ein Stück weit mußte er schon selber laufen, und sei es nur der Form halber.

»Na, in der Schule war es die Regel, daß die Jungs den Busen anfassen, aber nicht unter dem BH.« Ihre Stimme zeugte von ihrem leichten Ärger. »Heutzutage glaube ich, daß der Mann die Regeln vorgibt.«

Sie setzte sich. Bruce hatte ihr noch immer keinen Platz angeboten, aber sie setzte sich trotzdem. Elegant, wunderschön, ein Traumbild. Sie schlug die Beine übereinander, und Bruce machte eine persönliche Nahaufnahme des geschlitzten Kleides, das auf beiden Seiten ihrer Knie herabfiel.

»Hübscher Tisch«, sagte sie und betrachtete ihr Spiegelbild im schimmernden Glas.

»Ich mag ihn.«

»Ich wüßte, was man damit anfangen könnte«, sagte Brooke.

»Bedienen Sie sich.«

Sie nahm etwas Kokain aus ihrer Tasche und fing an, es auf

dem Tisch zu zerkleinern. »Nur damit Sie für Ihre Frau strahlend gut gelaunt sind«, sagte sie spitz.

Mit einiger Verspätung erinnerte sich Bruce seiner Pflichten als Gastgeber. Er legte Musik auf und mixte zwei Drinks. Endlich ging es los. Er setzte sich neben sie.

»Es ist so toll, daß Ihnen mein Film gefällt.«

Schon wieder der verfluchte Film. Wie konnte das nur passieren?

»Das bedeutet mir sehr viel.«

Er sagte es hastig, versuchte, seine langweilige Platitüde mit dem Mäntelchen der Aufrichtigkeit zu umhüllen. Es klang *dermaßen* lahm. Schließlich kannte er diese Frau erst vier oder fünf Stunden, und schon versuchte er anzudeuten, zwischen ihnen gäbe es eine Art intellektueller Bindung. »Das bedeutet mir sehr viel.« Ach ja? Wieso? Gerade hatte er den Oscar gewonnen, die gesamte Filmindustrie war zusammengekommen, um ihn zu ehren, und hier saß er und versuchte, einem Nacktmodell, das er bei einer Party aufgegabelt hatte, zu erzählen, daß ihre Meinung für ihn von besonderer Bedeutung sei. Natürlich wußte Brooke, daß er Schwachsinn redete, und er wußte, daß sie es wußte.

»Eins würde ich gern noch über Ihren Film wissen«, sagte sie.

Bruce seufzte innerlich. Er hatte dieses hinreißende Geschöpf dahin gebracht, sich intellektuell rechtfertigen zu müssen. Er hatte ihr erklärt, daß ihre Meinung für ihn wichtig sei, und beide wußten, daß sie über »netter Film« hinaus gar keine Meinung geäußert hatte. Jetzt sah sie sich genötigt, eine zu erfinden. Er würde sich irgendein verzweifeltes, nachgeplappertes Pseudokunstgelaber über imitierte Phantasie oder irgend so was anhören müssen, zusammengeklaubt vom letzten *Premiere*-Cover.

»Jetzt kommt es«, sagte Bruce in dem Versuch, gutgelaunte Nachsicht zu üben. »Ich wußte, daß Ihre Begeisterung zu groß war, als daß sie unumstößlich wäre. Worum geht's?«

»Ich mochte die Sexszene nicht.«

Das überraschte ihn. »Was sind Sie, eine Nonne? Das war die erotischste Szene, die ich je gedreht habe. Beim Schneiden hatte ich einen Dauerständer.«

Brooke zuckte mit den Schultern und zog sich eine der weißen Lines auf dem Tisch rein. »Sicher war sie erotisch, mehr oder weniger. Aber sie stimmte nicht. Alles andere an dem Film war so real... die Waffen, die Haltung, das Blut überall, wie dem Mann der Schädel explodiert, als er diese große Mickey-Mouse-Figur auf den Kopf bekommt...«

»Das ist übrigens meine Lieblingsszene, weil es um die Ironie an sich geht.«

Brooke reichte Bruce den Strohhalm, und er schniefte eine Line.

»Warum konnte der Sex dann nicht genauso real sein?« fragte sie. »Nur bei Sexszenen wird immer noch so furchtbar übertrieben. Haben sie *9 1/2 Wochen* gesehen? Meine Güte, dieser Frau mußte man nur an die Schulter tippen, und schon hatte sie einen Orgasmus. Wieso kann Sex nicht überzeugend dargestellt werden? Überzeugend ist sexy. Mädchen tragen Strumpfhosen, nicht Nylonstrümpfe. Wenn sie mit jemandem ins Bett gehen, müssen sie ihre Strumpfhosen ausziehen. Im Film habe ich noch nie gesehen, daß sich ein Mädchen die Strumpfhose auszieht.«

»Das, meine Liebe, liegt einfach daran, daß Strumpfhosen nicht sexy sind. Es ist unmöglich, eine Strumpfhose auf erotische Art und Weise auszuziehen.« Bruce bedauerte sein »meine Liebe«. Es grenzte an Unverschämtheit, und schließlich war Brooke bei ihm zu Gast. Aber wirklich! Versuchte sie doch, ihm zu sagen, wie man einen Film dreht...

Brooke schniefte die restlichen Lines weg und starrte Bruce einen Moment lang an. Er fragte sich, ob sie ihn gleich bitten würde, ihr ein Taxi zu rufen. Statt dessen stand sie vom Sofa auf, stellte sich vor ihn hin und fing zu seiner Überraschung an zu tanzen. Die Musik war erregend, das Licht war gedimmt, und sie tanzte. Tatsächlich war es eher ein Schlängeln als ein Tanz, eine

Art langsamer Schauer, der ihren Körper von den Zehen zum Kopf und wieder zurück zu durchfahren schien.

»Wow«, sagte Bruce.

Das Niveau seiner Konversation verfiel zusehends, doch das schien Brooke nicht mehr zu interessieren. Sie hatte ihre eigenen Pläne. Inzwischen hatte sie ihre Hände an den Schenkeln, massierte langsam den feinen, cremefarbenen Stoff ihres Kleides, wobei sich die langen Finger sanft ins Tuch krallten und es an ihren Beinen knüllte, bis sie es wieder fallen ließ. Nur fiel es nicht ganz zurück, weil sie etwas vom Kleid zwischen ihren Handflächen behielt, die sich an die herrlichen Umrisse ihrer Oberschenkel preßten. Bruce merkte, daß Brooke ihr langes Kleid Stück für Stück, immer einen oder zwei Zentimeter zur Zeit, hochzog und dabei ganz langsam ihre Beine zeigte. Und was für Beine. Bruce war ganz verzückt, als auf wohlgeformte Fesseln wohlgeformte Unterschenkel folgten, dann wunderbare Knie und immer weiter an ihren gleichermaßen umwerfenden Schenkeln hinauf. Sie schien länger als fünf Minuten gebraucht zu haben, bis sie das Kleid bis zu ihrem Slip angehoben hatte. Irgendwie brachte sie es fertig, die Falten im Stoff zu einem blumenstraußähnlichen Büschel um ihre Hüften zu raffen, und einen Augenblick lang sah es so aus, als trüge sie ein sonderbares Rüschenhemd oder ein eher üppiges Ballettröckchen. Dann hob sie die beiden Handvoll Stoff mit einer schnellen Bewegung – fast einem Ruck – an, zog die Falten des Kleides bis kurz unter ihre Brüste, legte ihre Strumpfhose frei und dazu etwas von ihrer nackten Taille. Selbstverständlich war die Strumpfhose von allerfeinster Qualität. Weder Laufmaschen noch durchgescheuerte Zwickel. Der hohe Bund bedeckte Brookes ganzen Bauch (was davon vorhanden war) und endete wenige Zentimeter unter ihren Rippen in einem breiten, schwarzen, mit zarter Spitze besetzten Bündchen. Ihr ganzer Unterleib stand nun frei zur Begutachtung, vom Zwerchfell am Nabel vorbei zum dunklen, halbverborgenen Unterhöschen, ihre langen Beine hinab und weiter zu den silbernen Pfennigabsätzen ihrer Schuhe. Alles umhüllt von hauchdünner, schwarzer Nylonpracht. Worüber sie ihr Kleid in großen, seidenen Falten hielt. Nicht unbedingt eine sonderlich elegante Pose, aber dennoch unbeschreiblich sexy. Ihre Miene war etwas mißmutig, fast gleichgültig. Ihre Beine standen fest, die Füße etwa zwanzig Zentimeter auseinander. Es schien, als wollte sie sagen: »Das habe ich zu bieten. Willst du es?« Ein verdorbenes, kleines Mädchen, das einem zeigte, was sie hatte.

Dann hatte sie ihre Daumen unter das Bündchen ihrer Strumpfhose geschoben und löste den Stoff langsam von ihrer weichen Haut. Während sie noch immer versuchte, ihr Kleid oben zu halten, begann sie langsam, Falte für Falte, ihre Strumpfhose herunterzuschlängeln, nicht zu ziehen oder zu zerren, sondern sie ordentlich dem Boden entgegen zu schälen, elegant mit Daumen und Zeigefinger, eine Falte über die andere. Das Weiß ihres Bauches erschien zuerst, gefolgt von dem Schwarz ihres Unterhöschens, dann wieder weiß, als das obere Ende ihrer Beine erschien, und schließlich noch mehr makellose Haut, als die Strumpfhose ihren Weg nach unten machte.

Einen Moment lang hielt sie inne.

»Weitermachen, bitte!« krächzte Bruce. Er konnte sich nicht erinnern, wann er zuletzt etwas derart Erotisches gesehen hatte.

Brooke hob eine ihrer himmlischen Gliedmaßen an und stellte einen Fuß auf den Glastisch. Das brachte mit sich, daß die Strumpfhose, die sie inzwischen ein paar Zentimeter unter ihren Schritt gezogen hatte, ihre heißblütige Pose um den Hauch einer Andeutung von Dominanz und Zwang bereicherte.

Ihr Pfennigabsatz machte ein scharfes Klicken auf dem Tisch. »Aufschnallen«, herrschte sie Bruce an. Ihre Stimme klang kalt und bestimmend: Es war ein Befehl. Bruce beugte sich vor, wobei sein Bauch gegen die Spitze seiner spektakulären Erektion stieß, und tat, was man ihm sagte. Diese Bewegung brachte ihn so nah an die teilweise freiliegenden, oberen Enden ihrer Schenkel heran, gekrönt vom Bouquet ihres Kleides, daß er einen Moment lang daran dachte, das nackte Fleisch zu küssen. Er widerstand der Versuchung. Sie hatte das Sagen. Sie würde ihm sagen, was zu tun war. Brooke stellte den offenen Schuh wieder auf den Boden und hob das andere Bein, mit gleicher Balance und Eleganz.

»Den anderen auch«, fuhr sie ihn an. Wiederum gehorchte er.

Sie trat ihre silbernen Schuhe von den Füßen und stand einen Augenblick auf dem Teppich, hielt ihr Kleid und das Oberteil ihrer Strumpfhose, bevor sie letzteres ein Stückchen weiter zu den Knien hin faltete. Ihre Arme waren inzwischen ganz ausgestreckt, so daß sie ihre Strumpfhose auf diese Weise nicht weiter herunterziehen konnte.

Sie setzte sich. Athletisch ließ sie sich auf den Boden herab und zog sich gleichzeitig ihre Strumpfhose über die Knie. Als ihr Hintern den weichen Teppich berührte, setzte sie die Bewegung fort, rollte auf den Rücken und zog die Knie an die Brust. Mit den Daumen im Bund der Strumpfhose ließ sie ihr Kleid los, ließ die Falten über sich und auf den Boden um sich fallen. Ihr Hinterteil zeigte wie die Mitte einer seidenen Blume direkt auf Bruce. Ganze fünfzehn Sekunden ließ sie ihn einen Blick auf das Dreieck des schwarzen Unterhöschens werfen, welches das Fleisch ihres hinteren Oberschenkels vom Fleisch ihres Rückgrats trennte, während es in den Falten ihres Kleides auf dem Teppich verschwand.

Dann das Endspiel. Noch immer auf dem Rücken liegend, mit den Knien an der Brust, rollte sie die Strumpfhose an den Unterschenkeln vorbei zu ihren Fesseln und über die Füße, bis sie nur noch die Zehen verdeckte, die über dem Blickfang ihres fast nackten Hinterns verführerisch auf Bruce deuteten. Ein letzter Stoß, und die Strumpfhose fiel an ihrem Hinterteil vorbei und lag verknüllt auf dem Teppich unter dem schwarzen Dreieck. Im selben Moment schossen ihre langen weißen Beine aufwärts, bis sie zur Decke deuteten. Auf dem Rücken liegend öffnete Brooke sanft ihre Beine und formte ein glorreiches, aufrechtes V, durch welches sie, indem sie den Kopf hob, Bruce ansehen konnte.

Sie lächelte, ließ die Beine sinken, sammelte ihre Strumpfhose auf, erhob sich. Ihre Zehen griffen in den dicken Flor des Teppichs. Sie tat einen Schritt in Bruces Richtung und warf ihm die noch warme Strumpfhose auf den Schoß.

»Und?«

Bruce gab sich alle Mühe, etwas Cooles zu sagen. »Ich hoffe, du erwartest nicht, daß ich mit meinen Socken auch so gut bin.«

Das war sicher besser, als auf der Grundlage seiner bisherigen Form zu erwarten gewesen wäre.

Bruce zog Brooke zu sich auf das Sofa, und sie sanken einander in die Arme. Innerhalb von Augenblicken schien die über den ganzen Abend hinweg aufgestaute sexuelle Spannung zu explodieren. Ihre Münder suhlten sich aneinander. Kühle Verführung wich heißer, lüsterner Leidenschaft.

Dann machte Brooke sich los. »Ich will uns nur schützen.«

Sie langte in ihre Handtasche, und einen Augenblick lang schien es Bruce, als wäre er verliebt. Was für eine Frau! Er hatte selbst schon überlegt, wie er es ansprechen könnte, daß sie sich schützen sollten, und schon war sie dabei, fertig und bereit, nahm es ihm ab.

Als ihre Hand jedoch aus der schicken kleinen Tasche kam, hielt sie darin keine Schachtel mit Kondomen, sondern eine kleine Pistole.

- 15 -

»Faß mich noch mal an, du Arsch… ich schwör dir, ich leg dich um.«

Bruce sprang zurück, als hätte Brooke abgedrückt und es wäre eine Kugel und nicht der bloße Schock, der ihn rückwärts an die Sofalehne taumeln ließ.

Sie funkelte ihn an, er starrte auf den Lauf ihrer Waffe. Was, zum Teufel, ging hier vor? Hatte er gegen irgendeine neue Prä-Sexregel verstoßen? Hatte er sich der versuchten Datevergewaltigung schuldig gemacht? Natürlich hatte er so was schon gehört, Horrorgeschichten von Collegejungs, die versucht hatten, nach dem Gutenachtkuß ihre Hand unter einen Pulli zu schieben, und am nächsten Morgen Zielscheibe einer Haßkampagne auf dem Campus waren. Aber was sollte das hier? Die Frau hatte eben noch vor seiner Nase ihre Strumpfhose ausgezogen. Das mußte doch eine Einladung sein, oder? Vielleicht auch nicht. Verdammt noch mal, vielleicht auch nicht. Wenn eine Frau ihr Kleid hochzieht und dir ihren Slip zeigt, heißt das dann »ja« oder »vielleicht« oder sogar »nein«? Hätte er auf eine formelle Einladung warten sollen? Hätte er sie bitten sollen, ihre sexuellen Bedürfnisse zu äußern, falls vorhanden, deutlich und präzise? Hätte er es schriftlich machen müssen?

»Hör mal, Brooke… bitte, es tut mir leid, aber… aber… was ist los?«

»Meinst du, nur weil ich Model bin, bin ich so was wie eine Nutte?«

»Nein! Mein Gott, nein! Natürlich nicht. Ich… ich… hör mal, falls ich die Situation mißverstanden haben sollte, tut es mir schrecklich leid. Aber ehrlich… ich meine… ich dachte…«

»Ich weiß, was du dachtest, du Schwanz von einem Hirn!« Brookes Knöchel am Abzug wurden weiß. »Du hast mich angeglotzt und nur Sex gesehen, stimmt's? Von der ersten verfickten Sekunde an war ich für dich ein Stück Fleisch. Und jetzt wirst du dafür bezahlen, du Arsch.«

Sie war fuchsteufelswild. Bruce wußte das. Nicht nur böse oder hysterisch, nicht nur auf aggressive und unberechenbare Weise pervers politisiert, sondern absolut hundertprozentig durchgeknallt. Unausgeglichen wie die Weltwirtschaft oder der Wippwettbewerb zwischen einer Maus und einem übergewichtigen Elefanten. Sie mußte verrückt sein. Es war die einzige Erklärung. Der ganze Abend war in gegenseitigem Einverständnis verlaufen. Bruce wußte, daß man ihm nicht vorwerfen konnte, sie bedrängt zu haben. Er hatte sie weder betrunken gemacht, noch sein größeres Körpergewicht ausgenutzt, um sie zu nötigen oder irgendwelche von diesen anderen Dingen zu tun, die man mit einer Frau anscheinend nicht anstellen durfte, wenn man keine Lesbe war. Nein, diese Frau war übergeschnappt. Eine verrückte Kuh vom Kaliber »Verführung ist nur Vergewaltigung mit Champagner und Schokolade«. Aber was macht man, wenn eine Wahnsinnige ihre Waffe auf einen richtet? Was sagt man?

»Bitte, Brooke, bitte, das muß doch nicht sein.«

Er bemühte sich, seine Augen zu klaren Teichen der Ruhe und des Erbarmens zu machen. Es schien nicht zu funktionieren.

»Küß mir die Füße, Schweineficker!« schrie sie. Es war fast ein Kreischen. Ihre Stimme brach unter dem Druck der Lautstärke, so daß die Silbe »ficker« mit einem heiseren Quieken endete, was die wütende Kraft dahinter keineswegs minderte.

Ihr die Füße küssen? Bruce mußte sich konzentrieren. Natürlich mußte er ihr sofort die Füße küssen, aber wie wollte sie sie geküßt haben? Fest? Sanft? Sollte er einen zärtlich in die Hände nehmen und seine Lippen zu winzigen Schmetterlingen formen, die ihn von den Zehen zu den Fesseln umflatterten? Sollte er ihr zu Füßen liegen und an ihren Zehen nuckeln wie ein hungriges Tier an den Zitzen seiner Mutter? Wenn er seine Zunge auf Erkundungsreise zwischen die einzelnen Zehen schickte... würde es sie zum Schmelzen bringen, so daß sie die Waffe sinken ließ, oder würde es ihren Zorn nur weiter anstacheln, bis sie auch noch den letzten Rest ihrer labilen Selbstkontrolle verlor?

»Küß mir die Füße, habe ich gesagt!« wiederholte Brooke.

Bruce fiel auf die Knie, ohne zu wissen, was er eigentlich tun wollte und schnupperte unbestimmt an ihren Zehen herum.

»Ich habe gesagt, du sollst sie küssen, nicht deine Nase daran reiben!« bellte sie.

Er gab sich größte Mühe. Er küßte ihren großen Zeh, dann ihren kleinen Zeh, dann küßte er sie alle nacheinander, einen nach dem anderen. Was dann? Wieder zurück? Er küßte die ganze Reihe in entgegengesetzter Richtung durch. Dann vielleicht die ganze Chose am anderen Fuß? Das tat er. Dann machte er alles noch einmal.

Soviel dazu. Er hatte ihr die Füße geküßt. Er hatte keinen Schimmer, wie er weitermachen sollte. »Möchtest du, daß ich sie ablecke?« fragte er zögerlich.

»Bring mich nicht zum Kotzen.«

Bruce tat der Hals weh. Noch einmal ging er die Kußroutine durch, aber danach machte er nichts mehr. Was konnte er tun? Er lauschte auf Brookes Atem, um herauszufinden, in welcher Stimmung sie inzwischen war. Wurde sie ruhiger? Konnte man vernünftig mit ihr reden? Konnte er irgendwie ihr Vertrauen, ihr *Zu*trauen gewinnen, sich bei ihr einschmeicheln? Er mußte ganz ruhig und freundlich bleiben. Ihr sogar schmeicheln.

»Was willst du, du blöde Kuh?«

So hatte es nicht klingen sollen. Angst hatte sein Hirn blockiert. Er krümmte sich am Boden, wartete auf seine Strafe.

»Hast du Angst?« hörte er sie sagen.

Was für eine Frage. »Ja, ich habe Angst.«

»Wie sehr?«

»Verdammt« – Pause – »große« – Pause – »Angst.«

»Gut«, war alles, was sie dazu sagte.

Inzwischen tat Bruces Hals wirklich gemein weh. »Hör mal, Brooke, sag mir doch bitte, was du willst.«

Brooke zog ihren Fuß unter Bruces Lippen weg. Er spürte, daß sie vor ihm niederkniete. Eine Hand tauchte unter seinem Kinn auf und hob seinen Kopf an, bis er ihr wieder in die Augen sehen konnte. Was jetzt?

»Ich ... will«, ihr Blick war ganz ruhig, aber er fühlte, daß ihre Hand unter seinem Kinn zitterte, »eine ... eine Rolle in deinem nächsten Film.«

Es dauerte einen Moment, bis er kapierte. Erst als er eine extreme Nahaufnahme der Unruhe in ihren Augen machte, begann er ihr zu glauben.

»Leg deine Waffe weg«, sagte er als eine Art Versuchsballon.

Brooke schob ihre Pistole in die Handtasche zurück. Es war offensichtlich, daß sie jetzt nervös war. Ihre Hand zitterte.

Bruce fehlten fast die Worte. Allerdings nicht ganz. »Du durchgedrehte, dumme Gans!« schrie er.

Jetzt war Brooke an der Reihe, sich zu fürchten. Bruces Zorn war gerade erst im Entstehen, aber wenn er voll zum Ausbruch kam, hatte er ganz sicher die Zerstörungskraft eines Vulkans. Sie mußte schnell sprechen.

»Deine Filme verbreiten Geilheit und Angst. Was habe ich eben mit dir gemacht? Komm schon, sei ehrlich. Alles in einer halben Stunde, erst geil, dann ängstlich.«

»Pamela Anderson macht mich geil, Pat Buchanan macht mir angst. Keiner von beiden wird in einem meiner Filme spielen.« Bruce konnte nicht fassen, daß er mit dieser unverschämten Frau überhaupt redete. »Du hast mich gezwungen, dir die Füße zu küssen! Mit vorgehaltener Waffe! Ich sollte die Bullen rufen!«

»Fünfzig Briefe habe ich dir geschrieben. Fünfzig! Hast du sie zu sehen bekommen? Hast du sie gelesen?«

»Hast du eine Ahnung, wie viele Schauspielerinnen und Models mir schreiben? Ich seh mir das Zeug nicht an. Dafür habe ich meine Leute.«

»Ja, das habe ich mir schon gedacht. Deshalb hatte ich beschlossen, das zu tun, was ich getan habe. Ich bin nur ein dämliches Model. Als Schauspielerin würde mich niemand ernst nehmen.«

Langsam dämmerte Bruce, daß man ihn in den letzten fünf Stunden zum Kasper gemacht hatte. »War das alles von langer Hand geplant?«

»Nein, ich bin drauf gekommen, als wir *Ordinary Americans*

gesehen haben. Ich hatte den Film übrigens schon gesehen, fünfmal, aber ich habe gesagt, ich hätte ihn nicht gesehen, weil ich cool wirken wollte.«

»Aber das tust du nicht. Du wirkst total übergeschnappt. Ich sollte dich rauswerfen.«

»Ich hab dich geil gemacht, und ich hab dir angst gemacht. Sei fair… das habe ich. Gib mir eine Chance.«

Bruce sah sie an, barfüßig, verschüchtert, die Brüste wogend von der Anspannung ihrer eigenen Unverfrorenheit. Es stimmte. Sie hatte ihn geil gemacht, denn schließlich war sie sensationell attraktiv, und ganz sicher hatte sie ihm angst gemacht.

»Angenommen, ich würde sagen, es hinge davon ab, ob du mit mir schläfst?«

»Nein«, gab Brooke zurück. »Ich vögle nicht aus beruflichen Gründen.«

»Schade.«

Bruce war kein unehrenhafter Mann. Nachdem er sie angemacht hatte, wußte er, daß er sich in gewisser Weise festgelegt hatte. Außerdem wollte er nicht als schäbig dastehen.

»Okay, du kriegst deine Probeaufnahmen trotzdem. Vielleicht bist du ja halb so gut, wie du meinst. Sag deinem Agenten, er soll mich nächste Woche anrufen. Keine Sorge, vergessen werde ich dich ganz sicher nicht.«

»Danke, Bruce, vielen, vielen Dank. Ich verspreche dir, daß ich dich nicht enttäuschen werde.«

»Du kannst mich nicht mehr enttäuschen, als du es schon getan hast. Ich ruf dir ein Taxi.«

»Wozu die Eile? Wir haben noch ein paar Stunden, bis deine Frau kommt.«

»Aber du hast doch gesagt…«

»Ich habe gesagt, daß ich nicht aus beruflichen Gründen vögeln will. Meine Probeaufnahmen hab ich ja jetzt in der Tasche.«

Einen Moment lang fragt sich Bruce, ob das jetzt die nächste Falle war. Einen solchen Schock, wie er ihn eben erst erlebt hatte, überwindet man nicht so schnell. Wenn er sie umarmte, hätte er dann plötzlich ein Messer an der Kehle? Brooke sah, daß er zögerte. Sie trat vor, nahm seine Arme, legte sie um sich und brachte ihr Gesicht ganz nah an seins. Bruce zögerte nicht länger, und im Handumdrehen waren sie zusammengeschweißt wie ein alter Dampfer. Es war für beide eine große Erleichterung, als sie endlich an den Punkt kamen, auf den sich der ganze Abend zubewegt hatte. Bruce preßte seine Brust an ihre, sie preßte ihre Schenkel an seine. Unausweichlich verloren sie ihr Gleichgewicht, aber es war ihnen egal, denn das riesige Sofa stand bereit, ihren Sturz aufzufangen.

Jetzt konnte das Liebesspiel also doch noch beginnen. Bruce lag auf Brooke, seine Hände kneteten ihre Brüste durch den feinen Stoff ihres Kleides. Er fühlte, wie ihre Brustwarzen hart wurden, und schob seine Finger unter die Seide, um sie noch stärker zu stimulieren. Brooke hatte eine Hand auf Bruces Hintern und die andere zwischen ihnen eingeklemmt, wo sie mit seinem Reißverschluß kämpfte.

Nahaufnahme von Brookes Gesicht.

Ihr Gesichtsausdruck wandelt sich von leidenschaftlicher Lust zu Schock und Entsetzen. (Sie starrt nach oben, an Bruces Kopf vorbei, dessen hinterer Teil eine Seite der Einstellung bestimmt.)

BROOKE

(kämpft darum, die Ruhe zu bewahren)

Bruce... Bruce... um Gottes willen, Bruce.

Schneller Schwenk zu Brookes Blickwinkel. Bruces Gesicht im Vordergrund der Einstellung. Über seine Schulter hinweg können wir sehen, daß Wayne hinter ihm steht und eine automatische Waffe lässig auf der Schulter balanciert. Bruce nimmt Wayne nicht wahr.

BRUCE

Hör mal, Brooke, ich glaub nicht, daß
ich noch mehr von deinen Spielchen
brauchen kann. Machen wir hier Liebe,
oder ruf ich dir doch lieber ein Taxi?

Bruces Kopf verschwindet aus der Einstellung, als er sich nach unten beugt, um Brookes Busen zu küssen. Wayne steht allein in der Einstellung, die Brookes Blickwinkel darstellt. Er lächelt und zwinkert ihr zu.

Dreieraufnahme von oben. Bruce auf Brooke, Wayne beugt sich über beide. Nur Bruce bewegt sich. Brooke starrt Wayne an. Wayne erwidert den Blick. Bruces Rücken und sein Hinterkopf winden sich etwas, da er sich an Brookes Dekolleté schmiegt. Brooke findet ihre Stimme wieder.

BROOKE

Bruce. Um Gottes willen. Hinter dir.

Bruce hebt den Kopf, um etwas zu Brooke zu sagen. Nahaufnahme seines Gesichtes, von Kinn und Wangen, eingerahmt von Brookes Dekolleté.

BRUCE

Klar, Baby. Klar.

Eine Stimme dringt in seine Selbstzufriedenheit. Es ist Waynes Stimme.

WAYNE

Morgen, Leute.

- 16 -

Bruce fuhr herum und wich zurück. Dabei bohrte er Brooke einen Ellbogen in die Magengrube. Vor Schmerz heulte sie auf. Trotz der bedrohlichen Situation konnte sie noch protestieren: »Paß doch auf, verdammt.« Bruce entschuldigte sich nicht – er war zu überrascht, zu entsetzt. Er gestattete sich den Hauch einer Hoffnung. »Brooke, kennst du diesen Mann? Gehört er zu deinem kleinen Scherz, oder was?« Doch schon als er es sagte, wußte er, daß es kein Witz war.

»Ich kenne den Mann nicht, Bruce.« Brookes Stimme verriet, daß sie genauso entsetzt war wie er.

Weder ihr noch Bruce wollte etwas einfallen, was sie sagen konnten. Die drei starrten einander nur an. Wayne nahm die Waffe von seiner Schulter, so daß sie lässig an seiner Hand hing und auf den dicken Teppich gerichtet war. Im Bund seiner Jeans steckte ein Revolver, und eine weitere Maschinenpistole hatte er sich auf den Rücken geschnallt. Außerdem trug er ein riesiges Jagdmesser an seinem Gürtel. Er war so schwer bewaffnet, daß sich ein beiläufiger Beobachter kaum gewundert hätte, wenn ihm erzählt worden wäre, daß er sich eine Handgranate zwischen die Arschbacken und eine Bazooka hinters Ohr geklemmt hatte und außerdem ein nuklearer Sprengkopf in der Reisetasche versteckt war, die er in der anderen Hand hielt.

Wayne machte einen Schritt zum Sofa hin, beugte sich vor und starrte Bruce mit festem Blick an. Er tauchte mit seinen Augen direkt in Bruces Gesicht ein, sog jedes Detail in sich auf. Bruce hielt ihm stand, aber noch nie in seinem Leben war er so verunsichert und eingeschüchtert gewesen.

Es schien eine geschlagene Minute zu dauern, bis Wayne langsam pfiff, als könnte er nicht fassen, was er sah.

»Ich glaub es nicht. Ich kann es einfach nicht glauben! Scheeeiiiße!« rief Wayne, schrie den endgültigen Fluch heraus, als er sich staunend von Bruce abwandte. »Ich mein, ich wußte, daß es das richtige Haus ist, wegen der ganzen Drehbücher und dem Zeug in Ihrem Badezimmer, aber ich kann es immer noch nicht fassen … ich bin tatsächlich hier, ich bin tatsächlich bei Bruce Dela-fuckin'-mitri. *Der* Mann! Ich rede hier von dem scheißechten MANN!«

Er ließ die Reisetasche fallen und schüttelte Bruces Hand mit festem Griff. Bruce saß noch immer halb auf Brooke, so daß alle drei leicht durchgeschüttelt wurden. »Ich kann Ihnen gar nicht sagen, was für eine Freude es mir ist, Sie kennenzulernen, Sir. Scout!« rief Wayne. »Komm her und sag hi. O ja, es ist mir wirklich eine Ehre, Sir. Ist das abgefahren! Scout, schaff sofort deinen blöden Arsch hier runter! Treib es nicht so weit, daß ich dich holen muß!«

Unsicher tauchte Scout in der Tür auf. Ihr Haar war vom Sex ganz zerzaust, ihr gemustertes Baumwollkleid stand an der Brust ein Stück weit offen, weil sie sich so eilig angezogen hatte. Ihre nackten Zehen zupften am Teppich herum, da solcher Luxus für sie noch immer ungewohnt war. Sie hatte eine Pistole an der Hüfte, eine mächtige Pistole, eine Magnum oder irgend so was in der Art. Diese schien bewußt gewählt worden zu sein, um das Schmale, Vogelähnliche und Mädchenhafte ihrer Figur hervorzuheben. Auch Scout trug eine Maschinenpistole bei sich, die an ihrer Hand hing, wie ein kleines Mädchen vielleicht einen Teddy festgehalten hätte. Falls sie versuchte, wie ein unschuldiger, wenn auch erotischer, ein kindlicher, wenn auch fraulicher, ein verletzlicher, aber gefährlicher, leicht aus dem Gleichgewicht geratener, süßer Fratz zu wirken, so hatte sie damit Erfolg. Falls sie es nicht versuchte, war sie ein Naturtalent.

Mit fast ehrfürchtigem Blick starrte sie Bruce und Brooke an. Fast war es, als fürchtete sie sich mehr vor ihnen als die beiden vor ihr. Das war natürlich nicht der Fall, aber es sah ganz so aus. Ihre großen Augen waren traurig und voller Sorge, und ein zögerliches, fast schmeichlerisches Lächeln lag auf ihren Lippen.

Sie wollte, daß die beiden sie mochten. Sie hob eine Hand und versuchte nervös, ihr Haar zu richten.

»Hi!« Sie kicherte nervös, ja verlegen, als wüßte sie, daß sie unartig gewesen war, aber trotzdem hoffte, die beiden würden sich freuen, sie zu sehen.

Bruce und Brooke konnten nur glotzen.

»Komm ruhig rein, Baby. Setz dich zu uns.« Wayne war so naßforsch und selbstsicher wie Scout verunsichert wirkte. Sie blieb, wo sie war, rieb einen nackten Fuß nervös am Unterschenkel des anderen Beins.

»Wir haben Ihre Laken etwas versaut«, sagte sie, »aber, na ja, mit den modernen Waschmitteln sollte das eigentlich kein Problem sein.«

Wayne hatte nicht das Gefühl, daß das der richtige Einstieg war. Man stellte sich seinen neuen Gastgebern nicht vor, indem man zugab, daß man Flecken auf ihren Laken hinterlassen hatte. »Mach dir keine Sorgen um die Laken, Süße. Wir können neue kaufen. Das hier ist Bruce Delamitri. Hier hast du den Mann höchstpersönlich vor dir. Den Mann der Männer.«

Wayne deutete mit großer Geste auf Bruce. Im Grunde schien er es nett zu meinen, da jedoch die Hand, mit der er winkte, eine Waffe hielt, wirkte die Geste doch eher beunruhigend.

Als sie sah, daß Bruce entsetzt zurückwich, beeilte sich Scout, ihn zu beruhigen. »Wayne ist ein großer Fan von Ihren Filmen, Mr. Delamitri. Er hat Sie gestern bei Oliver und Dale in *Coffee Time USA* gesehen, und Ihre Filme hat er sich ein dutzendmal angesehen... ich auch, mir gefallen die echt, aber Wayne, der liebt sie.«

»Hey, Scout, hör auf. Ich wette, Mr. Delamitri hat genug von all den Leuten, die ihm so was erzählen.«

Ein Schimmer von etwas, das, wenn schon nicht Hoffnung, so doch zumindest ein positiver und schlüssiger Gedanke war, kam Bruce in den Sinn. Es gab so manches in Waynes und Scouts Benehmen, mit dem er sich schon früher hatte auseinandersetzen müssen. Im Grunde benahmen sie sich wie normale Fans, wenn Scout mit ihren nackten Füßen scharrte und Brooke scheue Seitenblicke zuwarf, während Wayne mit stolzer Pose dastand, als wollte er sagen: »Hey, ich weiß, daß du berühmt bist, aber eigentlich bist du doch ein ganz normaler Mensch wie ich auch.« Tausendmal hatte Bruce schon solche Pärchen getroffen. Dem Mädchen ist es peinlich, während der Typ zu dir stolziert kommt und sagt: »Wahrscheinlich können Sie es nicht leiden, wenn man sie nervt«, und fährt dann in aller Seelenruhe fort, dich zu nerven. Als meinte der Typ, daß Bruce es nicht leiden konnte, von Schleimern und Arschkriechern belästigt zu werden, im Gegensatz zu normalen Leuten wie ihm. Schon immer hatte Bruces Arbeit diese großkotzigen, arroganten, männlichen Fans angesprochen, Leute, die einen um ein Autogramm baten und dann sagten: »Meins können Sie auch kriegen«, um dann spöttisch hinzuzufügen: »Aber das werden Sie wohl nicht wollen, weil ich nicht berühmt bin, schätze ich.« Als hätte sich Bruce nur deshalb vorgenommen, berühmt zu werden, um sich über jemanden, der ihm eindeutig ebenbürtig, wenn nicht sogar überlegen ist, zu erheben.

O ja, Bruce kannte diesen Unterton in Waynes arrogantem Zuspruch: Damit hatte er schon oft genug zu tun gehabt. Ungewohnt war nur, daß jemand schwerbewaffnet in sein Haus eindrang.

»Wollen Sie Geld?« Irgendwie fand Bruce seine Stimme wieder. »Ich habe Geld, etwa zweitausend Dollar in bar und etwas Schmuck...«

Wayne stellte einen gestiefelten Fuß auf den Kaffeetisch und stützte sein ganzes Gewicht aufs Knie, beugte sich zu Bruce hinunter, wobei der Stiefel den Rest des weißen Pulvers zerknirschte, das Brooke darauf verstreut hatte. Es wäre eine gute Nahaufnahme für einen von Bruces ironischen Momenten gewesen, ein Symbol für ehrliche, männliche Gewalt, die protzige Dekadenz zermalmte. »Mr. Delamitri... darf ich Sie Bruce nennen?«

Bruce nickte. Er hoffte, dieses Nicken wäre fest und würdevoll und zeigte auf höfliche Weise, daß er dem Geschehen aufmerksam folgte und seine Möglichkeiten abwog. Tatsächlich aber nickte er wie ein Spielzeughund auf der Hutablage einer Familienlimousine, eine panische Bewegung, die andeutete, daß Wayne ihn ebenso Arschgesicht nennen konnte, wenn er wollte, solange er davon Abstand nahm, ihn umzubringen.

»Bruce, wir wollen kein Geld. Wir haben Geld, wir haben mehr Geld, als wir ausgeben können, und wir geben sowieso nichts aus, weil wir unsere Sachen alle klauen. Wir sind nur gekommen, um Sie zu besuchen. Ist das okay? Wenn wir Sie besuchen? Wie wäre es, wenn wir uns setzen? Vielleicht könnten wir was trinken? Wäre das okay? Ich mag Bourbon, und Scout nimmt alles mit, was süß ist.«

Wayne ging rückwärts zu dem anderen Sofa gegenüber von Bruce und Brooke und ließ sich lässig darauf fallen. Scout setzte sich zu ihm, wenn auch nicht mit seinem demonstrativen Selbstbewußtsein. Sie hockte am Rande des Kissens, als wollte sie unbedingt zeigen, daß sie nicht aufdringlich sein oder irgendwelche Umstände machen wollte. Bruce stand auf und ging zu seiner Hausbar, ließ Brooke allein auf dem Sofa zurück. Sie hatte halb darauf gelegen, seit man sie mitten in der Umarmung gestört hatte, und nutzte nun die Gelegenheit, sich aufzusetzen und ihr Kleid zu richten. Wie Scout war auch Brooke barfuß, und Bruce hatte kurz davor gestanden, ihre Brüste aus dem Kleid zu befreien, als man sie abrupt unterbrach. Sie zog ihre Schuhe wieder an und tat ihr Bestes, sich zu bedecken. Ein offenherziges Abendkleid ist nicht die allerbequemste Kleidung, in der man bewaffneten Eindringlingen gegenübertreten kann.

Es folgte eine verlegene Pause. Niemand wußte, was er sagen sollte. Gesellschaftlich hätte die Situation kaum schwieriger sein können.

In dem Bemühen um höfliche Konversation wandte sich Scout an Brooke. Sie hatte, zutreffenderweise vielleicht, das Gefühl, als läge die gastgeberische Verantwortung, selbst wenn sie hier eigentlich zu Gast war, zumindest zum Teil bei ihr. »Sie sind Brooke Daniels, nicht?«

Sie waren wie zwei Leute, die sich im Warteraum bei einem Arzt gezwungenermaßen unterhalten. Brookes Gesicht zuckte, was wohl eine Antwort sein sollte. Ganz offensichtlich war sie nicht in der Stimmung für Small talk.

»Ja, Sie sind es«, fuhr Scout fort. »Ich würde Sie immer wiedererkennen, nach all den Zeitschriften, in denen Sie waren... *Vogue* und *Esquire* und *Vanity Fair*... ich liebe dieses Zeug, es ist so bezaubernd und hübsch... ich war auch schon mal in einer Zeitschrift...«

»Klar, Scout. *America's Most Wanted.*« Wayne lachte und schlug Scout auf den Oberschenkel.

»Es ist eine Zeitschrift! Ist es doch, oder, Brooke? ...Brooke? Es ist eine Zeitschrift, nicht? *America's Most Wanted* ist eine Zeitschrift, oder?«

»Ja, es ist eine Zeitschrift.« Brookes Kehle war so ausgedörrt, daß sie sich über ihre Worte wunderte.

»Natürlich ist es eine Zeitschrift, und ich war drin, und du hast gesagt, daß ich darin süß aussehe, Wayne.«

»Du siehst immer süß aus, Zuckerschnecke. Du brauchst keine Zeitschrift, um es zu beweisen.«

Bruce brachte Wayne seinen Bourbon. Er hatte sich den Kopf darüber zermartert, wieviel er ihm einschenken sollte. Viel? Wenig? Würde Wayne gewalttätig oder lammfromm, wenn er betrunken war? Würde Wayne, wenn er hacke war, »Danny Boy« singen, zusammenbrechen und sich an Bruces Schulter ausweinen und schwören, daß sie bis in alle Ewigkeit die besten Kumpels wären? Oder würde er auf seine Stiefel kotzen und wahllos um sich ballern? Schließlich hatte sich Bruce für eine eher kleine Menge entschieden, die er mit Eis strecken wollte. Wayne stürzte ihn in einem Zug hinunter, bat aber zu Bruces Erleichterung nicht gleich um einen neuen.

»Hören Sie, was ich gesagt habe, Bruce? Ich habe gesagt, daß Scout hier für jede Zeitschrift süß genug ist, und damit habe ich doch recht, oder?«

Bruce antwortete nicht, sondern zog es vor, noch einmal einen Vorstoß bezüglich Waynes Absichten zu wagen. »Hören Sie… wenn Sie kein Bargeld wollen, habe ich einen veredelten Lamborghini draußen stehen und…«

»Bruce, ich will Ihren Scheißwagen nicht.« Waynes Stimme war ruhig, aber düsterer als zuvor. Er richtete seine Antwort an das Eis am Boden seines Glases. »Außerdem habe ich einen Wagen.«

»Ich verstehe.«

»Einen scheißamerikanischen Wagen. Gebaut in Motor City Scheiß-USA, aus amerikanischem Schweiß und Stahl«, Waynes Stimme wurde immer lauter, »keinen beschissenen Blecheimer von schwulen, schmierigen Spaghettifressern für kranke Schwuchteln! Ein Lamborghini! Bruce, Sie überraschen mich. Bruce, wenn Sie einen ausländischen Wagen fahren, schaden Sie den amerikanischen Arbeitern.«

Bruce schwieg. Es schien nicht der rechte Zeitpunkt für eine Diskussion über die Vor- und Nachteile von freier Marktwirtschaft und Protektionismus zu sein. Er reichte Scout ihren Drink, dankbar für jede noch so kleine Ablenkung.

»Das ist *Crème de menthe*«, sagte er. »Es ist süß.«

»Ich liebe Cocktails.«

Bruce kehrte zu seiner Hausbar zurück und holte zwei kleine Bourbons für sich und Brooke. Er setzte sich neben sie aufs Sofa und nippte an seinem. Sie rührte ihren nicht an.

Wieder machte sich verlegenes Schweigen breit. Nachdem sein letzter Versuch so kläglich gescheitert war, zögerte Bruce, noch einmal nachzufragen, was die beiden Irren eigentlich wollten. Auch Brooke hatte nichts beizutragen. Einmal mehr fiel Wayne und Scout die Aufgabe zu, die nervöse, halbherzige Unterhaltung aufrechtzuerhalten.

»Wieso haben Sie das im *Playboy* gemacht, Brooke?« fragte Wayne. »Ich meine, ich will nicht sagen, daß es nicht wunderschön war, denn das war es, aber verdammt, ich würde nie zulassen, daß Scout so was macht. Vorher würde ich sie umbringen – und Hugh-Arschloch-Hefner genauso.«

»Ach, komm schon, Wayne«, sagte Scout kokett. »Als würde mich irgendwer im Playboy sehen wollen!«

Offensichtlich war sie auf Komplimente aus. Bruce überlegte, ob er sich bei ihr einschmeicheln sollte, indem er ihr versicherte, daß sie ganz bestimmt das Zeug zum Centerfold hätte. Er war froh, daß er es nicht tat.

»Das würden sie bestimmt, Süße«, sagte Wayne. »O, ja, das würden sie. Nur würde ich es dich nicht tun lassen, denn eins ist für mich ganz klar: Wenn dich ein Mann auch nur lüstern ansieht, muß ich ihn umlegen. Wenn du also im *Playboy* wärst, müßte ich die Hälfte aller amerikanischen Männer umlegen.«

»Das tust du doch sowieso, Süßer!« Wayne und Scout lachten.

Wayne wandte sich Bruce zu, als wollte er ihren kleinen, privaten Scherz erläutern. »Scout übertreibt natürlich, Bruce. Ich glaube kaum, daß ich mehr als vierzig oder fünfzig Leute umgebracht habe.«

Wieder ein peinlicher Moment, als Scouts Gelächter in der Stille erstarb.

»Wieso haben Sie es also getan, Brooke?« Wayne kehrte zu seinem Thema zurück. »Das würde ich wirklich gerne wissen.«

Brooke konnte ihn nur anstarren. Sie hätte eine schlechte Menschenkennerin sein müssen, um zu übersehen, daß Wayne unberechenbar war. Sie hatte die Prellungen an Scouts Beinen bemerkt, als Waynes räubernde Hand ihr dünnes Baumwollkleid ein Stück weit hochgeschoben hatte. Brooke kam zu dem Schluß, daß die wünschenswertere von zwei zutiefst unerwünschten Möglichkeiten die war, nichts zu sagen. Scout sprach für sie. Sie kannte die Antwort. Sie hatte sie in einer Zeitschrift gelesen.

»Brooke hat es getan, Wayne, weil eine selbstbestimmte Frau zu sein nicht bedeutet, daß man seine Sinnlichkeit verleugnen muß. Haben Sie das nicht gesagt, Brooke? Ich habe es gelesen.«

Brooke nickte.

»Sie hat es nicht für die Männer getan, Wayne, egal, was du und deine Kneipenfreunde vielleicht denken«, zeterte Scout. »Sie hat es für sich selbst getan, weil sie stolz auf ihren Körper ist und stolz darauf, schön zu sein, und es ist nichts Schlimmes dabei, sich darüber zu freuen. Im Grunde ist es positiv, fast feministisch.«

Scout beendete ihre kleine Ansprache und wandte sich lächelnd Brooke zu. Offenbar in der Hoffnung auf deren Beifall.

»Das stimmt, mh... Scout, genau das ist es.«

Wayne stand auf und schenkte sich noch einen Drink ein. »Na, da fühl ich mich gleich viel besser, was das Wichsen auf dem Klo angeht, Brooke. Ich muß gestehen, daß mir nie bewußt war, wie sinnvoll und aufrecht das ist, was ich da mache.«

Scout sah aus, als wollte sie vor Verlegenheit sterben. Bevor sie sich bei Brooke entschuldigen konnte, tönte Wayne weiter. »Ich möchte Brooke mal was fragen, Scout, und ich möchte nicht, daß du deshalb sauer auf mich bist. Okay?«

»Na, es hängt davon ab, was du sie fragst, Wayne.«

»Ich möchte sie fragen, wie diese Mädchen im *Playboy* ihr Haar so hinbekommen. Es sieht immer so verdammt perfekt aus.«

Brooke schaffte es, ihre Stimme in den Griff zu bekommen. »Na ja... wissen Sie, ich schätze, es ist eigentlich nur eine Frage des Stylings. Die benutzen reichlich Schaumfestiger und Gegenlicht, und manchmal fügen sie ein Haarteil an...«

»Brooke, *das* Haar meine ich nicht.«

Scouts blasse Haut wurde puterrot. Sie konnte nicht glauben, was ihr Freund da fragte... wo sie hier bei fremden Leuten zu Gast waren und alles.

»Wayne!« Sie boxte ihm in die Rippen.

»Ich will es ja nur wissen!« protestierte Wayne. »Ich krieg nie eine bessere Gelegenheit, es rauszufinden. Ich meine, wir haben doch versucht, dich zu rasieren, oder nicht, Süße, und am Ende sahst du nur wie ein Mohikaner mit Ausschlag aus!«

Beschämt wandte sich Scout Brooke zu. »Es tut mir wirklich leid, Brooke, ich ...«

Wayne wollte das Thema nicht fallenlassen. Offensichtlich war es etwas, das ihn schon lange beschäftigte. »Aber im *Playboy* haben diese Mädchen nur ein kleines Büschel, als würde ihnen nie was anderes wachsen. Es sieht nicht rasiert aus oder irgendwas. Das sind erwachsene Frauen, keine kleinen Mädchen, aber trotzdem haben Sie immer nur dieses kleine Büschel da. Wie machen die das?«

Seltsamerweise war die Wendung, die das Gespräch genommen hatte, durch die bedrohlichen Umstände, unter denen es geführt wurde, nicht weniger peinlich.

Scout starrte den Teppich an, wünschte sich unübersehbar, darunter kriechen zu können, um sich zu verstecken. Brooke wußte einfach nicht, wohin sie sehen sollte. Sie versuchte, Wayne direkt in die Augen zu blicken, um ihm zu zeigen, daß sie vor ihm keine Angst hatte, doch leider hatte sie welche, und so fehlte ihr der Mut. Sie konnte Bruce nicht ansehen – sie hatte ihm nichts zu sagen, nicht mal mit den Augen. Am Ende lehnte sie sich auf dem breiten Sofa zurück und sah zur Decke. Gemeinsam hatten Scout und Brooke das ganze Zimmer von oben bis unten im Blick.

»Ich habe gefragt, wie sie es machen, Brooke«, wiederholte Wayne mit schärferer Stimme.

»Tja, Wayne, dafür gibt es einen Stylisten.«

Das war so ziemlich das Komischste, was Wayne je gehört hatte. »Einen Stylisten! Einen Schamhaarstylisten! Na, das wäre ja ein mörderischer Beruf! Aber hallo, ich glaube, das wäre mal eine Arbeit, die mir gefallen könnte!«

»Wayne, es reicht jetzt!« Scout war zutiefst beschämt.

Wayne war das allerdings vollkommen egal. Seiner Ansicht nach war er auf eine überreiche Komikader gestoßen. »Aber oberhallo! Ich würde am Wochenende arbeiten und alle Überstunden machen, die mein Chef mir aufbrummt. Ich würde sagen: ›Kann ich es für Sie shamponieren, Madame? Und wie wäre es, wenn ich etwas Festiger einmassieren würde?‹ Ich würde hart arbeiten und meinen eigenen Salon aufmachen … da würden die Frauen nebeneinander sitzen und Illustrierte lesen, während sie mit einem kleinen Fön an ihren …«

»Ich *hör* mir das einfach nicht mehr an!« Scout schnappte sich zwei Kissen, hielt sie an ihre Ohren und fing an zu schreien. »Aaaaaaaahhhh!«

»Ach, komm schon, Süße«, flehte Wayne durch Scouts Geschrei und seine Freudentränen hindurch. »Du kannst nicht bestreiten, daß die Vorstellung von einem Mösenstylisten zum Scheißschreien komisch ist. Ich meine, unterhalten die sich bei der Arbeit mit ihren Kundinnen? Etwa: ›Wie war Ihr Urlaub, Ma'am?‹ und …«

Aber je mehr Wayne redete, desto lauter schrie Scout und fügte ihren Bemühungen, seinen komischen Monolog auszusperren, noch ein Trampeln mit den Füßen hinzu. Dieser wahnsinnige Lärm riß Bruce endlich aus der Lethargie seines Entsetzens. Er spazierte durch den Raum und nahm ein Haustelefon aus der Halterung an der Wand.

»Was hast du vor, Chef?« erkundigte sich Wayne, während er noch immer über seinen eigenen Witz lachte.

»Ich rufe meinen Wachmann an. Er sitzt im Pförtnerhaus am Eingang. Wenn ihr jetzt geht, passiert euch nichts, aber wenn ihr uns was antut, wird er euch erschießen.«

»*Er* wird *mich* erschießen? Hohoho kann ich dazu nur sagen.«

Wayne richtete seine Waffe auf Bruce. Einen Augenblick lang dachte Bruce, sein letztes Stündlein habe geschlagen.

»Peng!« sagte Wayne, der noch immer bester Laune war. »Ruf

den Wachmann ruhig an, Bruce. Unbedingt. Wenn du dich danach besser fühlst, ruf den alten Knaben ruhig mal an.«

Bruce drückte den Knopf der Gegensprechanlage und wartete auf Antwort. Scout nutzte die Gelegenheit, um sich bei Brooke zu entschuldigen. Noch immer waren ihr Waynes Bemerkungen schrecklich peinlich.

»Brooke, es tut mir so leid, daß sich Wayne in Ihre persönlichen Angelegenheiten mischt. Ihm ist nicht klar, wieso eine Frau gern möchte, daß ihre besonderen und intimen Stellen auch besonders und intim bleiben.«

Noch einmal drückte Bruce den Knopf an der Wand. Er bekam keine Antwort. Wayne blickte von der Waffe auf, mit der er noch immer spielte.

»Er antwortete Ihnen nicht, Mr. Delamitri. Vielleicht kann er Sie nicht hören… hier, sehen wir mal, ob wir ihn etwas näher ans Telefon kriegen können.«

Wayne und Scout saßen zusammen auf dem Sofa. Die Reisetasche, die er mitgebracht hatte, als er hereingekommen war, stand am Boden zwischen seinen Füßen. Wayne schob eine Hand in diese Tasche.

Hätte Bruce die Szene gefilmt, hätte er wahrscheinlich mit einer Doppelaufnahme von Wayne und Scout begonnen, dann eine Nahaufnahme von Waynes Hand gemacht und abwärts geschwenkt, als die Hand in der Tasche verschwand. Vielleicht hätte er im Schnitt Scouts Reaktion gezeigt, die wußte, was in der Tasche war. Dann zurück zu Waynes Hand, als diese aus der Tasche kam und einen abgeschlagenen Kopf am Haar herauszog.

Doch Bruce drehte die Szene nicht. Er war mittendrin, und jetzt blieb ihm fast das Herz stehen. Er mußte sich an der Wand abstützen, um nicht in Ohnmacht zu fallen.

Brooke machte den Mund auf, um zu schreien, aber es kam nur ein heiseres Keuchen heraus, trocken und schmerzend. Sie fühlte sich wie in Trance, gelähmt von übermächtiger und unüberwindlicher Angst.

Wayne hob den Kopf hoch und hielt ihn neben seinen eigenen. Es wäre eine wunderbare Doppelaufnahme gewesen. Der groteske, blutverschmierte Totenschädel und das hübsche, grinsende, junge Gesicht daneben.

»Überraschung!« sagte Wayne, und er lachte.

Auch auf Scouts Gesicht zeigte sich ein scheues Lächeln. Halb erfreut über die einschlagende Wirkung, die ihr Freund erzielte, halb bedauernd und verlegen, wohlwissend, daß sie etwas sehr Schlimmes getan hatten.

Wayne stand auf, hielt den Kopf noch immer an den Haaren und trug ihn durchs Zimmer in Richtung Bruce, der keuchend zurückwich, Schutz an der Wand suchte, fast als wollte er durch sie hindurch.

»Huh, huh, huh.« Bruce versuchte zu sprechen, konnte aber schon froh sein, daß er überhaupt Luft bekam. Noch immer hielt er den Hörer in der Hand, obwohl sein Griff so leblos war, daß es überraschte, wieso der Hörer noch nicht heruntergefallen war. Wayne nahm dem benommenen Bruce den Hörer aus der Hand und hielt ihn dem abgeschlagenen Kopf ans Ohr.

»Hallo! Hallo!« rief Wayne. »Oh, Mister Wachmann! … Er hört nicht mehr so gut, was, Bruce?«

Wayne ließ den Hörer fallen und hielt den Kopf so, daß dessen Gesicht vor seinem eigenen war, so nah, daß sich die Nasen fast berührten.

»Hey! Kannst du mich hören?« schrie Wayne in das tote Gesicht. »Der Typ, der dir deinen Lohn bezahlt, will mit dir reden, du blöder Wichser!«

Der Kopf baumelte an seinem Haar herum. Angewidert wandte sich Wayne ab.

»Was haben Sie diesem Mann gezahlt, Mr. Delamitri? War er teuer? Denn wenn er es war, hat man Sie betrogen, Bruce, mein Freund. Als Wachmann war er einen Dreck wert. Er hat da nur mit seinem großen Hund in der Hütte gehockt, und wir haben uns von hinten angeschlichen und ihn umgelegt.«

Scout sah zu Brooke hinüber. »Den Hund haben wir leben lassen.«

Der kleine Laden auf dem Campingplatz im Redwood Forest färbte sich blau, dann rot, dann blau, dann wieder rot.

Es gab keinen besonderen Grund, daß der Streifenwagen so unheimlich beleuchtet sein mußte, als er draußen vor dem Laden hielt. Der Morgen graute gerade, und auf dem Kiesweg durch den Wald war sonst kein Auto gewesen. Cops aber sind und bleiben eben Cops. Die wenigen Gäste, die in den abgedunkelten Wohnwagen schlummerten, hatten Glück, daß keine Sirene eingeschaltet war.

Erstaunlicherweise war es der Ladenbesitzer selbst gewesen, der den Alarm ausgelöst hatte. Wayne hatte nur einmal auf ihn geschossen, und zwar in die Schulter. Die Wucht des Einschlags hatte das Opfer rückwärts durch die offene Tür in den Raum dahinter geschleudert, und Wayne wollte sich nicht die Mühe machen, über den Tresen zu klettern und die Sache zu Ende zu bringen.

Der Ladenbesitzer hatte Glück. Der Schaden, den moderne Waffen anrichten, ist so groß, daß selbst eine Schulterwunde tödlich sein kann. Das Fleisch dieses Mannes jedoch war alt und schwach und konnte der Kugel nur wenig Widerstand entgegensetzen, als diese seinen Körper durchdrang. Tatsächlich hatte das Projektil bei seinem Austritt fast so wenig Schaden angerichtet wie bei seinem Eintritt. Dennoch hatte der alte Mann viel Blut verloren, und da er allein lebte, hatte er halb bewußtlos einige Stunden am Boden vor dem Fernseher gelegen, bis er die Kraft aufbrachte, zum Telefon zu kriechen. Ununterbrochen war die Fernsehaufzeichnung von der Oscarzeremonie gelaufen, und die finsteren Träume und Halluzinationen waren von diesem Gerede über brennende Beine noch zusätzlich angeheizt worden.

Während man auf das Eintreffen des Krankenwagens wartete

(der seine Sirene heulen ließ und alle weckte), befragte die Polizei den Ladenbesitzer. Bald schon wurde ihnen klar, daß er ein weiteres Opfer der berüchtigten Mall-Killer war, die ihre Aktivitäten offenbar nicht länger auf Einkaufszentren beschränkten.

»Ein junger Mann und ein dürres Kind von einem Mädchen«, sagte einer der Beamten in sein Funkgerät. »Die gleiche Beschreibung wie in diesem Motel heute morgen... sie haben nur etwas Jack Daniels, ein paar Zigaretten und Donuts mitgenommen... ach ja, und eine von diesen Karten, auf denen die Häuser der Filmstars eingezeichnet sind... ich weiß nicht wieso. Vielleicht wollten sie ja Bruce Delamitri besuchen und ihm zu seinem Oscar gratulieren.«

- 17 -

Noch immer schwenkte Wayne angewidert den abgeschlagenen Kopf hin und her. Offenbar bewegte ihn der schlechte Service, den Bruce von seinen Angestellten bekam. In seinen Augen war das symptomatisch für die nationale Krise, und den Kopf hielt er sozusagen als Beweis für das allgemein sinkende Niveau hoch.

»Ich meine... Scheiße, Mann! Was ist mit diesem Scheißland los? Die Leute machen die verdammten Jobs, für die sie bezahlt werden, einfach nicht mehr. Kein Wunder, daß wir die Scheißjapse nicht einholen. Man würde keinen Scheißjapsen finden, der seine Pflichten so vernachlässigt, Mann. Niemals! Der Scheißkerl hier hat bekommen, was er verdient hat, Bruce. Ich hab dir einen echten Gefallen getan.«

Auf dem Tisch stand eine Lavalampe in Form einer Rakete. Mit einer Geste, die seine Verachtung für den toten Wachmann überdeutlich machte, spießte Wayne den Kopf auf die Lampe.

Bruce schluckte die in ihm hochkriechende Übelkeit herunter, und Brooke fing leise an zu weinen. Gebannt starrten sie dorthin, wo die mißgebildeten Tumore und Klümpchen von roter Lava langsam durch die elektrisch grüne Flüssigkeit in der Lampe aufwärts stiegen und in dem durchtrennten Hals verschwanden, einen Moment warteten, dann langsam wieder aus dem Kopf traten und heruntertropften.

»Bitte«, murmelte Bruce.

»Was war das, Bruce?«

»Bitte«, wiederholte er. »Ich weiß nicht, wer Sie sind, aber...«

»Ach, wir sind nur unwichtiger White Trash, Bruce«, sagte Wayne, während er durchs Zimmer ging und sich wieder zu Scout aufs Sofa setzte. »Wir sind nichts. Rein gar nichts. Erinnerungswürdig ist in meinem Leben nur, daß ich Leute umgelegt habe.«

Allerdings war deutlich erkennbar, daß Wayne sehr wohl eine hohe Meinung von sich hatte. Er war aufgeplustert wie ein psychotischer Pfau. Stolz packte er Scouts Oberschenkel, als wollte er ihr versichern, daß er nur aus Höflichkeit so zurückhaltend war.

Auch Scout war stolz. »Wir sind die Mall-Killer«, sagte sie. »Ich bin Scout, und das ist Wayne.«

Bruce und Brooke sagten kein Wort. Scout war etwas enttäuscht. Sie hatte gehofft, daß diese Bekanntmachung mehr Wirkung zeigen würde. Aus Furcht, daß man sie nicht richtig verstanden haben könnte, wiederholte sie den Kernpunkt: »Wir sind die Mall-Killer.«

Scout hätte sich keine Sorgen machen müssen. Man hatte sie schon beim ersten Mal verstanden.

Natürlich hätten sie es sich denken können, besonders Bruce. Zwei wahnsinnige Mörder? Ein Mann und eine Frau? Große Fans seiner Filme? Leute, deren Aktivitäten im letzten Monat ständig mit seinen eigenen in Verbindung gebracht worden waren, jetzt *in seinem Haus*? Sie mußten es sein. Aber wieso? Die Verbindung zu ihm war eine reine Erfindung der Medien. In der Realität hatte Bruce absolut nichts mit den Mall-Killern zu tun. Das allerdings war nur ein schwacher Trost, denn Leute zu ermorden, mit denen sie nichts zu tun hatten, war die Spezialität der Mall-Killer.

»Werden Sie uns töten?« fragte Brooke.

»Was ist denn das für eine Frage? Scout hier und ich wissen immer erst, ob wir jemanden umlegen, wenn wir es getan haben.«

»Es passiert einfach«, fügte Scout hinzu und bewegte ihre Beine wie ein kleines Mädchen, das von irgendeinem Spiel erzählt – nur daß kleine Mädchen normalerweise keine Waffen auf dem Schoß liegen haben, abgesehen von Bruces Filmen vielleicht und jetzt natürlich in seinem Wohnzimmer.

Das Schweigen kam zurück.

Die Unterhaltung wurde nicht einfacher. Wieder sah es Scout als ihre Pflicht an, das gesellschaftliche Rad zu ölen.

»Es ist doch echt klasse, oder?« sagte sie. »Ich meine, daß wir hier zusammensitzen und uns einfach unterhalten.«

Bruce hörte kaum zu. Seine Gedanken rasten. Wenn das die Mall-Killer waren, dann konnten Brooke und er buchstäblich jeden Augenblick tot sein. Er mußte etwas unternehmen. Jede Sekunde, die die beiden Psychopathen ihn am Leben ließen, war geborgte Zeit. Er sah zu seinem großen Schreibtisch, der auf der anderen Seite des Raumes stand, hinter dem Sofa, auf dem Wayne und Scout saßen.

In einem von Bruces Filmen hätte es eine Nahaufnahme der rechten, oberen Schublade gegeben, und dazu Musik: *Diese Schublade ist wichtig.*

Scouts Stimme plapperte weiter, drang aber kaum in Bruces Gedanken.

»Weil Bruce hier Waynes Held ist und ich Mädchen wie dich, Brooke, immer bewundert habe. So schön und so. Nur kann ich nicht abstreiten, daß ich das mit den Schönheitsoperationen, die ihr da machen laßt, eine Schande finde, denn heutzutage weiß man nicht mehr, wer wirklich schön ist und wer nur eine böse, alte, reiche Hexe.«

Hatte sich Bruce bewegt? Falls jemand zugesehen hätte, wäre ihm vielleicht der Gedanke gekommen. Vorher hatte er bei der Gegensprechanlage an der Wand gestanden. Jetzt schien er etwas näher am Schreibtisch zu sein.

Inzwischen redete Wayne. »Ist doch eigentlich scheißegal mit den Schönheitsoperationen, oder, Scout?« sagte er. »Ich meine, wenn du schön aussiehst, bist du schön, egal wie es dazu kommt.«

»Ich finde einfach, es war schön, als ein Mädchen noch war, was sie war, und das war es dann«, protestierte Scout.

Jetzt bewegte sich Bruce deutlich erkennbar, wenn auch unglaublich langsam. Er bahnte sich einen Weg durch den Raum zum Schreibtisch, zu dieser Schublade. Er warf einen Blick in die Runde, um herauszufinden, ob ihn jemand beobachtete. Wayne und Scout konzentrierten sich nach wie vor aufeinander, und ihre Stimmen waren nur noch Gemurmel in Bruces Kopf. Brooke starrte zu Boden. Nur ein Augenpaar schien auf Bruce gerichtet zu sein, die Augen des Wachmanns, die aus seinem abgeschlagenen Kopf hervorquollen. Fast war es, als triebe der Kopf Bruce an. Wie eine Kreatur in einem verrückten Frankenstein-Experiment schien er zu spüren, daß ein Mensch sein blutiges Ende rächen wollte. Einen Moment lang fing Bruce diesen Blick auf, und sie starrten einander an, beide in extremer Nahaufnahme. In diesem Augenblick meinte Bruce fast auszumachen, daß diese Augen wach und in einem lebendigen Kopf wären, einem Kopf, der von den großen, blutigen Klumpen lebenspendender Lava, die seinen Hals hinauf- und wieder hinuntertrieben, in Gang gehalten wurde.

Bruce setzte seine ganze Kraft ein, um sich zusammenzureißen. Seine Angst machte ihn leichtsinnig. Die Stimmen von Wayne und Scout, die klaren Augen in dem toten Gesicht und die Gewißheit des nahen Todes – das alles tobte in seinem Kopf und verhinderte, daß er nachdachte. Bruce war kein schwacher Mensch: Sein aalglattes Äußeres barg einen stählernen Kern.

Mit Mitte Dreißig war er immerhin schon der erfolgreichste Filmregisseur der USA. So etwas war nicht ohne erhebliche Charakterstärke zu erreichen. Dennoch stand Bruce kurz davor, sich von der momentanen Situation unterkriegen zu lassen.

»Es ist ein Film«, flüsterte eine Stimme in seinem Inneren. »Sei einfach in einem Film.«

Bruce sagte sich, er hätte das alles schon hundertmal gesehen. Er hatte es im Griff. Wie immer hatte er alles im Griff. »Es ist nur ein Film wie andere auch.«

Er riß seinen Blick von dem Totenschädel los und sah sich den Raum mit einer Totalen an. Niemand beobachtete ihn. Er war weit im Hintergrund. Unendlicheinstellung.

»Was ist mit Brooke hier? Meinst du, die ist echt?« sagte Wayne. Entspannt lehnte er sich in die Sofakissen zurück. Er fühlte sich hier offensichtlich zu Hause. Scout betrachtete die Frau, die ihr gegenübersaß, mit kritischem Blick.

Brooke schrumpfte unter diesem Blick zusammen. Ein Beobachter hätte es seltsam gefunden, wie lächerlich ein wirklich sexy Abendkleid aussehen kann, wenn die Frau, die es trägt, eingeschüchtert und verängstigt ist. Betörende, aufreizende Kleidung muß man mit Selbstvertrauen tragen, sonst läuft man Gefahr, wie eine traurige, verzweifelte Nutte zu wirken.

»Echt? Nie im Leben!« rief Scout aus. »Na, Brooke hier ist doch wohl aufgeschnitten und gestrafft worden und abgesaugt und aufgepumpt und was weiß ich noch was. Stimmt's nicht, Brooke? ... Ich sagte, stimmt's nicht, Brooke?«

Der Star in Bruces Film war inzwischen fast am Schreibtisch, fast an der speziellen Schublade. Er brauchte nur noch ein paar unaufmerksame Augenblicke seiner Peiniger.

Bruce war sich nicht darüber im klaren, daß es einen Co-Star in seinem Drama gab. Es mochte nicht den Anschein haben, daß Brooke sich seiner Reise durch den Raum bewußt war, doch sie war es. Als sie den Boden anstarrte, hatte sie eine flüchtige Einstellung von Bruces Füßen gesehen, die sich im Hintergrund durchs Bild bewegten. Sie wußte, daß Bruce irgend etwas vorhatte und Wayne und Scout abgelenkt bleiben mußten. Sie wußte, daß es an ihr lag, daß sie sich auf das Gespräch einlassen mußte, und zwar richtig. Sie hob den Kopf und sah Scout in die Augen.

»Das geht dich einen Dreck an.«

Scout und Wayne waren ziemlich überrascht. Bisher hatte Brooke nur wenig Kampfgeist gezeigt, doch jetzt kam sie aus ihrer Ecke. Ihre Stimme klang scharf und hart. Sie beherrschte den Raum. Bruce nutzte die Gelegenheit und machte einen ganzen Schritt.

Wütend starrte Wayne Brooke an. »Da täuschst du dich aber gewaltig, Miss-Nase-hoch-mit-scheißrasierter-Möse. Es geht uns sehr wohl was an, und zwar weil du uns gehörst. Kapiert? Du gehörst Scheiße noch mal mir und meinem Baby. Und jetzt antworte auf die Frage, die mein Baby dir gestellt hat. Es sei denn, du meinst, du wärst dir zu schade dafür, mit ihr zu reden. In dem Fall kannst du dich hiermit unterhalten.«

Wayne hob seine Maschinenpistole an die Schulter und richtete sie auf Brooke. Ihr Blickwinkel war das klaffende Ende des Laufes mit Waynes grinsendem Gesicht dahinter, das Kinn auf dem Schaft.

Doch hinter Waynes Kopf, weit im Hintergrund, schob sich noch immer Bruce durchs Bild.

Brooke wußte, daß sie Waynes Aufmerksamkeit bei sich halten mußte. Tapfer erwiderte sie seinen Blick, sah ihm in die Augen, die über dem schwarzen Loch der Mündung schwebten.

Langsam schloß er ein Auge zu einem fröhlichen, grotesken Zwinkern. Er zielte.

Brooke versuchte, nicht zurückzuschrecken, was ihr nicht leichtfiel. »Also gut, Mr. Perversling, wenn du es wissen mußt...«, das Risiko, ihn derart zu provozieren, war enorm, aber sie wußte, daß sie vor allen Dingen die Aufmerksamkeit auf sich richten mußte, bis Bruce bei diesem Schreibtisch war, »... ich hatte Falten um die Augen, und sie haben mir die Lippen gemacht, etwas Zellulitis aus den Oberschenkeln entfernt. Ich habe Brustimplantate bekommen, und mein Bauchnabel wurde neu gestylt.«

Während sie sprach, zog Bruce die Schublade auf. Wayne würde nie abgelenkter sein als in diesem Augenblick. Es war Bruces beste Möglichkeit, und er nutzte sie.

Er sah seine eigene Hand in Nahaufnahme, wie sie die Schublade öffnete. Er sah, wie die Hand darin verschwand.

Die Schublade war leer.

Als Bruce in Panik bis in die hinterste Ecke suchte, hätte Musik einsetzen sollen. Etwas Harsches, etwa ein Schrei, oder, da es Bruces Film war, etwas Ironisierendes, wie das »wah, wah, wah« einer Sitcom, nur dissonant und düster. Allerdings gab es keine Musik, weil Bruce mit seinem verzweifelten, kleinen Filmspielchen aufgehört hatte. Seine Niederlage war zu real, zu vollkommen.

»Ach, Bruu-uuce.« Es war Waynes Stimme, fies und sarkastisch. »Suchst du etwa das hier?«

Wayne hatte sich noch nicht mal die Mühe gemacht, sich zu Bruce umzudrehen. Bruce sah nur Waynes Hinterkopf über den Kissen und seine Hand, die über die Lehne des Sofas hinausragte. An einem Finger seiner Hand hing eine kleine Pistole.

»Weißt du, Bruce, ich kann Waffen *riechen*«, sagte Wayne und machte sich noch immer nicht die Mühe, sich umzudrehen. »Die habe ich schon vor einer ganzen Weile gerochen. Ich bin da rübergegangen, um mir einen Drink zu nehmen, und ich dachte, mm-mm, was riecht da so? Es gefällt mir. Ich glaube, das ist eine Waffe. Und was soll ich dir sagen? Es war eine! Ist das zu fassen?«

Bruce antwortete nicht. Es war nicht das erste Mal an diesem Abend, daß es ihm die Sprache verschlug.

»Außerdem muß ich gestehen, daß es nicht unüblich ist, seine Kanone in der obersten Schreibtischschublade aufzubewahren.

Für einen oscargekrönten Filmemacher bist du nicht besonders originell, Bruce.«

Bruce schrumpfte innerlich ein Stück zusammen. Einen Moment lang war er ein Kämpfer gewesen, hatte einen Plan und eine Chance gehabt. Jetzt war er ein kompletter Idiot, überrumpelt und ausmanövriert vom Abschaum der Straße.

Es war sechs Uhr morgens, und Bruces Verabredung mit dem Schicksal stand bevor. Sein altes Leben war längst vorbei. Selbst wenn er dieses Martyrium überlebte, wäre nichts mehr, wie es war.

Außerhalb von Los Angeles und in ganz Amerika blieb Bruce, ob man ihn nun mochte oder nicht, der Mann der Stunde. Sein Triumph bei der Oscarverleihung war noch immer eine Topstory der Morgennachrichten. Leider nicht *die* Topstory. Unter glücklicheren Umständen wäre es sicher so gewesen, doch das Blutbad im 7-11-Laden war logischerweise auf allen Kanälen die Nummer eins. Selbst in Kalifornien waren vierzehn Tote (beim Einkaufen!) eine große Sache, besonders, wenn überlebende Zeugen bereit waren zu schwören, daß sich die Täter, nachdem das Massaker vorbei war, tatsächlich gepaart hatten wie zwei wilde Tiere in der Brunft, und zwar am Slurpy-Pup-Automaten.

»Sex und Tod im heutigen Amerika«, sagten die Reporter, als die Krankenwagen im Morgengrauen davonjagten. »Das alles könnte direkt aus einem Bruce-Delamitri-Film stammen.« Eine Beobachtung, die zufälligerweise sehr hübsch in den vorbereiteten Bericht zu den Oscars paßte.

»Ich stehe hier auf brennenden Beinen«, sagte Bruce.

»Wieso mußte dieser Typ eine so nichtssagende Rede halten?« klagten die Nachrichtenredakteure. »Meine Güte, wenn er irgendwas über Gewalt und Zensur gesagt hätte, wäre er heute Morgen der Knaller gewesen!«

- 18 -

Selbst jetzt machte sich Wayne nicht die Mühe, Bruce anzusehen. Er interessierte sich mehr für das Gespräch, das er führte. Er legte die kleine Pistole, die er aus Bruces Schublade genommen hatte, auf Scouts Schoß, schlenderte um den Glastisch herum und baute sich vor Brooke auf. Als er an dem abgeschlagenen Kopf vorbeikam, schien es für einen Augenblick, als könnte dieser auf seinem blutigen Sockel rotieren und Waynes Bewegungen mit seinen hervorquellenden toten Augen verfolgen. Konnte er aber nicht.

»Weißt du was?« sagte Wayne, als er sich über Brooke beugte und die seltsam unnatürliche, halbrunde Form ihrer Brüste begutachtete. »Ich wollte schon immer mal wissen, wie sich falsche Titten anfühlen. Na, wahrscheinlich gibt es keinen echten Mann in den Vereinigten Staaten, der sich das nicht schon mal gefragt hat. Wie zum Beispiel: Sind sie hart? Weich? Kann man den Beutel mit dem Zeug fühlen, der da eingebaut ist? Bewegen sich die Dinger?«

Waynes rechte Hand hatte lässig auf dem Kolben der Pistole in seinem Hosenbund geruht. Jetzt ließ er die Waffe los und hauchte an seine Finger, um sie zu wärmen, bereitete sie offenbar auf die Inspektion vor. Brooke sah ihn nicht an. Sie zog die Knie an die Brust, legte ihre Arme mit vorgebeugten Schultern darum und starrte geradeaus, mit dem Kinn auf den Knien.

»Wag es nicht, mich anzurühren.« Ihre Stimme war leise und bebend. Fast murmelte sie.

»Entschuldigen Sie, Ma'am«, erwiderte Wayne, »aber ich fürchte, ich habe Sie nicht richtig verstanden.«

Wayne setzte die Mündung einer seiner Waffen an Brookes Stirn und hielt seine freie Hand bereit, die Finger ausgestreckt, und beugte sich langsam vor, offenbar in der Absicht, das Oberteil ihres Kleides zu untersuchen.

Auf der anderen Seite des Raumes nahm Scout ihre Waffe in die Hand. »Wayne, du läßt ihren Busen in Ruhe. Ich will nicht, daß du ihren Busen anfaßt.«

Die Situation war unentschieden. Wayne richtete eine Waffe auf Brooke, Scout richtete eine Waffe auf Wayne, Waynes Hand schwebte über Brookes Dekolleté.

Wayne gab zuerst auf. »Meine Fresse, es gibt nichts Nervigeres als eine eifersüchtige Frau«, sagte er und kehrte an seinen Platz zurück.

Brooke blieb in ihrer defensiven Haltung sitzen, atmete schwer. »Halt durch«, sagte sie zu sich selbst, »bleib einfach so sitzen.«

Sie wußte, daß der größte Feind des Überlebens die Panik ist. Im selben Augenblick, in dem man dieser Sauerstoff verzehrenden, Energie ziehenden, Adrenalin pumpenden Aufwallung blinder Angst nachgibt, ist man verloren. Erst am Tag zuvor, rief sie sich in Erinnerung, war sie vor Malibu schwimmen gegangen und in den tückischen Sog einer Welle geraten. Ohne Vorwarnung hatte er Brooke unter Wasser gezogen, auf den Kopf gestellt, voll Wasser gepumpt und zwanzig Meter ins Meer hinausgezogen.

»Da bist du fast ertrunken«, sagte sich Brooke, während sie sich aufs Atmen konzentrierte. »Gestern erst warst du dem Tod so nah wie heute, aber du hast es geschafft.«

Es stimmte. Brooke hatte sich in tödlicher Gefahr befunden, auch wenn nicht die Strömung sie das Leben gekostet hätte. Strömungen töten Menschen nicht. Es ist die Panik. Der erste, instinktive Gedanke eines Schwimmers, der in den Sog einer Welle gerät, gilt der Rückkehr zum Strand. Das ist fatal: Niemand kann gegen das Meer anschwimmen, und noch die leiseste Unterströmung ringt den stärksten Schwimmer nieder. Doch dieser selbstmörderische Instinkt ist stark ausgeprägt, und obwohl Brooke seit ihrer Kindheit in kalifornischen Gewässern geschwommen war und es besser hätte wissen müssen, erlag sie für einen Augenblick dem verzweifelten Wunsch, auf schnellstmöglichem Weg zum Strand zurückzukommen.

Schon beim ersten Schwimmzug, als sie ihren Arm über die Schulter hob und die Finger in den Schaum tauchen ließ, spürte sie, wie Panik in ihr aufstieg. Sie war eine sehr kräftige Schwimmerin, doch ihre Mühen waren vergeblich, und schon nach Sekunden war sie erschöpft. So schnell geht das. Zweimal den Mund voll Salzwasser, ein paarmal mit den Armen gewedelt, und plötzlich ist der klarste Verstand von Verzweiflung umnebelt. An diesem Punkt reißen sich Schwimmer entweder zusammen oder sie ertrinken. Brooke hatte sich zusammengerissen.

Sie kannte die Regeln. Such nie einen Weg in das Problem hinein. Such einen Weg heraus, parallel zum Strand oder, wenn nötig, ins Meer hinaus. Der Sog einer Welle ist normalerweise relativ begrenzt, und wenn ein Schwimmer ihn erst mal hinter sich hat, so weit dieser Schwimmer inzwischen auch vom Strand entfernt sein mag, hat er die Gelegenheit, seine Kraft zu sammeln, seinen Standort zu bestimmen und sich in aller Ruhe in Sicherheit zu bringen. Brooke konnte sich, wie jeder gute Schwimmer, stundenlang treiben lassen, und doch hätte Panik sie in zwei Minuten das Leben kosten können.

Das war eine Lektion, an die sie sich jetzt erinnerte. Nicht die Strömung tötet Menschen (atmen), sondern die Panik (atmen).

Auf seine Weise war auch Bruce zu diesem Schluß gekommen. Indem er so tat, als wäre er in einem Film, hatte er es bisher vermieden, vom Schrecken der Ereignisse gepackt und bezwungen zu werden. Er war der Panik entkommen. Wenn auch nur knapp.

»Welche Schwächen hat dieser Mann?« sagte er zu sich selbst, nicht mehr im Film, sondern in einer Drehbuchkonferenz beim Lesen der Aufschlüsselung der Figur Wayne, die man auf Notizpapier für ihn vorbereitet hatte. »Wieso tötet er?«

»Er tötet irrational«, antwortete Bruce sich selbst.

In seiner Vorstellung sprang Bruce auf, der coole, entschlossene Produzent, und wedelte triumphierend mit dem Studiomemo herum.

»Hier steht es, wie es ist, okay? Es ist das Handwerk dieses Mannes, wildfremde Menschen umzubringen, stimmt's? Also gut, dann ist es vielleicht von Vorteil, eine gewisse Beziehung zu ihm aufzubauen. Vielleicht bringen diese Leute niemanden um, den sie kennen.«

Das alles war Bruce durch den Kopf gegangen, während Wayne versuchte, Brookes Brüste zu inspizieren. In der Pause, die nach dem Silikonduell entstand, versuchte Bruce sein Glück.

»Ich würde Sie gern was fragen, falls es für Sie okay ist, Wayne. Darf ich Sie etwas fragen?«

»Es wäre mir eine Ehre, Sir.« Wayne schien sich wirklich geehrt zu fühlen.

»Na ja, ich glaube, ich interessierte mich dafür, wie es ist, jemanden zu töten.«

»Du willst jemanden umlegen? Hey, Mann, tu es, das ist einfach. Leg Brooke um.« Wayne zog seine Pistole aus dem Gürtel und klappte die Kammer auf. Er nahm alle Patronen heraus, bis auf eine, dann bot er Bruce die Waffe an. Bruce zögerte. Eine Patrone. Konnte er damit was erreichen?

Wayne las in seinen Gedanken. »Nimm sie, Mann. Du mußt Brooke nicht umlegen. Du könntest mich erschießen oder Scout hier, nur würde – wenn du es tust – die Rache nicht lange auf sich warten lassen.«

»Ich möchte niemanden erschießen, Wayne. Ich will nur wissen, wie es ist.«

Wayne schob die Waffe in seinen Gürtel zurück und dachte einen Moment lang nach. Das war knifflig. Darüber hatte er noch nie wirklich nachgedacht. Es war, als würde jemand fragen, wie es ist, zu essen oder zu vögeln, was man eben so tat.

»Da könntest du auch fragen, wie es ist, einen Film zu machen, Bruce. Es kommt darauf an. Auf die Umstände, auf die

Opfer. Ich kann dir sagen, wie es nicht ist. Es ist nicht so, wie du es zeigst. Vor allem läuft da keine Musik.«

»Nein, das habe ich mir gedacht.«

Trotz der bedrohlichen Situation war Bruce davon leicht genervt. Dauernd wiesen ihn die Leute darauf hin, daß im wahren Leben niemand bei geiler Hintergrundmusik stirbt. Als ob sie damit etwas besonders Originelles oder Scharfsinniges sagten. Es war eines der Lieblingsargumente der moralischen Mehrheit. Sie nahmen besonderen Anstoß an den Rocksoundtracks, die Bruce für die Gewaltszenen in seinen Filmen zusammenstellte. Sie sagten, es sei die reine Manipulation. Natürlich war es das. Bruce unterlegte seine Liebesszenen auch mit Fickmusik, aber daran störte sich niemand.

»Ich will dir noch was sagen«, sagte Wayne. »Es ist nicht launig.«

Launig? Das schien ein merkwürdiges Wort aus dem Mund eines Hinterwäldlers wie Wayne.

»Wie in *Ordinary Americans*, wenn die beiden Typen die Hand von diesem kleinen Koch in die Küchenmaschine halten. Erinnerst du dich an die Szene?«

Natürlich erinnerte sich Bruce. Es war ein Triumph schwarzen, bitteren Humors. »Filme für eine neue Generation«, meinte er von irgendwo gehört zu haben und falls nicht, hätte es jemand sagen sollen.

»Also, das war launig«, sagte Wayne. »Sie haben die Hand von dem Typen in den Mixer gesteckt, und der spritzt ihnen Blut und alles mögliche über die Anzüge, und einer von den Typen sagt: ›Scheiße, das ist ein italienischer Anzug‹, was wirklich komisch war, weil der arme, kleine Koch da rumschreit, weil er nur noch einen blutspritzenden Stumpf am Ende von seinem Arm hat, und dieser Typ macht sich Sorgen um seinen Anzug!«

Wayne brüllte vor Lachen. »Neugotisch« hatte man es genannt, »postmodernistischer Pulp noir«. Wayne fand es einfach nur cool.

»Aber das war nur der Anfang, nicht? Es wurde besser, weil wir wußten, daß der Boß den beiden Schlägern gesagt hatte, sie sollen in ein echt protziges Hotel gehen und diesen Schwarzen kaltmachen, und sie wissen, daß sie mit all dem Blut und den Knochenstückchen und Hautfetzen auf den Anzügen unmöglich in so ein protziges Hotel gehen können. Aber wenn sie den Job nicht erledigen, fackelt der Boß sie ab. Also müssen sie in einen Waschsalon und sich bis auf die Unterhosen ausziehen, und der Typ vom Waschsalon ist diese kleine Tunte in engen Shorts, und die sagt: ›Ist schon okay, Leute. Ich bin es gewohnt, hartnäckige Flecken aus zarten Stoffen zu entfernen. Ich habe Satinbettwäsche‹, was allein schon eine echt komische Zeile ist, aber sie ist noch komischer, weil wir wissen, daß einer von diesen Killern Tunten haßt, er haßt sie, als wäre es eine Scheißreligion, also holt er seine riesige Magnum aus der Unterhose und fegt den schwulen Waschmann von den Füßen, daß dem glatt der halbe Kopf wegfliegt. Aber da ist der andere Killer voll genervt und sagt: ›Scheiße, Mann, wie sollen wir jetzt unsere Anzüge sauber kriegen?‹ Also müssen sie versuchen, diese Maschinen zu bedienen, und als sie zu dem protzigen Hotel kommen, um den Schwarzen umzunieten, sind ihre Anzüge so klein wie Kinderklamotten, weil sie eingelaufen sind. Das war eine echt Klasseszene, Bruce. Wie ich sagte: launig.«

Bruce antwortete nicht. Wenn Leute begeistert von seiner Arbeit erzählten, sagte er normalerweise: »Danke, das ist sehr freundlich«, um sie damit zum Schweigen zu bringen. Doch diesmal sagte er nichts. Es war auf grausige Weise faszinierend, wie gut dieser Mann seine Arbeit kannte.

»Ich weiß nicht, wie oft Wayne diesen Film gesehen hat«, sagte Scout.

»Tierisch oft, das kann ich dir sagen«, fügte Wayne hinzu. »Auf dem Plakat stand, daß die *New York Times* ihn ironisch und subversiv fand. Ich fand es einfach klasse, wie da alle umgenietet wurden. Das war echt launig.«

Bruce kam nicht voran. Er hatte versucht, seinen Peiniger kennenzulernen, in seine Gedankenwelt einzudringen. Aber er bekam nur Zitate seiner eigenen Phantasie zurück.

Einen kurzen Moment lang erinnerte sich Bruce an etwas. Spiegel. Irgendwas mit Spiegeln. Dann wurde auch dieser Gedanke unterbrochen.

Summmmm... summmmm.

Alle zuckten zusammen, sogar Wayne. Schließlich war es erst sieben Uhr morgens.

Summmmm. Die Gegensprechanlage an der Wand wollte nicht verstummen.

»Wer könnte das sein, der da kommt, Bruce?« Wayne nahm seine Waffe in die Hand. »Es ist der Morgen nach den Oscars. Alle wissen, daß dein Kopf höchstwahrscheinlich dicker als ein Schweinearsch auf der Farm ist. Du hast doch keinen Alarmknopf oder irgend so was in der Art gedrückt, oder, Bruce? Denn wenn doch, leg ich dich um, bevor du Luft geholt hast.«

»Nein, o Gott, nein!« sagte Bruce eilig. »Ich glaube, das ist meine Frau, meine Ex. Wir haben was zu besprechen. Verdammt, sie ist anderthalb Stunden zu früh.«

Scout quiekte vor Freude. Erst Brooke Daniels, jetzt Farrah Delamitri. Es war, als wäre sie in ihrer eigenen Folge von *Entertainment Tonight.* »Farrah Delamitri! Oh, mein Gott, die würde ich gern kennenlernen. Hab ich nicht irgendwo gelesen, Sie würden sich wünschen, sie wäre tot?«

»Das ist doch nur so eine Redensart«, entgegnete er. »Es wurde aus dem Zusammenhang gerissen.«

Wieder ging der Summer, diesmal beharrlicher.

Bruce wandte sich Wayne zu. »Also geh ich nicht ran, oder?«

Es war nicht mehr viel Liebe übrig zwischen Bruce und seiner Fast-Ex-Frau, und gelegentlich hatte er ihr die schrecklichsten Dinge gewünscht, aber sie zu einem Besuch bei den Mall-Killern einzuladen, ging über seine Rachegelüste hinaus. Unglücklicherweise war es nicht seine Entscheidung.

»Wenn du eine Verabredung hast, hältst du sie auch ein«, sagte Wayne. »Ich schätze, sie kann deine dicke, alte Lambo-Schwulengurke in der Auffahrt sehen. Sie weiß, daß du da bist, und ich will nicht, daß sie wegen irgendwas mißtrauisch wird.«

Wieder der Summer.

»Hör mal, wir müssen doch nicht noch jemanden in diese Sache reinziehen. Ich meine...«

Wayne bemühte sich um Geduld. »Wir ziehen niemanden in irgendwas rein, Bruce. Du läßt sie einfach hier raufkommen, beredest mit ihr, was ihr zu bereden habt, und dann kann sie gehen.«

Zögerlich ging Bruce erneut zur Gegensprechanlage an der Wand und nahm den Hörer ab. Am anderen Ende der Leitung war eine barsche New Yorker Stimme zu hören.

»Meine Güte, Karl«, sagte Bruce, »hast du eine Ahnung, wie spät es ist?« Er legte eine Hand auf den Hörer und drehte sich zu Wayne um. »Das ist nicht meine Frau, es ist mein Agent Karl Brezner. Er sagt, er muß mich unbedingt sprechen. Es ist dringend.«

»Und wenn Scout und ich nicht hier wären, Bruce, und du wärst mit Brooke ganz allein, würdest du ihn reinlassen?«

»Ich...« Bruce wußte, daß er zu lange gezögert hatte, um noch lügen zu können. »Ich glaube schon, wenn er sagt, daß es dringend ist.«

»Sag ihm, du schickst jemanden runter«, sagte Wayne.

Wayne versteckte alle größeren Waffen hinter den Sofakissen, dort wo Scout saß. Eine Waffe schob er in seine Tasche, und Scout behielt eine unter einem Kissen auf ihrem Schoß. »Ich geh runter zum Tor und laß Karl rein, damit wir ein bißchen mit ihm quatschen können. Er muß keine Waffen oder so was sehen, aber Scout und ich sind bereit, und jeder, der sich mit uns anlegen will, ist hinterher ziemlich tot, habt ihr gehört? Ihr bleibt also alle brav da sitzen, bis ich wieder da bin. Wie gesagt, dieser Mann muß nichts Verdächtiges zu sehen kriegen.«

Er war schon auf dem Weg, als Scout ihn zurückrief. »Wayne, Süßer, was ist mit dem Kopf?«

Er lachte. Im Umdrehen pflückte er den Kopf von der Lavalampe und warf ihn in den Papierkorb.

- 19 -

»Hast du diesen Film *Ordinary Americans* gesehen?« erkundigte sich der Detective, der Crawford hieß, durch einen Sprühregen von Blaubeermuffinkrümeln hindurch.

»Mach *bitte* den Mund zu, wenn du ißt«, erwiderte sein Partner, Detective Jay. »Mir wird kotzübel dabei.«

»Du bringst mich zum Lachen, Frank. Fast täglich mußt du dir die Innereien von irgendeinem armen Schwein ansehen oder Junkies, die an ihrer eigenen Kotze erstickt sind, und trotzdem stört dich meine Spucke.«

»Bloß weil wir in einem Saustall arbeiten, müssen wir uns ja nicht wie die Schweine benehmen.«

»Hast du den Film also gesehen?« Die nächste Ladung Muffinkrümel.

»Ja, ich hab den Film gesehen.«

»Und?«

»Wenn sie mich irgendwann mal umpusten, hoffe ich, daß ich dabei nur halb so gut aussehe. Hör zu, Filme sind mir im Moment egal. Ich denke nach, okay? Arbeit. Weißt du noch, was Arbeit ist? Oder vielleicht bezahlt dich die Stadt ja, damit du Lebensmittel verteilst?«

»Oh, mein Gott, ist das witzig. Ich kann es kaum erwarten, Enkel zu kriegen, damit ich denen erzählen kann, wie witzig du bist.«

Detective Jay ignorierte seinen Partner. »Diese beiden Irren, die sind in L. A., weißt du das?« Er betrachtete die Karte, die er von Waynes und Scouts letzten Greueltaten angefertigt hatte, um ihren Weg nachzuvollziehen. »Hier, sie waren direkt zum Highway unterwegs. Den haben sie nach den Morden in diesem Motel bestimmt verlassen, aber wenn man die Strecke vom Wohnwagenpark zum 7-11 einzeichnet, sind sie auf dem Weg in die Stadt.«

»Vielleicht sind sie umgekehrt.«

»Klar doch. Die sind in L. A., ganz sicher.«

»Verdammter Mist, als hätten wir nicht schon genug Hirnamputierte in dieser Stadt«, sagte Crawford. »Meinst du, die wollen untertauchen?«

»Das möchte ich bezweifeln. Die suchen doch Aufmerksamkeit. Absolute Selbstdarsteller. Ich meine, mal ehrlich, es an einem Slurpy-Pup-Automaten zu treiben, vor einem Haufen durchsiebter Kunden! Die halten sich für so was wie Bonnie und Clyde des 21. Jahrhunderts. Ich kann mir nicht vorstellen, daß die sich in einer großen Stadt verstecken wollen.«

»Vielleicht besuchen sie Verwandte.«

Detective Jay sah sich den Bericht über Waynes Mordversuch an dem alten Ladenbesitzer noch mal an.

»Bourbon, Kippen, Donuts... und ein Führer zu den Häusern berühmter Filmleute.«

Auf dem Schreibtisch vor ihm lag eine Ausgabe der L.-A.-*Times*, auf deren Titelseite ein Bild von Bruce mit seinem Oscar zu sehen war, neben einem Foto des mit Leichen übersäten 7-11-Marktes und dem obligatorischen Artikel über den Einfluß der Gewalt auf Kids und Copycat-Morde.

»Ein Führer zu Häusern berühmter Filmleute«, wiederholte Detective Jay. »Hey, Joe, dieser Film, *Ordinary Americans*, wer waren die Stars?«

»Kurt Kidman und Suzanne Schaefer, aber es gab auch reichlich Gastauftritte. Ich dachte, du machst dir nichts aus Filmen.«

»Ja, na ja, ich hab meine Meinung geändert.«

- 20 -

Wieviel Zeit blieb Bruce? Sein Haus war sehr groß und die Auffahrt lang. Falls Wayne die Absicht hatte, den ganzen Weg zum Tor zu laufen, wäre er vielleicht zehn Minuten unterwegs. Falls er Karl die Auffahrt heraufkommen ließ und ihn an der Tür in Empfang nahm, würde die ganze Sache nicht länger als fünf Minuten dauern. Auf keinen Fall Zeit genug für lange Überlegungen.

»Also gut, junge Dame«, bellte Bruce und versuchte, mit der Stimme zu reden, mit der er Filmvorführer und Horden von Statisten einschüchterte, »bis hierhin und nicht weiter. Wenn du mir jetzt deine Waffe gibst, könnte es möglich sein, daß ich bei deinem Prozeß für dich aussage.«

Scout sah Bruce nicht an, aber sie schob das Kissen von ihrem Schoß, so daß die Waffe zu sehen war. »Ich möchte Sie nicht erschießen, aber ich würde es tun.« Sie sagte es leise, fast traurig, aber sie meinte es ernst: sowohl, daß sie ihn nicht erschießen wollte, als auch, daß sie es tun würde.

Bruce wußte nicht mehr, was er noch tun konnte. Er hatte nicht wirklich gehofft, daß schulmeisterliche Autorität tatsächlich fruchten würde, aber eine andere Idee hatte er nicht.

Brooke hatte ihre Atemübungen abgeschlossen. Jetzt ruhte sie in sich, hatte sich unter Kontrolle und war bereit, es mit einem anderen Ansatz zu versuchen. Sie starrte Scout an. Ihr Gesicht zeigte dabei eine seltsame Mimik: Sie sah interessiert aus, aber auch ein wenig perplex. Sie neigte ihren Kopf in die eine, dann in die andere Richtung, wobei sie Scout die ganze Zeit über ansah, als versuchte sie, einen besseren Blickwinkel zu bekommen, um sie zu verstehen. Scout merkte, daß man sie musterte, und errötete. Sie sah auf das Kissen hinunter, das sie inzwischen wieder auf ihren Schoß gelegt hatte, um die Waffe zu verstecken.

»Scout«, sagte Brooke, »darf ich etwas tun?« Fast ohne eine Antwort abzuwarten, beugte sie sich vor, nahm eine Locke von Scouts Haar, das vor ihrem Gesicht hing, und schob es ihr sanft hinters Ohr. »Du bist ein hübsches Mädchen, Scout, weißt du das eigentlich? Wirklich hübsch.«

Für Bruce klang das wie eine derart durchsichtige Finte, daß er schon befürchtete, Scout würde sie beide auf der Stelle erschießen, doch das tat sie nicht. Sie starrte nur immer weiter das Kissen auf ihrem Schoß an und sagte: »Ach, das finde ich nicht.«

»O doch, das bist du, Scout«, beharrte Brooke. »Ein sehr hübsches Mädchen. Nur machst du nicht soviel aus dir, wie du machen könntest. Zum Beispiel hast du schönes Haar, aber du machst nichts damit.«

Schüchtern erklärte Scout, es sei voller Blut und Hirnmasse von diesem bedauernswerten Zwischenfall gewesen, zu dem es vor kurzem in einem 7-11 gekommen war. Sie sei gezwungen gewesen, ihr Haar in der Damentoilette auszuwaschen, weshalb es nun so schrecklich aussah.

Brooke kniete auf dem Teppich vor Scout. »Na, ich wette, ich könnte dir bei solchen Sachen helfen, Scout. Vielleicht könnten wir dir ein bißchen Make-up auflegen. Ich hab mein Schminktäschchen dabei, und Bruces Tochter hat bestimmt noch ein paar tolle Klamotten hier gelassen ... wir könnten was aussuchen. Du siehst wie ein Filmstar aus. Findest du nicht auch, Bruce?«

Bruce konnte nur staunen. Scout schien Brookes Interesse ernst zu nehmen. Schließlich hatte sie sie nicht erschossen.

»Ja, Scout ist wirklich hübsch«, antwortete er steif.

Scouts Aufmerksamkeit schien noch immer an dem Kissen festgenagelt zu sein.

Brooke sagte: »Es gibt soviel, was für dich spricht. Ich wette, jeder Agent würde sich liebend gern um ein süßes, kleines Mädchen wie dich kümmern.«

Scout hob ihren Kopf ein Stück weit. »Meinst du?«

»Natürlich. Du hast doch selber gesagt, wie hübsch du in der Zeitschrift ausgesehen hast.«

Bruce staunte über Brookes Dreistigkeit. War es möglich, daß sich diese pathologische Mörderin von einem so offensichtlichen Trick einwickeln ließ? Im stillen betete er, daß es so sein mochte.

»Wieso sollte mich irgendein Agent beachten? Ich meine, ich sag ja nicht, daß ich nicht hübsch bin, denn ich weiß, daß ich hin und wieder so einigen Männern gefallen habe, unter anderem meinem Vater. Aber in dieser Stadt gibt es einen Haufen hübsche Mädchen.«

Bruce verlor den Mut. Sein Gebet – kaum daß er es abgeschickt hatte – kehrte bereits wieder zum Absender zurück, unbeantwortet. Es war dumm gewesen, sich irgendeiner Hoffnung hinzugeben. Scout war nicht debil: nur weil man psychotisch ist, heißt das noch längst nicht, daß man geistig minderbemittelt sein muß. Brooke mußte sich ihr Hirn mit einer Fahrradpumpe abgesaugt haben, wenn sie glaubte, daß ein bißchen Make-up und ein geliehenes Kleid sie von einer traurigen, kranken Psychopathin in eine betörende Berühmtheit verwandeln würde.

Doch Brooke war cleverer, als Bruce ihr zugetraut hatte... und mutiger. Sie nahm Scouts Kinn und hob ihren Kopf sanft nach oben, so daß sie ihr in die Augen sehen konnte.

»Okay, Scout, ich will ehrlich sein. Du hast recht, warum sollte dich normalerweise jemand beachten? Es gibt so viele hübsche Mädchen in dieser Stadt. Aber du weißt, sehr gut, daß du nicht nur ein hübsches Mädchen unter vielen bist. Du bist das Mädchen eines Mörders, du bist berühmt...«

»Ich bin selbst eine Mörderin«, sagte Scout.

Da gab Brooke ihr recht. »Ja, schon, aber die Welt wird erfahren, daß er dich dazu gezwungen hat, und inzwischen, wenn wir dich so hübsch wie möglich machen... wer weiß? Du wärst nicht die erste, die davonkommt, weil sie niedlich ist.«

Scout hatte einen abwesenden Blick in den Augen. Ihre Zehen zuckten mehr als je zuvor auf dem Teppich herum. »Meinst du wirklich, ich könnte ein Star werden? Du meinst, du könntest mir helfen?«

»Natürlich würde ich dir helfen, Scout. Ich mag dich, und ich glaube, du magst mich. Wir könnten Freundinnen werden.«

Endlich kam Scout zu dem Punkt, auf den Bruce von Anfang an gewartet hatte. »Das kannst du leicht sagen, wenn Wayne droht, daß er euch erschießen will.«

Bruce fluchte innerlich. Brooke war bisher derart erstaunlich weit gekommen, daß er tatsächlich zu glauben begonnen hatte, sie könne allen Ernstes Scouts Vertrauen gewinnen. Diese bemerkenswerte Frau hatte es innerhalb von zwei oder drei Minuten aus dem Stand zu einem fast freundschaftlichen Verhältnis gebracht. Jetzt allerdings schien es, als hätte Scout den naheliegenden Punkt erkannt, daß Brookes Zuneigung von Hintergedanken gelenkt sein mochte.

Aber Brooke war eine Kämpfernatur, und sie schlug zurück. »Vielleicht hast du recht, Scout, aber überleg mal. Mir scheint, als würde Wayne immer damit drohen, irgendwen zu töten. Wie willst du so jemals Freunde finden, hm? Hast du darüber schon mal nachgedacht?«

Nicht zu überhören war, das Brookes Tonfall sowohl ordinärer als auch provinzieller wurde. Er hatte die höheren Ränge der Westküsten-Society verlassen und schlenderte die Route 66 entlang ins Herz des Landes.

»Ich weiß nicht«, erwiderte Scout leise. »Manchmal hab ich mich das auch schon gefragt.«

Brooke nahm Scouts Hand. »Hör mal zu, Scout. Wenn irgend jemand jetzt Freunde braucht, dann du. Wir könnten dir helfen, aber du mußt auch uns helfen. Willst du denn keine Freunde?«

»Klar will ich Freunde. Logo will ich Freunde. Ich bin kein Freak, ich bin nur eine ganz normale Amerikanerin.«

Ein lauter New Yorker Akzent brach plötzlich in die Szene

ein. Augenblicklich versteifte sich Scout. Sie löste sich von Brooke, und unter dem Kissen spannte sich ihre Hand. Für den Augenblick mußten Brookes heroische Bemühungen, den Feind zu spalten, aufgeschoben werden.

- 21 -

Der zivile Einsatzwagen hielt vor dem Anwesen in Beverly Hills. Inzwischen war die Sonne aufgegangen, und die automatischen Sprinkleranlagen unter den manikürten Rasenflächen waren angesprungen. Als er sich umsah, konnte Detective Jay hundert Regenbogen im Sprühnebel erkennen, der über dem dunkelgrünen Gras hing. Alles sah so friedlich und so *reich* aus.

Jay fragte sich, ob in diesem prunkvollen Haus mit dem Säulengang tatsächlich unbeschreibliche Greueltaten verübt worden waren. Schließlich war es nur so eine Ahnung. Andererseits hatte seit Manson niemand mehr einen großen Hollywood-Star zerlegt.

»Weißt du«, sagte Crawford, als sie zu der mächtigen Eingangstür gingen, »dieser Typ war jahrelang Star in Seifenopern, hat schon als Kind angefangen. Er ist clever. Er macht jetzt schräge Filme, weil er, na ja, weil er das tut, was man nicht erwarten würde, weil er Rollen spielt, die untypisch für ihn sind. Und Uncooles so cool macht.«

»Was, Mord etwa?«

»Du glaubst diesen Copycat-Quatsch doch nicht, oder? Was? Müssen wir uns jetzt alle Doris-Day-Filme ansehen?«

Summ. Summmmmm.

Anfangs hörte Kurt nichts. Das Wummern der Tretmühle und die Van-Halen-Musik aus seinen Kopfhörern schlossen jedes äußere Geräusch aus. Er reagierte ohnehin nur selten auf die Gegensprechanlage. Das Personal kam um neun mit dem Bus, und vorher besuchte ihn niemand.

Aber heute doch.

Hätte er nicht für einen Schluck von seinem Energizer und fünf Minuten auf der Sonnenbank aufgehört, hätte er es überhaupt nicht gehört.

»LAPD«, sagte die Gegensprechanlage. »Entschuldigen Sie die frühe Stunde, Sir.«

Im Gegensatz zu den Charakteren, die er spielte, war Kurt Kidman so ausdruckslos wie braune Farbe. Wie bei so vielen Leuten in L. A. gab es in seinem Leben nichts als Arbeit und Training. Ganz sicher hatte ihn noch nie die Polizei morgens um zehn vor sieben aufgesucht.

»Die *Polizei?*« fragte Kurt. »Aber... wieso?« Der Hörer bebte allen Ernstes in seiner Hand.

Er hatte noch nie in seinem Leben etwas Illegales getan (auch wenn einige seiner Bekannten der Ansicht waren, es sei eine Art Verbrechen, solchen Reichtum und solche Berühmtheit an einen langweiligen, gesundheitsbewußten Lebensstil zu vergeuden). Dennoch war Kurt leicht zu verunsichern, und jeder, der sich plötzlich mit der Polizei konfrontiert sieht, neigt zu irrationalen Schuldgefühlen, besonders zu so früher Stunde. Hatte er irgendwas angestellt? War es möglich, daß er die Geschwindigkeitsbegrenzung überschritten hatte, als er am Abend zuvor von der Oscarverleihung nach Hause gefahren war? Oder vielleicht hatte er wie Dr. Jekyll ein schreckliches, unterbewußtes Alter ego, das des Nachts umherstrich und schreckliche Morde beging, an die sich sein bewußtes Ich am Morgen nicht mehr erinnern konnte.

»Guten Morgen, Officer«, sagte Kurt und gab sich Mühe, gelassen zu klingen, als er die Tür öffnete. Er hatte versucht, mit ihnen nur über die Sprechanlage zu kommunzieren, aber sie hatten ihn gebeten, doch persönlich herunterzukommen. Fast erwartete er, daß man ihm brutal Handschellen anlegte, sobald er ihnen öffnete.

»Was kann ich für Sie tun?«

Hätte er das ohne seinen Anwalt sagen sollen? Kurt konnte sich nicht erinnern. War es belastend, jemanden zu begrüßen? Am liebsten hätte er ihnen erzählt, daß er so furchtbar schwitzte, weil er eine Stunde auf der Tretmühle gelaufen war, und nicht, weil er verzweifelt versuchte, irgendein Verbrechen zu vertuschen. Aber würde sich das anhören, als protestierte er zu heftig? Wahrscheinlich.

»Nur eine Routinebefragung, Sir«, sagte Detective Jay. »Hatten Sie heute nacht Besuch, oder hat jemand Kontakt zu Ihnen aufgenommen? Haben irgendwelche Fremde versucht, mit Ihnen zu sprechen?«

»Nein«, sagte Kurt.

»In dem Fall wollen wir Sie nicht weiter belästigen. Tut mir leid, daß wir Ihre Übungen gestört haben, Sir.«

Detective Jay gab Kurt seine Karte und bat ihn, anzurufen, falls sich irgend etwas Außergewöhnliches ereignen sollte. Danach gingen sie.

Den ganzen Tag über machte sich Kurt Sorgen.

- 22 -

In der Tür zu Bruces Wohnzimmer standen Wayne und Karl Brezner, Bruces Agent. Karl war ein harter, abgebrühter Kerl aus New York. Er war seit dreißig Jahren im Geschäft, aber seinem Wesen nach zu urteilen schien es ihn nicht glücklich gemacht zu haben.

»Hier hast du deinen Mann, Bruce«, sagte Wayne.

Karl warf Bruce einen fragenden Blick zu. Verständlicherweise fragte er sich, wer dieser Penner sein mochte.

»Hi, Bruce. Tut mir leid, daß ich so früh komme«, sagte er. »Es gibt da ein paar wichtige Angelegenheiten. Ihr feiert?«

Karl sah sich um. Brooke kniete noch immer auf dem Teppich vor Scout. Auch Wayne sah sich die Szene an. Er war ebenso überrascht wie Karl, die beiden Frauen in dieser Haltung zu sehen.

Brooke erhob sich so würdevoll wie möglich vom Teppich und kehrte zu ihrem Platz auf dem Sofa zurück.

»Ja, wir feiern, mehr oder weniger«, sagte Bruce. »Das ist Brooke Daniels.«

Karl hatte Brooke auf ihrem Weg durchs Zimmer schon anerkennend gemustert. Er hätte aus Stein sein müssen, um es nicht zu tun. Sie war in jeder Situation ungewöhlich schön, und jetzt wirkte sie sogar noch faszinierender, so traurig und verletzlich in ihrem zunehmend absurder wirkenden Abendkleid.

»Brooke Daniels!« rief Karl hoch erfreut. »Ja, ja, ja. Miss Februar. Ich hab Sie gar nicht erkannt, so angezogen. Tolle Fotos übrigens. Ich wette, der Stutzen von dem Schlauch war kalt, hab ich recht? Wer sind die beiden, Bruce?«

Karl sprach von Wayne und Scout, als wären sie nicht da. Eigentlich war er gar nicht so grob, wie er zu sein schien. Er kam aus einem harten Geschäft, in der man gutes Benehmen allgemein als Unsinn und Ausflucht abtat. Seine Art wäre weder in Japan noch beim Tee im Buckingham Palace gut angekommen, aber in New Yorker Showbiz-Kreisen hatte sie ihm gute Dienste geleistet.

Bruce rang um eine Antwort auf seine Frage.

»Ein paar... Schauspieler. Ich hab sie in Malibu auf der Bühne gesehen. Könnten für *Killer Angels* in Frage kommen.«

Killer Angels war das Projekt, das Bruce und Karl gerade entwickelten. Wieder sollte es um Leute gehen, die wildfremde Leute ermordeten, nur diesmal aus einem Grund: Abtreibungsgegner, Umweltschützer, um einen Sportrivalen auszuschalten, egal was. Die Idee dahinter sollte sein, zu zeigen, daß Mord immer willkürlich ist. Oder so was in der Art jedenfalls. Sie wollten den enormen Erfolg von *Ordinary Americans* wiederholen.

»Du triffst dich am Morgen nach der Oscarverleihung mit

Schauspielern? Das nenn ich Einsatz.« Karl wandte sich Wayne und Scout zu. »Nichts gegen euch, Kinder, aber für mich kommen Treffen mit Schauspielern gleich nach dem Zahnarzttermin.«

Wie bei den meisten Agenten war es Karls Lieblingsspiel, grob mit Schauspielern umzugehen. Hinter ihrem Rücken behandelte er sie von oben herab, schimpfte sie kindisch und verrückt. Natürlich war er nur neidisch. So reich und mächtig ein Agent auch werden mag, hat er doch immer noch Probleme, sich in Restaurants an der Schlange vorbeizuschummeln.

Bruce setzte seine hastige Improvisation fort, in der Hoffnung, daß Details sie noch überzeugender machen würden. »Ich dachte mir, sie hätten, du weißt schon... vielleicht hätten sie das richtige Äußere.«

Karl warf Wayne und Scout einen zweifelnden Blick zu. »Na ja, ich bin nur der Schmock, der hier das Geld zählt, aber diese beiden Kids sehen etwa so psychopathisch aus wie meine Großmutter, Gott sei ihrer Seele gnädig.«

Bruce freute sich über diese Reaktion. Je weniger Interesse Karl an Wayne und Scout zeigte, desto besser.

»Möchten Sie einen Drink, Mr. Brezner?« fragte Wayne.

Das gab Bruce weiteren Grund zur Erleichterung. Wayne schien bereit, die Geschichte mitzuspielen.

»Soll das ein Witz sein?« sagte Karl. »Einen Drink? Morgens um Viertel nach sieben? Hast du eine Ahnung, was mich meine momentane Leber kostet? Solche Organe sind nicht billig, mein Freund, besonders die, von denen der Spender nur ein Exemplar hatte und sich deshalb nur widerwillig davon trennen wollte... nur ein Scherz. Da wir hier feiern, gib mir einen Scotch, mein Junge.«

Karl setzte sich neben Brooke aufs Sofa und nutzte die Gelegenheit, einen anerkennenden Blick vorn in ihr Kleid zu werfen.

Die Erwähnung der Uhrzeit erinnerte Bruce daran, daß Karl

hier überhaupt nichts zu suchen hatte. »Stimmt genau, Karl, es ist erst Viertel nach sieben. Was willst du?«

»Warte, bis ich meinen Drink habe, dann können wir uns vielleicht im Billardzimmer unterhalten.«

»Wir reden hier, ich hab zu tun.« Bruce hatte nicht so scharf klingen wollen; ganz sicher wollte er nicht Karls Mißtrauen erregen. Auch Wayne bemerkte den unangemessenen Tonfall und warf Bruce von der Hausbar einen warnenden Blick zu. Hätte es an dieser Stelle Musik gegeben, hätte diese angedeutet, daß Bruce jetzt verdammt vorsichtig sein sollte.

»Oh, entschuldige bitte«, sagte Karl. Selbst harte New Yorker Agenten mit dickerem Fell als ein Elefantensandwich können beleidigt sein. »Ich habe einen Moment lang vergessen, daß du gerade einen Oscar gewonnen hast und daher aus beruflichen Gründen verpflichtet bist, jene mit Verachtung zu strafen, die du bisher geliebt und respektiert hast.«

Bruce wußte, daß er die Ruhe bewahren mußte. Sollte Karl auch nur den leisesten Verdacht schöpfen, würde er den Raum nicht lebend verlassen. »Karl, ich hab noch nicht geschlafen.« Er bemühte sich um eine müde, nüchterne Stimme. »Könnten wir das irgendwann anders besprechen?«

»Irgendwann anders? Vielleicht hast du die Zeitungen heute morgen noch nicht gesehen.«

»Natürlich habe ich die Zeitungen noch nicht gesehen… es ist erst Viertel nach sieben.«

Karl nahm seinen Drink von Wayne entgegen, ohne ihn überhaupt eines Blickes zu würdigen, geschweige denn, ihm dafür zu danken.

»Tja, ich möchte nicht der Bote beschissener Nachrichten sein, Bruce, aber du bist kein besonders beliebter Oscargewinner. Ehrlich gesagt, wären die Leitartikel wohlwollender, wenn man ihn nachträglich dem *Angriff der Killertitten* verliehen hätte.«

Bruce zuckte mit den Schultern. »Wer will schon wissen, was diese Parasiten denken?«

Nur wenige Stunden zuvor wäre er besessen davon gewesen, was sie dachten, aber das lag einige Stunden zurück. Viel hatte sich verändert. Für immer verändert. Karl dagegen lebte natürlich noch in der alten Welt.

Oder zumindest glaubte er das.

»*Wir* wollen es wissen, Bruce«, sagte er. »Es geht um die Gewalt. Das ist im Moment das große Ding, und langsam wird es ernst. Diese Penner tun so, als wäre *Ordinary Americans* so was wie ein Handbuch für Irre. Newt Gingrich war heute morgen in der *Today Show*…«

»Politiker sind Abschaum«, unterbrach Wayne. »*Ordinary Americans* ist ein verdammtes Meisterwerk.«

Wiederum ignorierte ihn Karl. »Er sagt, du wärst ein Pornograph und solltest nicht dafür geehrt werden, daß du Mörder glorifizierst.«

Scout langweilte sich. Sie mochte Karl nicht, und es war ihr egal, was Newt Gingrich dachte. Sie hatte ein weit interessanteres Gespräch geführt, bevor Karl gekommen war. Sie wandte sich wieder Brooke zu.

»Brooke, würdest du mein Haar hochstecken, wie du gesagt hast?«

Etwas nervös nickte Brooke, ging mit ihrer Handtasche dorthin, wo Scout saß, und fing an, ihr das Haar zu frisieren. Karl war nicht wenig überrascht, von arbeitslosen Schauspielern unterbrochen zu werden, aber er ging nicht weiter darauf ein. Was kümmerte es ihn, ob diese kleine Göre es an Respekt mangeln ließ. In seinem Leben existierte sie gar nicht.

»Ich glaube, die Republikaner wollen es mittelfristig zum Wahlkampfthema machen. Wir müssen uns was überlegen.«

Wieder platzte Scout dazwischen. »Weißt du, was ich liebe? Ich liebe es, wie Schaumfestiger aus der Dose kommt. Wie kommt das bloß alles da rein?«

»Es dehnt sich aus, Süße«, sagte Wayne.

»Ich weiß, daß es sich ausdehnt, Dummerchen. Weil es größer

ist, wenn es rauskommt. Aber ich weiß nicht, wie das geht. Genauso Dosenschlagsahne. Wie *machen* die das bloß? Ich meine, Sahne ist Sahne ... die kann man doch nicht zusammenquetschen.«

Staunend sah Karl sie an. Seit fünfundzwanzig Jahren war er nicht mehr derart ignoriert worden.

»Entschuldige mal«, sagte er, »bin ich unsichtbar? Ich rede hier gerade.«

Scout wirkte angemessen betreten. »'tschuldigung«, sagte sie.

»Das ist ja wohl das mindeste«, gab Karl ungehalten zurück, bevor er sich wieder Bruce zuwandte. »Sie überlegen, ob sie den Film im nachhinein erst ab 18 freigeben. Das kostet uns mit einem Schlag die Hälfte unseres Publikums, ganz zu schweigen von echten Verboten, besonders im Süden. Mittlerweile glaube ich, daß die Kreuzigungsszene ein Fehler war.«

»Astreine Szene, Mann«, sagte Wayne.

Wiederum ignorierte Karl die Unterbrechung. »Es sind die beiden Mall-Killer, Bruce. Diese beiden kleinen Punks bringen unseren Film in Gefahr. Oscar oder nicht. Wußtest du, daß sie gerade einen 7-11 zusammengeschossen haben? Mein Gott, was sind das bloß für miese, kranke Gestalten?«

Brooke und Bruce erstarrten. Plötzlich hatte Karls Vortrag eine unvorstellbar gefährliche Wendung genommen.

»Na ja, wissen Sie«, sagte Brooke beiläufig, während sie an Scouts Haar herumfummelte, »ich meine, Sie müssen versuchen, etwas Verständnis zu zeigen und die Sache aus deren Sicht sehen.«

Karl war kein sonderlich verständnisvoller Mensch. »Was, Sie meinen die Sicht von gesellschaftlich unzulänglichen Nullnummern? Also *wirklich*.«

»Ich glaube nicht, daß man sie so leicht abtun kann.« Brooke gab ihr Bestes, aber es war hoffnungslos.

»Entschuldigen Sie vielmals, Miss, für den Fall, daß ich grob wirken sollte, aber es interessiert mich einen feuchten Dreck, was Sie glauben. Wayne Hudson und dieses komische, dürre kleine Luder, das er mit sich rumschleppt, sind durchgeknallter weißer Abschaum, Nullgesichter aus Wohnwagenparks, die Kartoffelbrei statt Hirn haben. Je eher die verbrannt, gebraten, enthauptet, kastriert, entkernt, verflüssigt und endgültig durch den Wolf gedreht werden, desto besser. Ich würde liebend gern mit einem Holzhammer über diesen Abschaum der Menschheit herfallen.«

Bruce und Brooke machten sich bereit. Jetzt würde das Gemetzel ganz sicher gleich losgehen. Wayne war hinter das Sofa getreten, auf dem Scout saß. Er mußte nur zwischen die Kissen langen und eine Maschinenpistole hervorholen, und dieser entsetzlich provozierende Mann wäre tot. Scout selbst mußte nur das Kissen auf ihrem Schoß beiseite schieben. Für Karl war das Spiel wohl gelaufen.

»Du riskierst 'ne dicke Lippe, Karl, aber du würdest es nie tun.« Bruces Lachen war hölzern wie eine Familienserie am Nachmittag. »Am Ende landest du doch immer auf der Seite der Underdogs.«

»Underdogs? Dieser Abschaum?« gab Karl zurück.

Inzwischen war Bruce überzeugt davon, daß Karl von Todessehnsucht getrieben war.

»Als würde ich meine Tränen an diese syphilitischen Maden vergeuden? Ich würde auf ihre Gräber reihern und auf die ihrer Mütter dazu, die ohne Zweifel Huren waren.«

Halt die Klappe! Mit jeder Faser seines Seins flehte Bruce diesen großmäuligen Idioten an, seinen Mund zu halten. Auch Brooke versuchte verzweifelt, irgendwie in seine Gedanken vorzudringen und diesen Trottel daran zu hindern, daß er sie mit seinem Gerede allesamt ins Grab brachte.

Wie oft hatte Brooke in letzter Zeit von der Aura und dem Dritten Auge gesprochen? Zwar hatte sie nicht ernstlich eine Netzkarte für den New-Age-Zug in der Tasche, doch hatte sie schon immer erklärt, sie spüre eine greifbare Verbindung zur

Mystik. Sie glaubte fest daran, daß Gedankenübertragung möglich war. Nun bekam sie einen schmerzlichen Schnellkurs in Old-Age-Wirklichkeit.

Waynes Stimme war kalt, wenn auch im Gegensatz zu seinen Augen vergleichsweise sanft. »Sie halten die Mall-Killer für runtergekommenen White Trash, Mr. Brezner?«

»Das tut er nicht!« schrie Bruce fast.

»So kann man die nicht abkanzeln«, flehte Brooke verzweifelt.

»Komisches, dürres kleines Luder?« sagte Scout abwesend zu sich selbst. »Dieses komische, dürre kleine Luder, *das er mit sich rumschleppt?*«

»Das hat Karl nicht so gemeint!« Wieder zwang sich Bruce zum Lachen. Es klang wie eine Rasierklinge, die eine Blechdose durchschnitt. »Ihr solltet mal hören, wie er über seine Frau spricht.«

Karl, der nichts von alldem ahnte, was um ihn herum vor sich ging, stand vor einem Rätsel.

»Wie bitte? Was ist das hier eigentlich? *Oprah?* Führen wir hier eine *Scheißdiskussion* über diese Untermenschen? Natürlich sind die durchgeknallter Abschaum. Was sollten sie sonst sein? Diese beiden nutzlosen, herzlosen, hirnlosen, schwanzlosen Arschlöcher mit der Intelligenz von einem feuchten Furz haben doch …«

»Karl! Was willst du?« Bruce sprang auf. »Ich hab zu tun. Ich habe hier was zu erledigen, und du nervst ungeheuer.«

Er hatte Karl nicht ganz so barsch entgegentreten wollen. Wenn er sich allzu seltsam benahm, würde Wayne wissen, daß Karls Mißtrauen unweigerlich geweckt war. Andererseits mußte er Karl zum Schweigen und zum Gehen bringen, bevor er sie allesamt um Kopf und Kragen redete.

Karl betrachtete Bruce für einen Augenblick, beschloß jedoch, sich nicht mit ihm anzulegen. Schließlich war Karl Agent, und Bruce war sein bester Kunde.

»Okay, Bruce, okay. Du bist der Künstler. Ich handle nur die dreisten und unsittlichen Summen aus, die du verdienst. Wie gesagt, haben wir hier jetzt allerdings ein echtes Problem. Es ist eine wichtige moralische Frage, und der können wir uns nicht entziehen. Wir müssen verantwortlich darauf reagieren. Wir müssen so bald wie möglich an die Öffentlichkeit und denen sagen, daß sie uns mal können, und die Fortsetzung von *Ordinary Americans* ankündigen.«

»Am Ende von *Ordinary Americans* sind alle tot«, erwiderte Bruce.

»Bruce, dein Publikum ist nicht pedantisch. Hör zu, du mußt dich über diese Sache erheben. Geh heute an die Öffentlichkeit, geh in die Talk-Shows. Gestern bei *Coffee Time* hast du dich gut gemacht. Sag der Welt, daß du für diese Mörder nicht verantwortlich bist und ...«

Wayne ging durchs Zimmer und nahm Karl das Whiskyglas aus der Hand. »Okay, Bruce. Ich hab die Schnauze voll von diesem Typen. Wir haben was zu bereden. Schmeiß ihn raus.«

Eifrig sprang Bruce von seinem Platz auf. »Gut, stimmt, okay. Karl, ich weiß es zu schätzen, daß du extra gekommen bist, und ich werde darüber nachdenken, was du gesagt hast, aber im Moment habe ich zu tun, okay, also ...«

Karl staunte nicht schlecht. Er kannte Bruce seit Jahren. Sie waren Freunde. »Du willst, daß ich gehe?«

»Ja, das will ich.«

»Weil du mit diesen Leuten was zu tun hast?«

»Ja.«

Karl sah von Wayne zu Scout und gab sich keine Mühe, seine Abscheu zu verbergen. Er machte sich große Sorgen. Mit diesen Typen war irgendwas nicht in Ordnung. Hier gab es Ärger. Er hatte aber keine Ahnung, wie groß oder welcher Art der Ärger war.

»Hör mal, Bruce«, Karl sprach mit leiser Stimme, »wenn du was Grobes zum Spielen brauchst, solltest du mit mir reden und ich besorg es dir. So was ist gefährlich. Am Ende wirst du erpreßbar.«

»Karl, geh«, gab Bruce zurück. »Sofort.«

Karl wandte sich ab. Er konnte nichts mehr tun. »Okay. Wiedersehen.«

WAYNE

Wiedersehen.

Totale, die den ganzen Raum umfaßt. Karl geht zur Tür. Wayne greift hinter Scout und zieht eine Waffe hervor.

BRUCE
(schreit)

Nein!

Fast gleichzeitig, bevor Karl überhaupt noch Zeit hat, zu merken, daß irgendwas nicht stimmt, hat Wayne ihm in den Rücken geschossen. Karl fällt vorwärts, tot.

Doppelaufnahme von Brooke, die sich über Scout beugt und deren Haar hochsteckt. Brooke schreit.

SCOUT

Au! Du ziehst mir an den Haaren!

BROOKE

Verzeihung.

Totale. Alles passiert auf einmal. Karl stürzt noch immer zu Boden. Zeitlupe. Blut und Gedärme fliegen vorn aus dem stürzenden Mann, als die Kugel ihn durchschlägt.

Nahaufnahme. An der Wand vor dem stürzenden Karl ein gerahmter Druck, ein Plakat von *Ordinary Americans.* Karls Lebenssaft klatscht auf das Plakat. Ein Summen ist zu hören.

Schneller Schwenk vom Blutfleck auf dem Plakat über die Wand zur Nahaufnahme der Gegensprechanlage, die schon wieder summt.

- 23 -

Die Detectives Jay und Crawford standen in einer weiteren geschwungenen Auffahrt vor einem weiteren Anwesen mit Säulengang. Wieder schimmerten überall falsche Regenbögen über den Rasenflächen.

»Weißt du, wenn deine Theorie stimmt«, sagte Crawford, »wird diese Tür mit Blei geöffnet.«

»Hey, dafür bezahlen sie dich doch, oder?« erwiderte Jay und drückte noch einmal auf die Klingel.

Im Haus herrschte Panik.

Susan Schaefer war eben erst nach Hause gekommen, denn sie hatte die Nacht mit einem neuen Bekannten verbracht, den sie bei der Oscarverleihung kennengelernt hatte. Doch das war es nicht, was den Filmstar in panische Verwirrung stürzte. Sie war eine offene, moderne Berühmtheit, und Presseveröffentlichungen über ihren neuesten Liebhaber konnten sie nicht erschrecken. Im Gegenteil schlachtete sie ihr Privatleben voller Stolz aus. Das war nicht der Grund, wieso der Summer diese quälende Unentschlossenheit in ihr ausgelöst hatte.

Das Problem war einfach, was sie mit ihrem Frühstück machen sollte.

Ausgehungert war sie nach Hause gekommen und hatte sofort sechs durchwachsene Speckstreifen unter den Grill geschoben. Als sie schön knusprig waren, legte sie sie auf einen Teller, fügte Ahornsirup und etwas von der Double-Choc-Eiskrem aus dem Gefrierfach hinzu und schlang alles auf einmal herunter. Gerade war sie auf dem Weg ins Badezimmer, um das ganze Zeug wieder auszukotzen, als der Summer summte.

Das war der Grund für ihre Panik. Wenn das Essen in ihrem Magen blieb, würden ihre treulosen Magensäfte es jeden Augenblick verdauen. Sie mußte zur Toilette und kotzen.

Aber der Summer summte und summte.

»Später. Ich hab zu tun«, rief sie in die Gegensprechanlage.

»Polizei«, rief Jay ins Mikrofon.

»Polizei?« fragte eine bebende Stimme.

»Miss Schaefer, kommen Sie bitte. Wir müssen mit Ihnen sprechen.«

Susan hastete die Treppe hinunter und riß die Tür in quälender Eile auf. Fast konnte sie spüren, wie sie fetter wurde, während sie den Cops gegenüberstand. Sechs Speckstreifen, ein ganzes Glas Ahornsirup und zwei Kugeln Double Choc! Sie *mußte* es aus ihrem Magen bekommen! Die Hälfte davon hatte sich bestimmt schon um ihre Hüften gelegt.

»Ja?« sagte sie und machte dabei einen dermaßen panischen Eindruck, daß die Detektives augenblicklich glaubten, einen Volltreffer gelandet zu haben.

Vorsichtig stellten sie ihr dieselben Fragen, die auch Kurt hatte beantworten müssen.

»Hören Sie, ich bin erst vor einer halben Stunde nach Hause gekommen«, antwortete sie atemlos, »und ich habe keine Psychopathen gesehen.«

Aber sie schwitzte, zitterte sogar. Sie war ganz offenbar nicht glücklich. Jay versuchte dafür zu sorgen, daß sie weiterredete. Er fragte sie, wo sie gewesen sei, wohin sie im Laufe des Tages noch wollte. Ob sie schon ihren Auftragsdienst angerufen hatte.

»Bei einem Freund. Zum Sport. Was glauben Sie? Natürlich habe ich meine Nachrichten gecheckt.« Und die ganze Zeit über spürte Susan, wie das Fett sich um ihre Oberschenkel legte, unter ihrem Kinn schwabbelte, sich auf ihrem Hintern niederließ. Schließlich konnte sie es nicht länger ertragen.

»Hören Sie, kommen Sie doch einfach rein und durchsuchen Sie das verdammte Haus!« rief sie.

»Danke, Ma'am«, sagte Jay.

War es ein Hinterhalt! Hatte man diese arme, verschreckte Frau gezwungen, zwei Cops in den Tod zu locken? Sie mußten das Risiko eingehen.

Mit gezückten Waffen schoben sie sich an Susan vorbei ins Haus. Ohne ein Wort trennten sie sich und begannen ihre Durchsuchung. Beide gingen wie auf glühenden Kohlen, lauschten auf die leiseste Unruhe, die – da waren sie ganz sicher – Vorbote grauenhafter Gewalt sein würde.

Es dauerte nicht lange, bis sie ihre schlimmsten Befürchtungen bestätigt sahen.

»Ugh ugh hooor aaarrrrghh!«

Hinter sich hörten sie Susan Schaefer voller Qual und Pein krächzen und keuchen. Die Irren legten sie um, weil sie die beiden hereingelassen hatte. Es hörte sich an, als wäre sie bereits dem Tode nah. Beide stürmten auf dem Weg, den sie gekommen waren, durchs Haus zurück. Eine kleine Tür ging vom Flur ab: Es war deutlich zu hören, daß der Lärm von dort kam.

»LAPD!« rief Crawford und ging in Position, als Jay die Tür aufriß.

Vor ihnen – auf den Knien, mit dem Kopf in der Toilettenschüssel, die Finger im Hals – lag der weibliche Star aus *Ordinary Americans*.

»Was ist los mit euch?« schrie sie. »Kann man als anständiges Mädchen nicht mal in Ruhe sein Frühstück zu Ende bringen?«

- 24 -

Der Summer summte noch immer. Karl lag tot am Boden.

»Geh ran.« Ganz ruhig ging Wayne um das Sofa und setzte sich neben Scout.

Bruce warf ein, daß es Farrah, seine Frau, sein mußte. Er sagte, Wayne sollte mit ihm anstellen, was er wollte, aber er habe nicht die Absicht, noch mehr Leute einzuladen, damit Wayne sie ermorden konnte.

Wayne zuckte mit den Achseln. »Dann sag ihr, sie soll gehen. Aber mach deine Sache gut. Wenn sie mit den Bullen wiederkommt, gehen wir alle zusammen über den Jordan.«

Wieder tönte der Summer. Bruce versuchte, seine Gedanken zu ordnen. Mit welcher Ausrede konnte er Farrah wegschicken? Es fiel ihm schwer, sich zu konzentrieren. In seinem Kopf hallte noch immer der Schuß nach, der Karl getötet hatte. Das beharrliche Summen schien die Erinnerung daran zu verstärken, als würde der Schuß noch immer abgefeuert und Karl sei noch am Sterben.

Bruce sah auf die Leiche seines ermordeten Freundes hinab.

»Warum?« fragte er Wayne. »Wir hätten ihn rausschaffen können.«

»Warum? *Warum?*« Ein weiteres Mal wechselte Waynes Gefühlsbarometer von gelassener Gleichgültigkeit zu blindem Zorn. »Weil er mein Mädchen ein komisches, dürres kleines Luder genannt hat, Bruce. Darum, verdammte Scheiße! Was hättest du denn getan? Was hätte Mr. Chop Chop getan?«

Mr. Chop Chop? Bruce erinnerte sich an sein früheres Leben, das jetzt endgültig vorbei war. Er erinnerte sich an Mr. Chop Chop. Wie konnte er ihn vergessen? Mr. Chop Chops Bild war auf Millionen T-Shirts und Schultaschen verewigt.

Was hätte Mr. Chop Chop getan?

»Mr. Chop Chop ist eine fiktive Figur, die ich erfunden habe. Also würde er überhaupt nichts tun, weil er nicht existiert, du geisteskranker Scheißkerl!«

Es war keine Tapferkeit, die Bruce dazu verleitete, Wayne zu beleidigen, sondern Angst und Verachtung. Er stand unter Schock.

Wieder ging der Summer, diesmal noch lauter und länger. Angestrengt sah Wayne Bruce an. Bruces Haltung gefiel ihm überhaupt nicht. Er fühlte sich herablassend behandelt.

»Ich weiß, daß Mr. Chop Chop eine fiktive Figur ist, Bruce. Das heißt doch aber nicht, daß er nicht existiert, oder? Willst du mir erzählen, Mickey Mouse würde nicht existieren? Hä? Fiktive Figuren führen ein Leben innerhalb der Fiktion, und ich frage dich jetzt, was Mr. Chop Chop innerhalb seiner persönlichen Fiktion mit einem Pisser macht, der sein Baby anpißt und sie beschimpft? Und du weißt genausogut wie ich, daß Mr. Chop Chop den Pisser in Stücke hacken würde, und genau das habe ich getan. Jetzt hör auf, dich hier zum Arschloch hoch zehn zu machen und nimm den Scheißhörer ab.«

Wiederum mußte Bruce seine Panik unterdrücken. Er mußte die Ruhe bewahren. Himmelarsch, wie sollte er? Er nahm den Hörer von der Wand, brachte seine zitternde Stimme unter Kontrolle und nahm Anlauf, seine Fast-Ex-Frau wegzuschicken.

Er sagte ihr, sie sei früh dran. Daß er sich nicht mit ihr treffen könne. Daß er eine Frau bei sich habe. »Wir feiern hier, verdammt noch mal. Ich habe gerade einen Oscar bekommen.«

Wenn Canute, der große Stuntman, meinte, er hätte Probleme gehabt, dann hatte er noch nie versucht, eine Beverly-Hills-Gattin abzuweisen, die über Alimente sprechen wollte.

Bruce hängte den Hörer ein, und alles Leben wich aus seinem Gesicht. »Sie kommt rauf. Sie hat einen Schlüssel.«

Wayne zuckte mit den Schultern, wiederum gleichgültig. Ihm war es egal. Er stand auf und fing an, Karls Leiche zur Tür zu schleppen.

»Na, ich schätze, dann sollten wir den alten Karl mal bewegen. Ihr wollt ja nicht vor einer Leiche stehen, wenn ihr besprecht, wer die Hochzeitsgeschenke und wer die CDs kriegt.«

»Ich sorge dafür, daß sie geht!« rief Bruce. »Versprich mir, daß du sie gehen läßt, versprich mir, daß du sie nicht umbringst.«

Wayne blieb an der Tür stehen. Er hielt Karls Leiche unterm Arm. Das tote Gesicht des Ex-Agenten starrte direkt in Waynes Nasenlöcher.

»Vielleicht. Solange sie uns nicht beschimpft. Ich bring nur eben Old Labertasche in die Küche runter, hm? Räum ihn nur kurz aus dem Weg sozusagen. Scout, du hast das Kommando.« Er ging und nahm die Leiche mit.

Scout sah zu Brooke auf. »Tut mir leid, daß ich dich angeschrien habe, Brooke.« Sie war zerknirscht. »Es war nichts, nur daß du mir an den Haaren gezogen hast.«

Brooke wußte, daß ihr nur Minuten blieben, in denen sie versuchen konnte, die Aufgabe zu beenden, die sie begonnen hatte, als Wayne zuletzt hinausgegangen war. Scouts Haltung zumindest war ermutigend. Ihr schien daran gelegen zu sein, was Brooke über sie dachte, was der beste Ansatz war, den Brooke sich erhoffen konnte. Sie kniete neben Scout nieder.

»Scout, hör zu. So kann es nicht weitergehen. Eher früher als später werdet ihr geschnappt, und je mehr ihr bis dahin anstellt, um so schlimmer wird es werden.«

Scouts Blick fand seinen vertrauten Fokus in dem Kissen auf ihrem Schoß, unter dem sie ihre Waffe hielt.

»Wir wissen, daß wir in Schwierigkeiten stecken, Brooke. In großen Schwierigkeiten. Aber Wayne hat was vor.«

»Was kann er denn vorhaben?«

»Keine Ahnung, Brooke, aber er hat was vor. ›Ich hab da einen Plan, Süße‹, sagt er, ›und alles wird wieder gut.‹ Das hat er gesagt. Er hat einen Plan für unsere Rettung.«

Brooke hatte keine Zeit, sanft zu sein. »Sein Plan ist es, euch beide umzubringen, das ist sein Plan, und so wird es sein. Die Cops werden kommen, Wayne wird kämpfen, und ihr werdet beide voll Blei gepumpt. Wir auch.«

»Er hat einen Plan.«

»Euch umbringen zu lassen.«

»Na, wenn das sein Plan ist, von mir aus. Wir gehen zusammen unter, in einem Hagel aus Blut und Liebe. Love and Glory!«

Brookes Gedanken rasten. Ihr blieben nur Minuten, vielleicht weniger, um die Verbindung herzustellen. Was konnte sie sagen? Wo war Scout verletzlich?

»Love and Glory«, wiederholte Scout. »Das wollen Wayne und ich uns irgendwann tätowieren lassen. Das ist unser Motto.«

Brooke stürzte sich darauf. »Und du liebst ihn, nicht, Scout? Du liebst ihn sehr.«

Sie hatte die Verbindung hergestellt. Das war ein Thema, über das Scout stundenlang reden konnte.

»Ich liebe ihn mehr als mein Leben, Brooke. Wenn ich einen Stern vom Himmel holen und ihm schenken könnte, würde ich es tun. Wenn ich einen Diamanten hätte, groß wie ein Fernseher, den würde ich ihm zu Füßen legen. Meine Gefühle für ihn sind größer als das Meer, Brooke, tiefer als das Grab.«

Es hieß jetzt oder nie. »Wayne braucht Hilfe. Wenn du ihn liebst, läßt du ihn nicht sterben. Wenn du ihn liebst, mußt du uns zu deinen Freunden machen, Scout, zu *seinen* Freunden.«

Brooke nahm Scouts freie Hand. Scout versteifte sich etwas, ließ es aber zu.

»Willst du uns helfen, seine Freunde zu werden?«

»Wenn sie ihn kriegen, kommt er auf den Stuhl«, flüsterte Scout. »Sie schmelzen seine Augäpfel. Das macht der Stuhl mit einem. Ich hab's gelesen.« Eine Träne stahl sich über ihre Wange.

»Aber so muß es nicht kommen«, sagte Brooke und drückte sanft die kleine Hand, die sie hielt. »Wenn wir ihn beruhigen können, stecken sie ihn in ein Krankenhaus. Da versuchen sie, rauszufinden, weshalb er so wütend ist. Bruce ist ein einflußreicher Mann in diesem Staat, Scout. Er kann ihm helfen.«

Bruce stand wie angewurzelt da. Konnte Brooke es schaffen? Es konnten nur noch Minuten sein, in denen es geschehen mußte. Sie war nah dran, sehr nah. Sprich sie auf die Waffe an! Er wollte es am liebsten schreien. Jede Sehne seines Körpers war gespannt wie ein Hund an der Leine. *Greif einfach unters Kissen und schnapp dir die Kanone.*

Scout hob den Kopf, um Brooke anzusehen, mit Augen, so groß wie Fäuste. »Weißt du, was ich denke, Brooke?«

»Was denn, Scout, meine Kleine?«

»Ich denke, du denkst, ich bin dumm.« Sie schien es eher traurig als böse zu sagen, als wünschte sie sich sehnlichst, daß es nicht so wäre.

Eilig versuchte Brooke sie zu beruhigen. »Nein! Nein, das ist nicht wahr. Ich glaube nicht, daß du dumm bist, Scout. Ich glaube, daß du schlau bist, und du mußt jetzt auch schlau sein. Du willst nicht sterben, und du willst auch nicht, daß wir sterben. Vor allem aber willst du nicht, daß Wayne stirbt. Eines Tages wirst du ihm Diamanten zu Füßen legen. Gib mir die Waffe, Scout.«

Scout seufzte. Fast klang es wehmütig, fast, als träumte sie mit offenen Augen. »Du willst, daß ich dir meine Waffe gebe?«

»Es ist das beste für uns alle, Scout. Wayne miteingeschlossen.«

Bruce merkte, daß er die Luft anhielt. Er hielt sie schon eine ganze Weile an. Er versuchte, langsam auszuatmen, damit man es nicht so hörte. Wenn er diesen Augenblick störte, konnte das katastrophale Folgen haben. Noch immer träumte sie mit offenen Augen in Brookes Gesicht hinein.

»Wenn ich sie dir gebe, bist du dann meine Freundin?«

»Das habe ich doch gesagt, oder nicht, Scout?« gab Brooke zurück. »Und ich halte mein Wort. Gib mir die Waffe.«

Das war's. Bruce starrte das Kissen an, unter dem sich Scouts Hand verbarg. Bewegte sich ihre Hand? Holte sie die Waffe hervor? Ihre Hand bewegte sich.

Scouts Stimme klang leise und ängstlich. »Okay«, sagte sie, das schönste Wort, das Bruce jemals gehört hatte.

Nahaufnahme von Scouts Hand, die unter dem Kissen hervorkommt und eine Waffe hält.

Nahaufnahme von Scouts Gesicht, das sich vollkommen verändert hat. Nicht mehr schwach und weinerlich, sondern plötzlich gezeichnet von kaltem Haß und Zorn.

Breite Doppelaufnahme. Scout auf dem Sofa, Brooke kniet vor ihr. Mit einer plötzlichen Bewegung reißt Scout die Hand mit der Waffe zurück und schlägt Brooke den Kolben gegen den Mund. Ein Knirschen ist zu hören, als Metall auf Zahnfleisch, Knochen und Zähne trifft. Brooke taumelt aus dem Bild, während Scout aufsteht.

Schwenk, der Scout wieder ganz ins Bild holt. Sie beugt sich über Brooke, die Hand erhoben, um noch einmal zuzuschlagen. Brooke blutet heftig aus dem Mund.

SCOUT

Dir hab ich's echt gegeben, oder? Du blöde Gans! Und jetzt sind wir Freundinnen? Hä? Du hältst doch immer dein Wort, ja? Dann sind wir jetzt Freundinnen, stimmt's?

Schnitt zu Brookes Blickwinkel auf Scouts Gesicht, das wutverzerrt auf sie herabstarrt.

SCOUT

Sag es!

Schnitt zu Scouts Blickwinkel auf Brooke, die rücklings auf dem Teppich liegt – blutend – und um eine Antwort ringt.

BROOKE

Wir sind Freundinnen.

SCOUT

Aber ich will nicht deine Freundin sein, du Hure! Weil du versucht hast, mich gegen meinen Mann aufzubringen, und das ist unverzeihlich! Vielleicht willst du ihn ja selbst. Ist das so? Willst du meinen Wayne anmachen? Versuch es, du kleine Nutte, und ich leg dich um.

Während sich Scout an der unwahrscheinlichen Vorstellung hochschaukelte, daß Brooke ein Auge auf Wayne geworfen haben könnte, dachten die Detectives Jay und Crawford, nachdem sie Susan Schaefer ihrem Frühstück überlassen hatten, über ihren nächsten Schachzug nach.

»Tja, ich schätze, wir haben kein Glück«, sagte Crawford mitfühlend, da er wußte, wie ernst Jay seine Arbeit nahm. »Aber mach dir nichts draus. Es war irgendwie eine hübsche Idee. Ich meine, die Zeitungen stellen schon seit Wochen einen Zusammenhang zwischen unseren Morden und diesem Film her.«

»Eine Adresse hätten wir noch«, sagte Jay. »Diesen Oscarmann.«

»Delamitri?«

»Ja. Wenn ich es recht bedenke, hätten wir es bei ihm vielleicht zuerst versuchen sollen. Ich meine, heutzutage sind die Regisseure die verdammten Stars, oder? Die werden berühmter als die Schauspieler.«

»Das stimmt. Hast du Delamitri bei der Verleihung gesehen? Er hat eine wirklich schöne Rede gehalten. Man hat gemerkt, daß er es ehrlich meint. Du weißt schon, als hätte er sich richtig Gedanken darüber gemacht. Meine Frau hat fast geheult.«

- 25 -

Bruce blieb kaum Zeit, das katastrophale Scheitern Brookes tapferer Bemühungen um die Spaltung des Feindes zu begreifen, als ihm der nächste und noch schlimmere Alptraum bevorstand.

In der Tür stand nicht nur seine Fast-Ex-Frau Farrah, sondern außerdem seine schöne und geliebte Tochter Velvet. Velvet war Bruces Augenweide. Das war Velvet nicht immer klar gewesen, möglicherweise, weil Bruce gewöhnlich eine Sonnenbrille trug. Dennoch war es der Fall. Bruce liebte Velvet sehr. Außerdem liebte er tief in seinem Inneren und auf seltsame Weise auch ihre Mutter noch immer.

Was waren sie für ein Paar gewesen!

Vor fünfzehn Jahren hatte Bruce am selben Tag seinen ersten Regieauftrag und seine erste (und bisher einzige) Frau an Land gezogen. Der Job war ein Werbefilm für Gebrauchtwagen, einer dieser traurigen, schmierigen Streifen ohne jedes Budget fürs Regionalfernsehen, in dem der Besitzer des Ladens selbst der Star ist.

»Sie suchen Sonderangebote? Bei mir gibt's Sonderangebote. *Total beknackte* Sonderangebote!«

An dieser Stelle sah das Skript einen harten Schnitt vor, damit der Kunde/Star eine Plastikbrille, einen falschen Bart und eine phosphoreszierend grüne Melone aufsetzte, aus der oben ein sich drehender Hubschrauberrotor aufragte.

»Stimmt genau, Sie wären beknackt, wenn Sie sich die entgehen lassen. Und ich bin *beknackt*, daß ich sie mache, haha!«

Das Bild blieb auf dem breiten Grinsen des Kunden/Stars stehen (sein Lachen ging weiter, nur schneller: hahahahahihihi), und die Adresse des Gebrauchtwagenmarktes erschien auf dem Bildschirm.

Bruces einziger Bonus während der Arbeit an diesem grauenvollen Morgen war, daß der Star während seines gesamten Auftritts von einer Schar hinreißender Bikini-Babes umringt war. Das Originalskript hatte vorgesehen, daß diese Babes nach dem Schnitt plötzlich ebenso verrückte Masken und Hüte tragen sollten. Diese Idee fiel jedoch dem beschränkten Budget zum Opfer.

Farrah war eins von den Babes gewesen, und Bruce würde nie den Moment vergessen, in dem er sie zum ersten Mal gesehen hatte. Zum Dreh war sie mit ihrer eigenen Harley gekommen, die kehlig röhrte, als sie vor dem Absteigen noch mal Gas gab. Natürlich drehten sich alle um, und sie stieg von ihrem Motorrad, als hätte sie es gerade gefickt. Wäre Bruce eine Zeichentrickfigur gewesen, hätte er inzwischen ellenlange Stielaugen gehabt, denn Farrah war im Kostüm gekommen und zur Arbeit bereit. Unter ihrer nietenbesetzten Lederjacke trug sie nur einen Bikini und dazu Motorradstiefel.

Er war absolut hin und weg, und in dieser Nacht wurde Velvet gezeugt.

Bruce und Farrah hatten eine gute Ehe geführt, und nach Hollywood-Maßstäben auch eine lange, während der sie sich beim Erklettern der jeweiligen Karriereleiter gegenseitig stützten. Schließlich jedoch stimmten ihre Ziele und Vorhaben nicht mehr überein. Als Farrah älter wurde und nicht mehr das Bunny spielen konnte, begann sie sich mit einer intellektuellen Aura zu umgeben, besuchte Theaterkurse und bemühte sich um »richtige« Rollen, was Bruce abgrundtief peinlich fand. Je mehr Bruce dagegen zum Nestor der Hip Culture wurde, desto härter und spöttischer wurde seine Pose (so weit, daß er sogar überlegte, sich tätowieren zu lassen), wobei sich Farrah der Magen umdrehte, da sie wußte, was für ein Wicht er im Grunde war. Letztendlich scheiterte die Ehe daran, daß sie eigentlich von der Straße kam und auf Boulevard machte, und er eigentlich vom Boulevard kam und auf Straße machte. Am Ende konnte keiner von beiden den Anblick des anderen mehr ertragen.

Oft genug hatte Bruce seine Frau in den vergangenen Jahren nicht sehen wollen, doch das war alles nichts dagegen, wie sehr er sie jetzt nicht sehen wollte. An diesem schrecklichen Morgen, als der Psychopath den Rest seiner traurigen, kaputten, kleinen Familie in ihre private Hölle trieb.

Einen Moment noch sollten Farrah und Velvet ahnungslos bleiben, daß sie sich in Gefahr befanden. Wayne hielt seine Waffe verborgen, und Scout hatte die ihre in den Falten ihres Kleides versteckt, bevor sie das Kissen wieder auf den Schoß nahm. War es möglich, daß Wayne bereit sein konnte, die beiden Neuankömmlinge unbelästigt durch das Drama ziehen lassen, das er geschaffen hatte? Bruce wagte es kaum zu hoffen.

Auch ohne Waffen war die Szene, in die Farrah und Velvet hereinplatzten, höchst beunruhigend.

Eine hinreißende Frau lag im schmuddeligen Abendkleid am Boden, mit heftig blutender Lippe. Ein seltsam wild wirkendes Wesen erhob sich gerade, nachdem es offensichtlich rittlings auf der am Boden liegenden Frau gesessen hatte. Und der junge Mann, der hinter ihnen stand, war der Schlimmste von allen: großspurig und spöttisch, mit ekligen, gewalttätig wirkenden Tätowierungen auf seinen muskelbepackten Armen und etwas, das beunruhigenderweise wie Blutflecken auf seiner Weste und der Jeans aussah.

»Bruce, deine Alte ist da«, sagte der Mann.

Fragend zog Farrah eine Augenbraue hoch und schob sich einen Kaugummi in den Mund. Für eine derart abwertende Vertraulichkeit hatte sie nicht gerade viel übrig, besonders nicht von einem so groben Klotz; aber ein paar blöde Sprüche und eine große Klappe reichten nicht aus, um sie aus der Bahn zu werfen.

»Was, zum Teufel, geht hier vor sich?« sagte sie auf dem Weg ins Wohnzimmer. »So was wie eine Orgie?«

Velvet blieb gleichermaßen unbeeindruckt. »Oh, Daddy, das ist so-o-o-o kraß. Ich meine, du bist doch voll drüber. Was ist es diesmal, Drogen oder was?«

Für eine Vierzehnjährige war Velvet auf erschreckende Weise von sich eingenommen, obwohl man fairerweise sagen muß, daß sie als Produkt des Privatschulsystems von Beverly Hills nicht altklüger war als die meisten ihrer Altersgenossinnen.

Bruce konnte kaum sprechen. Noch immer versuchte er, sich auf den entsetzlich unerwarteten Besuch seiner Tochter einzustellen. »Es ist nur ein … eine Probe, mein Engel.«

Velvets Miene verriet einigen Zweifel. Tatsächlich verriet sie tiefe Verachtung für eine derart lächerliche Ausrede.

»Ach ja?« sagte sie lachend. »Was probt ihr denn, ein Remake von *Ich spucke auf eure Gräber?*«

Brooke kam vom Boden hoch, tupfte an ihren Lippen herum und hustete wegen des Bluts, das sie geschluckt hatte.

Farrah musterte sie mit kalter Feindseligkeit. »Paß auf, Herzchen, wenn das hier irgendein S-M-Ding ist und er dich zusammengeschlagen hat, stell deine Forderungen an seinen Teil von unserem Besitz, nicht an meinen.«

Brooke antwortete nicht. Es gab nichts zu sagen.

Plötzlich und ohne wirklich darüber nachzudenken, was er tat, packte Bruce Velvet am Arm und stieß sie in Richtung Tür.

»Geh raus, Velvet. Sofort, geh!«

Es war ihm egal, ob er sich verdächtig benahm. Er wollte einfach nur, daß seine Tochter verschwand.

»Bitte, Daddy, versuch nicht, mich rumzukommandieren. Es ist erniedrigend. Ich bin jetzt eine erwachsene Frau. Ich habe ein Gymnastikvideo gemacht.«

Das stimmte. *Teen-Workout mit Velvet Delamitri* war ein ziemlicher Erfolg gewesen, zum Teil, weil es von ebenso vielen bemitleidenswerten, alten Männern wie von Teenagern gekauft wurde.

Nach dieser Abfuhr wandte sich Bruce an Farrah. »Wozu, um alles in der Welt, hast du sie mitgebracht? Schick sie weg. Schaff sie hier raus. Sie hat hier nichts zu suchen.«

»Nichts zu suchen?« höhnte Farrah. »Oh, vielen Dank, Bruce, damit hast du mir gerade recht gegeben. Ich habe *unsere Tochter* mitgebracht, um dich daran zu erinnern, daß sie und ich zu *zweit* sind und du *allein*, was in der abschließenden Vereinbarung zu berücksichtigen sein wird.«

Bruce konnte sich kaum noch beherrschen. Die Frau redete vom Geld. Alle würden sterben, und sie redete vom Geld! Farrah mochte sich der Bedrohung nicht bewußt sein, aber was, um alles in der Welt, war mit dieser Frau los?

Zum x-ten Mal, seit der Alptraum begonnen hatte, versuchte er, sich zu beruhigen. »Hör zu, Farrah, wir werden eine faire Vereinbarung treffen, ich schwöre es. Du kannst alles haben, was du willst, wenn ihr beiden jetzt nur geht...«

Chchchchchch, Rotz. Wayne spuckte aus. Es war eine ordentliche Menge. Er räusperte sich laut und rotzte einen Klumpen in die Vase. Es war ein Rotzen, mit dem er verkündete, daß er noch da war, daß er noch immer das Kommando hatte.

Bruce verstand. Es gefiel Wayne nicht, was Bruce gesagt hatte. Farrah alles anzubieten, was sie haben wollte, mußte sich merkwürdig anhören, und Bruces Job war es, normal zu wirken. Es war die einzige Möglichkeit, seine Tochter unversehrt aus diesem Haus zu bringen. Aber wie? Bruce konnte sich nicht mehr erinnern, was normal war.

Aber Velvet konnte es, und das hier war es nicht. Und außerdem, was immer es auch war: Es gefiel ihr nicht. »Daddy, wer sind diese Leute? Sind das Freunde von dir? Können die jetzt nicht gehen?«

Wayne spazierte durch den Raum und musterte Velvet von oben bis unten. Wie die meisten ihrer Altersgenossinnen trug sie die sexy Teenversion konservativer Erwachsenenkleider. Heute war es ein smartes, enges, kleines Wollkostüm in Pink – winziger Minirock und figurbetontes Jackett dazu –, weiße Strumpfhose, hohe Absätze, massenweise Make-up. Ein kleiner Wonneproppen, in Pastellfarben gehüllt. Süß und sauber und schimmernd wie eine reife Kirsche. Anerkennend pfiff Wayne durch die Zähne.

»Mm-*mm*, ich wette, auf die hier bist du stolz, Bruce.«

Velvet setzte den lüsternen Blicken ihren Trotz entgegen, aber sie gab sich selbstbewußter, als ihr zumute war.

Auch Scout sah Velvet an, nur gefiel ihr nicht, was sie sah. Es war seltsam, dachte sie, daß reiche Mädchen so sauber und frisch und *heil* aussehen konnten. Scout wußte, daß Wayne das Leben dieses kleinen Mädchens nur allzugern beschmutzen würde. Das würde er natürlich nicht tun, weil sie ihn tötete, wenn er es täte, und das wußte er. Trotzdem gefiel es ihr nicht, wenn er so lüstern glotzte, und sie hielt nicht viel von Velvet.

»Es ist genauso, wie du gesagt hast, mein Engel.« Noch immer starrte Wayne das Mädchen an. »Wir sind Freunde von deinem Alten. Ich bin Wayne, das ist Scout, und die Braut mit der dicken Lippe ist Brooke Daniels.«

»Brooke Daniels?« Jetzt war Velvet überzeugt davon, daß sich ihr Vater mitten in einer widerlichen Nach-Oscarorgie befand. Sie war halb beruhigt und halb entsetzt, beruhigt festzustellen, daß die Situation nicht finsterer war, entsetzt, weil es so widerlich war. Die Eltern beim Sex zu belauschen, kann manche Kinder schon genug traumatisieren, aber in eine ihrer Orgien zu platzen war eine harte Nummer, selbst für ein diamanthartes Hollywood-Balg wie Velvet.

Sie zog ein häßliches Gesicht. »O Daddy, *Playboy*-Bunnies? Ich *bitte* dich. Das ist so-o-o-o trashy und so total 80er Jahre.«

»Ich war nie Bunny, ich war Playmate. Außerdem bin ich Schauspielerin«, sagte Brooke leise.

Bruce mußte noch einmal versuchen, Farrah zum Gehen zu bewegen, auch auf die Gefahr hin, Waynes Zorn zu erregen. Die Alternative bestand darin, Velvet weiterplappern zu lassen, und Bruce wußte, daß es nicht lange dauern würde, bis sie ihren Widerwillen gegen die Gesellschaft, der sie sich hier ausgesetzt sah, gefährlich deutlich machen würde. Karl war umgekommen, weil es ihm am nötigen Respekt gemangelt hatte. Und wenn es um mangelnden Respekt ging, spielten hartgesottene New Yorker Agenten nicht in derselben Liga wie großspurige, kleine Hollywood-Prinzessinnen.

»Farrah!« bellte Bruce und zeigte mit dem Finger auf sie. »Ich habe zu tun! Schaff das Kind hier raus. Sofort!«

Farrah rührte sich nicht vom Fleck. Ihr war klar, daß Bruce Sorgen hattte und ziemlich durcheinander war. Das paßte ihr gut. Sie kannte ihn eigentlich nur ruhig und kontrolliert. Sein momentaner Zustand würde weitere finanzielle Konzessionen zu ihren Gunsten ermöglichen. Sie behielt Velvet bei sich.

»Bruce, du sprichst hier von deiner eigenen Tochter. Du willst sie aus ihrem ehemaligen *Zuhause* werfen. Du widerst mich an. Du bist lieber mit Schlampen und Pennern zusammen als …«

»Entschuldige mal.« Es war Scout, die sie unterbrach.

Bruce erstarrte, erwartete voll und ganz, daß seine kleine Familie noch im selben Augenblick von einem Hagel rachsüchtiger Projektile niedergemäht würde. Doch Scout ignorierte die Beleidigung schlichtweg. Sie war in einer seltsamen Stimmung.

»Mrs. Delamitri? Darf ich Sie mal was fragen?«

»Nein, das darfst du nicht«, erwiderte Farrah mit hochnäsiger Verachtung, die selbst einer Peperoni die Schärfe genommen hätte, bei Scout jedoch gar nicht ankam, da sie ohne Rücksicht auf Verluste vorwärtsdrängte.

»Stimmt es, daß Sie mal dermaßen sternhagelvoll waren, daß Sie eine Fehlgeburt hatten? Daß Sie dermaßen brechen mußten, daß Sie Ihr Baby verloren haben?«

Einen Moment lang fehlten selbst Farrah die Worte. Ihr Kampf mit der Flasche war lang und öffentlich gewesen. Natürlich war sie sich darüber im klaren, daß zahlreiche widerliche Mythen über sie kursierten, aber noch nie hatte jemand sie damit derart rüde konfrontiert?«

»*Was* hast du gesagt?«

»Na ja, das habe ich im *National Enquirer* gelesen«, bekräftigte Scout.

»Ich hab noch was Bessseres gehört«, sagte Wayne. »Ich hab gehört, daß Mrs. Delamitri hier mal von den Bullen angehalten wurde, und die haben sie gebeten, in die Tüte zu blasen und sie hat angeboten, statt dessen den Bullen einen zu blasen. Und das hat sie auch getan! Stimmt es nicht, Farrah?« Oft genug hatte Wayne diese Geschichte schon zum Besten gegeben, aber immer noch brachte sie ihn zum Lachen.

»Ich weiß nichts von Bullen und irgendwelchen unhygienischen Vorgängen«, sagte Scout prüde, »aber da stand ganz bestimmt, daß sie sturzbesoffen war und ihr Kind verloren hat.«

»Und daß Velvet hier mit sieben Jahren zum ersten Mal jemandem einen *geblasen* hat«, fügte Wayne hinzu.

Velvet hatte den fraglichen Artikel gelesen. »Da stand, ich hätte mir die *Nase* richten lassen! Und das stimmte nicht!«

Wütend wandte sich Farrah zu Bruce. »Was geht hier vor, Bruce? Soll das irgendeine jämmerliche Taktik sein? Willst du mir damit angst machen, oder was? Es wird dir nicht gelingen.«

»Nein, Daddy, das wird es nicht«, sagte Velvet und stand aus finanzpolitischen Gründen solidarisch an der Seite ihrer Mutter. »Mama und ich wollen dieses Haus und das Apartment in New York.«

»Anderenfalls trage ich die Sache in Talk-Shows aus. Ich erzähl Oprah, daß du Erektionscremes benutzt hast...«

»Mommy! Sei nicht schamlos.«

Wayne brüllte vor Lachen und schenkte sich noch einen Drink ein. Es wurde besser, als er zu hoffen gewagt hatte.

Bruce war inzwischen vollkommen verzweifelt. Er vergaß alle Vorsicht. »Du kannst haben, was du willst, Farrah, alles, auch den letzten Cent. Ich unterschreib es noch heute. Aber schaff Velvet hier raus.«

Endlich dämmerte Farrah, daß hier vielleicht etwas nicht stimmte. Sie war sicher nicht die Sensibelste aller Seelen. Sie lebte in Hollywood, und anderer Leute Probleme waren anderer Leute Probleme. Sie war dickhäutig auf die Welt gekommen, und diese Haut hatten Schönheitschirurgen so stramm gespannt, daß schlechte Stimmungen wie getrocknete Erbsen an einer Trommel abprallten. Aber als Bruce davon anfing, ihr alles zu überlassen, wußte sie, daß irgendwas nicht stimmte. Außerdem mußte es ganz sicher etwas mit diesen gefährlich aussehenden Leuten zu tun haben, die anscheinend in Bruce Leben eingedrungen waren. Sie beschloß, ihre Forderungen zu einem anderen Zeitpunkt weiterzuverfolgen.

»Ich sag meinem Anwalt, er soll dich anrufen. Komm mit, Velvet. Wir gehen.«

Aber leider war der Groschen zu spät gefallen. Wayne versperrte ihnen den Weg.

»Kein Grund, rechtsverdrehende Parasiten mit reinzuziehen, Mrs. Delamitri. Die Scheißanwälte kosten unser Land die Seele. Scheiß auf die Typen, sag ich. Von jetzt an werde ich in den Verhandlungen Mr. Delamitris Interessen vertreten. Ist das für Sie okay?«

»Komm, Velvet. Wir unterhalten uns irgendwann ein anderes Mal mit deinem Vater.« Farrah nahm Velvet bei der Hand und versuchte, sich an Wayne vorbeizudrängen, aber der ließ sich nicht beirren.

»Die Wahrheit ist, Mrs. Delamitri, daß Bruce hier Ihnen den Tod wünscht.«

Das ließ er einen Moment lang wirken. »Das hat er selbst gesagt, und ich habe beschlossen, angesichts all der Freude, die Ihr Mann mir in der Vergangenheit bereitet hat, ihm diesen Wunsch zu erfüllen.«

Mit diesen Worten zog er seine Waffe und grinste ein breites Grinsen.

»Um Himmels willen Wayne, laß sie gehen. Du hast gesagt, du würdest sie gehen lassen.«

Wayne hob die Waffe auf Schulterhöhe und zielte auf Farrah.

Velvet schrie, schüttelte in drei Sekunden etwa fünfunddreißig Jahre ab und verwandelte sich in ein vierzehnjähriges Mädchen.

»Daddy, tu was!«

»Wayne, bitte!« rief Bruce.

Wayne blickte starr am Lauf entlang in Farrahs Gesicht.

»Du hast gesagt, du würdest sie am liebsten tot sehen, Bruce. Das hast du gesagt. Er hat zugegeben, daß er es gesagt hat, oder, Scout?«

»Ich hab's gehört.«

»Du sagst doch nicht Sachen, die du nicht meinst, oder, Bruce?« Waynes Blick blieb auf Farrah gerichtet.

»Das ist doch nur so eine Redensart«, flehte Bruce, und seine Stimme überschlug sich vor Angst. »Um Gottes willen, Mann, es war nur eine Redensart.«

»Bruce, Bruce, beruhig dich, Mann. Das ist doch keine große Sache. Alle paar Sekunden wird jemand umgebracht. In South Central L. A. freuen sie sich schon, wenn sie es bis zum Mittagessen schaffen. Mann, wenn du so alt wirst, daß dir Haare am Sack wachsen, bist du schon ein Überlebenskünstler, ein alter Mann! Komm, laß mich die Schlampe kaltmachen. Ich nehm die Schuld auf mich, und du kannst alles behalten.«

Bruces Hirn pulsierte. Er mußte sich was einfallen lassen, irgend etwas sagen.

»*Komm* schon, Bruce«, fuhr Wayne fort, »heute ist der glücklichste Tag deines Lebens. Ich bin ein gesuchter Mörder, ich hab hundert Leute umgelegt. Eine mehr oder weniger macht für mich keinen Unterschied, aber für dich ... hey, nie wieder mußt du dir die Stimme von der Braut anhören, mußt dir nie mehr diesen ausgemergelten Totenschädel ansehen. Du hast *gesagt*, am besten wäre sie tot, Bruce, das weißt du genau.«

Wayne hatte sich nicht von Farrah abgewandt. Noch immer ging sein Blick am Lauf der Waffe entlang, während er seine mörderische Rede hielt.

»Hör mir zu, Wayne.« Bruce sprach ganz langsam, jede Silbe ein Sieg der Vernunft über die Angst. »Ich habe gesagt, am besten wäre Farrah tot, weil ich mir etwas vorgestellt habe, das vielleicht oder vielleicht auch nicht wünschenswert wäre, in der Realität aber widerwärtig ist. Hast du zum Beispiel schon mal gesagt: ›Ich könnte ein ganzes Pferd essen?‹ Ich wette, du hast so was in der Art schon mal gesagt. Natürlich würdest du nicht *wirklich* ein Pferd essen wollen, aber ...«

»Bruce.« Jetzt sah Wayne von seiner Waffe auf.

»Ja?«

»Willst du mich für dumm verkaufen?«

»Nein, ich wollte nur ...«

»Du meinst, ich weiß nicht, daß es einen Unterschied zwischen einer Redensart wie ›Ich könnte ein Pferd essen‹ und einem Mann, der die Wahrheit sagt, gibt, auch wenn der ein feiger, unamerikanischer, lamborghinifahrender Schwuler ist, der sich nicht traut, es zuzugeben? Du haßt diese Schlampe. Wenn sie auf dem Weg hierher heute morgen mit dem Wagen umgekommen wäre, hättest du einen Freudentanz aufgeführt. Das weiß ich genau. Wenn das Schicksal diese fossile Haut-und-Knochen-Barbie aus deinem Leben gerissen hätte, wäre das voll in Ordnung gewesen. Tja, heute ist das Schicksal auf deiner Seite. Die Schlampe hat einen Psychokiller getroffen. Ist nicht deine Schuld, also wehr dich nicht. Sieh dir an, wie ich sie umlege und freu dich des Lebens.«

Wieder nahm er sie ins Visier. Farrah schrie und hielt sich die Augen zu.

Bruce trat vor Waynes Waffe. »Hör zu, ich wünsche mir nicht, daß sie tot wäre, okay? Es ist mir egal, was ich früher mal gesagt habe oder auch nicht gesagt habe, aber ich sage dir jetzt: Ich will nicht, daß sie stirbt, und ich hasse sie auch nicht! Wenn dir meine Meinung also irgendwas bedeutet, was du ja die ganze Zeit behauptest, dann bitte ich dich, flehe ich dich an, erschieß sie nicht. Laß sie einfach in Ruhe. *Bitte*!«

Wayne ließ seine Waffe sinken. »Okay. Okay, ich wollte dir nur einen Gefallen tun. Kein Grund, sich aufzuregen.«

In diesem Moment stürmte Brooke, die den Eindruck gemacht hatte, als hätte sie sich verausgabt, zur allgemeinen Überraschung durchs Zimmer und drückte Scout eine Pistole an die Schläfe.

Während sich alle Aufmerksamkeit auf die Diskussion konzentrierte, ob man Farrah töten sollte, hatte sich Brooke für einen Gegenangriff bereit gemacht. Sie langte tief in ihre Tasche, die noch immer neben ihrer zerknüllten Strumpfhose am Boden lag... neben dieser Strumpfhose, die sie so wunderschön in einem früheren und glücklicheren Leben ausgezogen hatte. In der Tasche befand sich die Pistole, mit der sie Bruce erschreckt und sich selbst zu Probeaufnahmen für seinen nächsten Film verholfen hatte.

Brookes Bewegung war dermaßen plötzlich und überraschend gekommen, daß Scout keine Zeit gehabt hatte, ihre eigene Waffe unter dem Kissen hervorzuholen, und nun war sie Brooke auf Gedeih und Verderb ausgeliefert. Das Gleichgewicht der Kräfte im Raum hatte sich urplötzlich verschoben.

»Laß sofort deine Waffe fallen, Wayne, du sadistischer Dreckskerl«, schrie Brooke, »sonst puste ich diesem kranken, kleinen Wurm das Hirn raus!«

Brooke bot einen furchteinflößenden Anblick, mit geronnenem Blut um ihren hübschen Mund, das verführerische Kleid schmuddelig und zerrissen, und ihre Brust hob und senkte sich vor Anspannung unter dem schmutzigen Satin. Sie hatte sich in kurzer Zeit ziemlich verändert, und wie Bruce bestätigen konnte, war sie von Anfang an nicht ohne Kampfgeist gewesen. Jetzt schien sie zu allem in der Lage.

Wayne jedenfalls nahm sie ganz sicher ernst. »Hör bloß auf, mein Baby mit der Waffe zu bedrohen.« Langsam nahm er seine eigene Waffe weg von Farrah und Bruce, um sie auf Brooke zu richten. Als Reaktion darauf drückte Brooke ihre Waffe fester an Scouts Kopf. Scout zuckte zusammen.

»Brooke, Mädchen«, sagte Wayne, »du weißt, wenn du Scout umbringst, habt ihr alle euren letzten Seufzer getan.«

»Vielleicht, Wayne, aber du liebst Scout, und ich liebe keine von den Figuren da. Außerdem wird es dir dein Baby nicht zurückbringen, wenn du uns erschießt, und ich brauche ihr nur eine einzige Kugel ins Hirn zu jagen … vorausgesetzt, ich schieß nicht voll daneben!«

Es war ein klassisches Duell. Ein vernünftiger Filmemacher hätte gut zwei Minuten mit jedem Aspekt der Szene zugebracht. Die angespannten Finger am Abzug, die schmalen, starren Augen. Brookes wogende Brust.

Wayne lächelte. »Weißt du, wenn so was im Film passiert – wenn zwei Leute ihre Waffen aufeinander richten und schwitzen und alles –, sag ich mir immer: Wo ist das Problem? Wieso hört nicht einer von beiden auf zu quatschen und drückt ab?«

Dann schoß Wayne auf Brooke.

Die Wucht des Einschlags warf sie wie eine Puppe rückwärts an die Hausbar, nur daß bei Puppen kein Blut zwischen den Rippen heraustritt.

»Ich meine, das müßte doch das Vernünftigste sein, oder?«

Brookes Gegenangriff hatte so schnell geendet, wie er überraschend begonnen hatte. Jetzt hatte sie sich endgültig verausgabt. Die Waffe war ihr aus der Hand gefallen, als sie gegen den Schrank prallte, und sie würde sie ganz sicher nicht mehr aufheben. Tatsächlich schien es wahrscheinlich, daß Brooke selbst sich nie mehr erheben würde.

Bruce fragte sich, ob er dabei war, den Verstand zu verlieren. Jetzt waren innerhalb von einer Stunde schon zwei Menschen in seinem Wohnzimmer erschossen worden.

»Wann hat das alles ein Ende, Wayne?« fragte er.

Im Augenblick war seine Trauer noch größer als seine Angst. Diese großartige Frau, die er gerade erst kennengelernt hatte, lag im Sterben. Immer wieder hatte sie gekämpft, weit besser als er selbst, und jetzt würde sie vor seinen Augen sterben, und ihr einziges Verbrechen war gewesen, mit dem falschen Mann eine Party zu verlassen.

»Es ist bald zu Ende, Bruce. Denn schließlich, weißt du, hab ich einen Plan.«

Wayne trat ans Fenster und spähte über das prachtvolle Grundstück vor Bruces Anwesen zur Pforte hinüber.

»Und da kommen sie.«

- 26 -

Die Detectives Jay und Crawford erlebten die Überraschung ihres Lebens.

Einige Augenblicke vorher, als Brooke gerade Wayne bedrohte, waren die beiden Beamten mit ihrem ungekennzeichneten Wagen in Bruces Auffahrt eingebogen. Das Haupttor stand offen, was sofort ihr Mißtrauen weckte, und langsam waren sie den langen Kiesweg hinaufgefahren.

»Heutzutage läßt niemand sein Tor offenstehen«, meinte Crawford unruhig.

Als sie um die letzte Kurve kamen und leise vor der mächtigen Front des Hauses hielten, wußten sie beide, daß Jays Ahnung richtig gewesen war und sie die Mall-Killer gefunden hatten. Drei Wagen drängten sich ungeordnet vor dem Haus. Bruces Lamborghini, Farrahs Lexus, auf dessen Nummerschild in Silber FARRAH stand, und ein großer, alter 57er Chevy.

Ganz vorsichtig legte Crawford den Rückwärtsgang ein und setzte zurück, um die Ecke, wo sie nicht zu sehen waren.

»Detective Jay an Zentrale«, flüsterte er in sein Funkgerät und gab sich alle Mühe, seine Aufregung zu unterdrücken. »Brauche dringend Verstärkung.«

Kaum hatte er diese Worte ausgesprochen, als die beiden hinter und über sich ein Rumpeln hörten, das fast augenblicklich zu einem Donnergrollen wurde. Sie drehten sich um und sahen durch die Heckscheibe.

»Heiliger Strohsack!« rief Crawford aus. »Das ging aber schnell.«

Ein Konvoi aus Lkws und Pkws drängte durch Bruces Tor. Auf manchen waren die Logos verschiedener Fernsehsender zu erkennen, andere trugen das Abzeichen der Gesetzeshüter von Los Angeles. Der Lärm von Hubschrauberrotoren stimmte in die Kakophonie mit ein, als zwei Helikopter auftauchten. Beide

Maschinen gehörten den Medien. Die Mühlen der Polizei würden sicher auch bald kommen.

Die beiden Detectives sahen es von ihrem Wagen aus, und Wayne sah vom Fenster aus, wie der Konvoi über die lange Auffahrt rumpelte und sich auf dramatische Weise über die makellosen Rasenflächen ausbreitete (die Sprinkleranlage zermalmte) und begann, Hunderte von Menschen auszuspucken. Nach kaum drei Minuten war die stille Abgeschiedenheit, derer sich Jay und Crawford eben noch erfreut hatten, nur noch eine unvorstellbare Erinnerung. Hinter jeder Mauer und jeder Hecke saßen ein Scharfschütze und ein Reporter oder eine Reporterin mit seiner oder ihrer Crew auf so gut wie jeder verfügbaren, freien Fläche. Es fehlten nur die gaffenden Trauerklöße, die gern winkend im Hintergrund stehen, wenn irgendwo was los ist und Nachrichten aufgezeichnet werden.

Im belagerten Haus gesellte sich Bruce unaufgefordert zu Wayne ans Fenster. Plötzlich, als er fast schon aufgegeben hatte, kam wieder Hoffnung auf. Sie waren nicht mehr allein.

»Sie haben dich gefunden«, sagte er, »wie zu erwarten war.«

»Mich gefunden, Bruce?« Wayne antwortete, ohne sich von der außergewöhnlichen Menge an Aktivitäten draußen abzuwenden. »Mich gefunden? Die haben mich nicht gefunden, Mann. Ich habe denen gesagt, wo ich bin. Ich habe ihnen gesagt, sie sollen sofort herkommen.«

Wayne wandte sich vom Fenster ab, nahm die Fernbedienung und begann, die Sender durchzuschalten.

Es war nicht schwierig, das zu finden, was er suchte. Im Grunde hatte er nur die Wahl zwischen morgendlichem Kinderzeichentrick und Bruces Haus. Auf etwa zwanzig Kanälen ...

Wayne schaltete die Nachrichtensendungen durch.

»... berüchtigte Massenmörder Wayne Hudson und seine schöne, junge Gespielin Scout ...«, hieß es im ersten Sender, dessen Reporter vor dem Hintergrund von Bruces erstklassigem Orangenhain stand.

»Die wissen nie meinen ganzen Namen«, bemerkte Scout mißmutig, obwohl sie im stillen hocherfreut war, daß ein echter Nachrichtenreporter eines Kabelfernsehsenders in Hollywood sie schön fand.

Wayne schaltete zu einem der landesweiten Sender, zur *Today Show* oder *Good Morning America*.

»...die Verbrecher scheinen sich in das Haus von Bruce Delamitri geflüchtet zu haben, dem berühmten Regisseur, dem Mann, dem man nachsagt, er habe sie zu ihrem brutalen, mörderischen Raubzug inspiriert...« Die makellos frisierte, junge Reporterin gab ihren Bericht von Bruces Pool aus ab.

»Daddy, das ist unser Pool!« rief Velvet erstaunt aus.

Bruce starrte den Bildschirm an. Er wußte kaum noch, was er denken sollte. Es gab so *viel* zu denken. Die Gefahr, in der sich seine Tochter befand... Brooke, die auf seinem Teppich verblutete... sein ermordeter Agent und der Wachmann... Waynes unerklärliches Verhalten, den Behörden seinen Aufenthaltsort zu verraten...

Doch trotz dieser Gedanken, die allesamt einige weitergehende Überlegungen hätten vertragen können, galt Bruces Aufmerksamkeit in diesem Moment ausschließlich seinem intellektuellen Zorn. »Die geben mir die Schuld. Herrgott noch mal! Diese oberflächlichen Schwachköpfe geben mir die Schuld!«

»Das will ich hoffen, Mann«, bemerkte Wayne und schaltete auf einen anderen Sender um.

»...Mr. Delamitri, der zuletzt gesehen wurde, als er die Feierlichkeiten zur Oscarverleihung in Begleitung des Nacktmodells Brooke Daniels verließ...« Zwei Fotos aus Brookes *Playboy*-Serie erschienen auf dem Bildschirm. Irgend jemand im Sender hatte exzellent und sehr zügig nach Bildern recherchiert.

Erstaunlicherweise und trotz des Umstands, daß Brookes ganzer Körper unter Schock stand und sie schon halbwegs im Delirium war, bekam sie doch noch immer mit, was da gesendet wurde. »Scheiße, ich bin Schauspielerin!« stöhnte sie von dort, wo sie lag.

»Sei still, Brooke, ich will mir hier was ansehen«, sagte Wayne und zappte auf einen anderen Kanal, wo ein weiterer Haarspraykopf erschien, diesmal vor Bruces Garagen stehend.

»... hinterlassen eine Spur von Plünderungen, Chaos und Tod, indem sie wahllos töten, ganz wie die fiktiven Antihelden in Bruce Delamitris oscargekröntem Film *Ordinary Americans*...«

»Sie geben mir die Schuld! Himmelherrgott, sie geben *mir* die Schuld...« Bruce staunte nicht schlecht. Diese Reporterin stand vor *seiner* Garage, buchstäblich nur Meter von dort entfernt, wo er selbst stand, berichtete live von *seinem* Haus aus, in dem bewaffnete Mörder ihn als Geisel festhielten, und sie gab *ihm* die Schuld. Gab ihm die Schuld für das Gemetzel, das – wie er den Leuten seit Monaten versicherte – *nichts mit ihm zu tun hatte*.

Wieder schaltete Wayne um.

»Homer, ich habe Barts Zeugnis gelesen«, sagte Marge. »Da steht, daß unser Junge intellektuell herausgefordert ist.«

»Wirklich?« sagte Homer und nahm einen Schluck Bier. »Intellektuell herausgefordert, hä? Klingt gut. Das hat er bestimmt von mir.«

»Es bedeutet, daß er blöd ist, Dad«, sagte Lisa.

»Friß meine Socken«, sagte Bart.

»Entschuldigt«, sagte Wayne und schaltete um.

»Laß an«, protestierte Scout. »Ich mag die *Simpsons*, und ich glaub, die Folge kenn ich noch nicht.«

»Später, Zuckerschnecke.«

Die nächste Reporterin sprach vom Bildschirm herab. »... und nun haben diese beiden ›Ordinary Americans‹ Zuflucht im Haus des Mannes gesucht, der ihr Kommen vorausgesehen hatte, der, wie mancher sogar glauben mag, sie erst erschaffen hat...«

Bruce schrie den Fernseher an: »Die Natur macht Menschen zu Mördern, nicht das Kino!«

Wayne stellte den Fernseher ab.

»Na, wenn du sowieso immer weiterreden willst, können wir die verdammte Glotze auch ausmachen. Ich kann sowieso nichts verstehen.«

Farrah meldete sich zu Wort. Sie hatte etwas Zeit gebraucht, bis sie sich von dem Schrecken, in Waynes Pistolenlauf zu starren, erholt hatte, doch jetzt erwachten ihre Lebensgeister. Draußen waren Hunderte von Polizisten. Vielleicht ging doch noch alles gut.

»Hören Sie«, sagte sie und steckte sich eine sehr lange, sehr dünne Zigarette mit rosafarbenem Papier und goldenem Filter an, »wenn die Bullen da sind, können Sie nicht fliehen...«

»Ich habe es Ihnen doch schon gesagt, Lady. Ich will nicht fliehen. Ich hab sie selbst angerufen, als ich unten war, um Sie zu holen.«

Für Bruce ergab das alles keinen Sinn. »Du hast die Bullen gerufen?«

»Na ja, nein, eigentlich habe ich NBC angerufen und denen gesagt, sie sollen alle Sender herholen. Die müssen wohl die Bullen angerufen haben. Egal. Scout und ich sind daran gewöhnt, die Bullen zu ignorieren.«

Inzwischen waren so viele Cops auf Bruces und Farrahs Anwesen, daß Wayne Buddha höchstpersönlich hätte sein müssen, wenn er sie ignorieren wollte. Es waren fast so viele Cops wie Journalisten da, und immer mehr von ihnen trafen ein. Die Detectives Jay und Crawford kamen an ihnen vorbei, als sie selbst schweren Herzens den Ort des Geschehens verließen.

»Für uns gibt es hier nichts mehr zu tun«, hatte Jay einräumen müssen.

Es war eine bittere Pille. Nachdem er ein brillantes Stück intuitiver Polizeiarbeit geleistet und zwei verzweifelte, flüchtige Schwerverbrecher aufgestöbert hatte, sah er sich jetzt gezwungen hinzunehmen, daß praktisch die gesamte Truppe nur Sekunden hinter ihm war. Die beiden hatten nichts mehr beizutragen, und während die Hubschrauber und Mannschaftswagen einen Einsatztrupp paramilitärischer, menschlicher Schlachtschiffe nach dem anderen ausspuckten, zogen sich die beiden Detectives so würdevoll wie möglich zurück.

In einem der Helikopter über ihnen saß der Chief Officer des LAPD, und der hatte es eilig. Chief Cornell war von der umwerfenden Nachricht geweckt worden, daß die Mall-Killer Bruce Delamitri und dessen Familie als Geiseln hielten. Augenblicklich hatte Chief Cornell beschlossen, die Operation persönlich in die Hand zu nehmen.

Er hatte keine Wahl. Er brauchte die Sendezeit.

Cornell war vor dreißig Jahren nicht zur Polizei gekommen, um sich in eine Showbiztucke zu verwandeln. Doch genau das war passiert. Er, der als Junge davon geträumt hatte, Finstermänner zu fangen, brachte jetzt die Hälfte seiner Zeit beim Lunch mit diesen Leuten zu. Im Grunde war er selbst einer von denen geworden. Sein Vorgehen wurde nicht mehr von dem Drang bestimmt, das Recht durchzusetzen, wie es in den Gesetzen stand. Es wurde von der Notwendigkeit bestimmt, die verschiedenen sozialen und politischen Konsequenzen seines Vorgehens abzuwägen. Er war kein Cop mehr, er war Politiker… und ein unehrlicher dazu. Wie alle städtischen Beamten, ob es ihnen gefiel oder nicht, da das ganze traurige, bröckelnde Gebäude auf Lügen und Halbwahrheiten errichtet war. Niemand konnte mehr irgendwas geradeheraus sagen, weil man nichts mehr geradeheraus sagen konnte. Jede Gruppierung, ob sie sich nun über Rasse, finanzielle oder geographische Lage, Geschlecht, Religion oder Vorlieben für Strickwaren definierte, hatte ihre eigene Wahrheit. Und diese Wahrheit stand in diametralem Gegensatz zur Wahrheit aller anderen. Darüber hinaus fühlte sich jede Gruppe von allen anderen bedroht. Die Stadt war außer Kontrolle geraten, und der Job des obersten

Polizisten, wie der eines jeden Politikers, bestand darin, die Leute zu bequatschen, daß dem nicht so wäre.

Dafür brauchte er Profil. Er brauchte Sendezeit.

Und die würde er heute bekommen. Der Hubschrauber landete, und gekonnt und entschlossen trat Cornell in das Sperrfeuer von klickenden Kameras. Er war ein General im Kriegsgebiet, und jenseits der Kameras konnte er sehen, wie seine Armee Stellung bezog. Es fühlte sich gut an. Ein Traum wurde wahr. Plötzlich, als er es kaum noch zu hoffen gewagt hatte (was heißen soll: drei Monate vor den Wahlen), durfte sich Cornell mit einer echten, hundertprozentig machomäßigen, schweineguten, affengeilen Geiselnahme beschäftigen. Ein echtes Stück hochprozentiger, hochqualifizierter, hochwillkommener Polizeiarbeit, das vor allem, vor über allem, himmelhoch und halleluja, kein Rassenproblem war! Ein Verbrechen ohne Rassenschranken! Im Wahljahr! Chief Cornell dankte seinen Sternen. Er dankte seinem Gott. Nur zu gern hätte er eingeräumt, daß er irgendwann in seiner Jugend oder Kindheit etwas Gutes getan haben mußte, weil für ihn alle Weihnachtsfeste (oder Feiertage, wie die Stadt sie inzwischen nannte) auf einmal gekommen waren. Zum ersten Mal seit langer Zeit hatte er es mit einem Verbrechen von stadtweiter, staatsweiter, nationaler und internationaler Bedeutung zu tun, in der die Rasse kein Thema war. Er hatte nicht zu träumen gewagt, daß ihm so was noch mal über den Weg laufen würde.

Chief Cornell selbst war schwarz. Er hatte in seinem Leben reichlich Rassismus erlebt, und er haßte ihn. Doch sein spezieller und momentaner Haß auf den Rassismus hatte nichts mit seiner Hautfarbe, sondern mit seinem Job zu tun. Er war der Top Cop dieser Stadt. Er war stolz darauf und wollte gute Arbeit leisten, aber Rassismus – welche Hautfarbe diesen auch immer absondern mochte – hatte das unmöglich gemacht. Ordentliche Polizeiarbeit war ihm nicht mehr möglich. Täglich stieß er auf Fälle, die glasklar zu sein schienen. Der Mann hat die Frau getötet, die Gang hat den Jungen erschlagen. Ganz einfach, so scheint es; doch dann stellt sich heraus, daß die Hauptdarsteller verschiedenen Rassen angehören, und plötzlich entpuppt sich der glasklare Fall als undurchdringliches Labyrinth, in dem das, was die Menschen tun, irrelevant ist. Entscheidend ist, wie die Geschworenen und schließlich die Öffentlichkeit dabei *empfinden*.

Doch nun, Ehre sei Gott in der Höhe, hatte er einen rassenfreien Fall. Opfer und Täter hatten dieselbe Hautfarbe. Man stelle sich vor, dachte Chief Cornell, wenn das da drinnen schwarze oder asiatische Punks wären, die weiße *Playboy*-Centerfolds erschießen und kleine, weiße Mädchen als Geisel nehmen. Absolut alles an diesem Fall wäre anders. Fast genauso schlimm wäre es, wenn der Regisseur oder das Model schwarz und die Punks weiß wären. In beiden Fällen wäre diese Sache ein Politikum, und es gäbe Demonstranten und Mahnwachen am Tor. Es wäre gar nicht auszudenken.

Doch der Chief hatte Glück. Das Schicksal hatte ihm den perfekten Fall geliefert, in dem er ein schönes Stück Polizeiarbeit leisten und sich dabei zusehen lassen konnte, und bei der Hölle, dem Hades, bei Ehre und Verdammnis, er würde das Beste daraus machen.

Unseligerweise für Chief Cornell war noch ein weiterer Häuptling am Tatort, und der war ebenso begeistert. Für Brad Murray, Chef der NBC-Nachrichtenabteilung, war die Belagerung der Delamitris die heißeste Nachricht, deren Zeuge zu sein er das große Glück hatte.

»Wenn das nicht wahr wäre«, sagte Murray zu seiner hinreißenden persönlichen Assistentin, als sie aus seinem eigenen Hubschrauber stiegen, »hätte ich nie gewagt, es zu erfinden.«

Aber es stimmte, und darüber hinaus schien der große Bösewicht das zentrale und vordringliche Prinzip aller Nachrichten zu verstehen: Das wichtigste Element jeder Tragödie ist das Fernsehen.

Die beiden Chiefs trafen sich in einem gepanzerten Kommandofahrzeug der Polizei: eine unüberwindliche Streitmacht und ein unbewegliches Objekt. Ihr Streit entzündete sich daran, wer in Bruce Delamitris Haus anrufen und die Verhandlungen mit den Tätern aufnehmen sollte. Verständlicherweise fand Chief Cornell, es sei Sache der Behörden. Chief Murray dagegen erinnerte Cornell daran, daß Wayne Hudson den Sender und nicht die Cops angerufen und ganz deutlich gesagt hatte, er wolle mit einem Top-Nachrichtenmann sprechen.

Ein Jahrzehnt früher hätte Cornell den NBC-Mann von zwei seiner Beamten aus dem Wagen werfen lassen, aber jetzt nicht mehr. Nicht, wenn Wahlen bevorstanden, nicht in einer Stadt, die am Rande des Abgrunds stand. Der Polizeichef wußte, daß er mit den Medien ebenso kooperieren mußte, wie auch sie es mit ihm taten, und so kam man zu einem Kompromiß. Nachdem man AT&T angewiesen hatte, sämtliche Anrufe im Haus der Delamitris zu blockieren (natürlich versuchte jeder Bekannte, den Bruce in L.A. hatte, ihn anzurufen), einigten sich die beiden Chiefs darauf, Wayne gemeinsam anzurufen, über eine Party Line.

Tatsächlich hätten sie sich den Streit darum sparen können, da sowieso nur Wayne redete.

»Okay, Klappe halten und zuhören«, bellte er ins Telefon, ohne sich überhaupt darum zu kümmern, wer angerufen hatte. »Hier ist Wayne Hudson, der Mall-Killer. Ich und mein Baby, wir haben hier alles im Griff, verstanden? Wir haben Bruce Delamitri, wir haben Brooke Daniels, die übrigens Schauspielerin ist – sagt das euren Reportern, hört ihr? Außerdem haben wir Bruces Frau und ihre Tochter Velvet, die ultrasüß ist und sich supergut im Fernsehen macht, egal, was ich mit ihr anstelle. Und jetzt gebt ihr mir sofort eine Nummer, über die ich euch anrufen kann, wenn ich meine Forderungen zusammen habe.«

Polizeichef Cornell gab ihm die Nummer; danach versuchte

er zu verhandeln. Schließlich war er für solche Situationen ausgebildet worden.

»Okay, Wayne«, sagte er. »Ich könnte mir vorstellen, daß Sie einen Deal aushandeln wollen.«

»Vor allem will ich, daß du die Klappe hältst, okay?« sagte Wayne. »Ich ruf euch an, wenn ich soweit bin, und wenn ich es tue, werde ich derjenige sein, der sagt, was was ist. Verstanden? Ihr wißt, wozu ich fähig bin. Ruft nicht mehr an. Vorerst wünsche ich euch einen schönen Tag.«

Der Polizeichef und der NBC-Chef legten ihren jeweiligen Hörer beiseite und sahen einander an.

»Schätze, wir werden warten müssen, Chief«, sagte der Cop. »Vielleicht wäre jetzt ein guter Zeitpunkt, etwas Make-up bei mir aufzulegen?«

»Sie sagen es, Chief«, sagte der Nachrichtenmann.

Im Haus hatte auch Wayne den Hörer aufgelegt.

»Was haben Sie damit gemeint, daß ich mich gut im Fernsehen mache?« fragte Velvet mit verständlicherweise zitternder Stimme. »Was haben Sie mit mir vor?«

»Ist schon okay, Baby«, sagte ihre Mutter, obwohl es das ganz sicher nicht war. »Wollen Sie uns als Geiseln nehmen?«

Wayne schenkte sich den nächsten Drink ein. Er fand, den hätte er sich verdient. Scout nippte noch immer an ihrem ersten *Crème de menthe*. Sie stand nicht so auf Alkohol.

»Wenn man es so nennen will, seid ihr Geiseln«, sagte Wayne. »Vor allem hab ich hier einen Plan.«

»Was für einen Plan?« Bruce war wütend. Er schrie Wayne an. »Wovon redest du da?«

»Na ja, ich meine einen Plan, mit dem ich verhindern will, daß man mich als Mörder hinrichtet, Bruce. Ein dringenderer Tagesordnungspunkt will mir für Leute in einer Situation, wie Scout und ich sie erleben, nicht einfallen.«

Brooke war noch bei Bewußtsein. Velvet war während ihrer extrem kurzen Kindheit bei den Pfadfinderinnen gewesen und verstand etwas von Erster Hilfe. Mit einer Selbstbeherrschung, die ihre Klassenkameraden und Lehrer überrascht hätte, gab sie ihr Bestes, um Brooke in die richtige Stellung zu bringen und ihre Wunde mit Kissen abzutupfen, so daß Brooke für den Augenblick zumindest dem Gespräch folgen konnte.

»Plan? Am Arsch«, sagte sie. »Ihr werdet sterben, ihr Schweine. Ihr habt keine Chance.«

»Nicht sprechen«, sagte Velvet. »Ihre Wunde ist echt groß, und körperliche Anstrengung verhindert, daß das Blut gerinnt.« Sie wandte sich zu Wayne um. »Sie braucht einen Arzt. Können wir nicht fragen, ob die uns einen Arzt schicken?«

»Vielleicht. Weiß ich noch nicht«, gab Wayne zurück.

»Aber sie wird sterben.«

»Miss Delamitri, ich dachte, Sie hätten inzwischen verstanden, daß es mir egal ist, ob jemand draufgeht.«

Bruce stand noch immer am Fenster. Nach wie vor strömten Pkws und Lkws von Medien und Polizei durch sein Tor. Sein Grundstück war acht Morgen groß und jetzt schon überfüllt. Unglaublich. In zwanzig Minuten war ein wahres Dorf entstanden. Satellitenschüsseln, Stative, tolle Frisuren, vierradgetriebene Autos, eine Million Meter Elektrokabel. Das Brummen der mobilen Generatoren war meilenweit zu hören.

Bruce gab sich alle Mühe zu begreifen, was mit ihm passierte.

Sein Wachmann war tot, Karl war tot. Brooke lag im Sterben. Er hatte einen Oscar bekommen, und die gesamte Mediengemeinde von L. A. lagerte gemeinsam mit der Hälfte aller Polizeitruppen draußen auf seinem Rasen. Darüber hinaus stand der Mann, der das alles zu verantworten hatte (abgesehen vom Oscar, obwohl es dem Fernsehen nach zu urteilen selbst da eine Verbindung gab), in Bruces Wohnzimmer, nippte schweigend an Bruces Bourbon und hielt alle im Raum mit einer Maschinenpistole in Schach. Wie hatte das alles soweit kommen können? Und in so kurzer Zeit?

Was war hier los?

»Wie sieht dein Plan aus, Wayne?« fragte Bruce. »Erzähl mir von deinem Plan.«

»Okay, Bruce, ich werd ihn dir erzählen. Wie du weißt, haben Scout und ich in vier Staaten Morde und andere Gewalttaten verübt. Wir können es nicht abstreiten, denn wir haben es getan, es ist wahr. Ich wünschte, ich könnte dir sagen, daß jeder Tote, den wir in ganz Amerika zurückgelassen haben, den Tod auch verdient hätte. Ich wünschte, ich könnte sagen, es wäre wie im Film, wenn Vergewaltiger, Rednecks, korrupte Bullen, Heuchler und Kinderschänder kriegen, was sie verdient haben. Aber so ist es einfach nicht.«

Scout fand, daß Wayne vielleicht etwas zu streng mit sich war. Wieso sollte die Beweislast bei ihnen liegen?

»Vielleicht waren sie das alles, Wayne«, sagte sie. »Wir haben keinen von denen lange genug gekannt, um es rausfinden zu können.«

»Wie auch immer, Süße. Was ich sagen will, ist, daß wir tief in der Scheiße stecken. Die wissen, wer wir sind, und sie werden uns kriegen. Wir sind auf hundert Videos zu erkennen. Und zu allem Überfluß konnte Scout nicht widerstehen, ihr Foto an die Zeitung in ihrem Heimatort zu schicken, was ich ihr verzeihe, obwohl es dumm war.«

»Alle haben mir gesagt, ich könnte mir nicht mal allein die Bluse zuknöpfen. Na, denen hab ich es aber gezeigt.«

»Ja, das hast du, Baby Doll. Denen hast du es echt gezeigt. Was ich hier also eigentlich sagen will, Bruce, ist, daß sie uns, egal was wir tun, jetzt ziemlich bald schnappen werden, und wenn sie es tun, stehen unsere Chancen, auf dem Stuhl zu braten, überdurchschnittlich gut.«

Daraufhin gluckste Brooke da unten auf ihrem Teppich. Ein Glucksen, das sich grob als »Je eher, desto besser« übersetzen ließ.

Wayne ignorierte sie. »Und da, Bruce, da kommst du ins Spiel.«

»Was meinst du damit? Was kann ich tun?«

»Wir brauchen dich, Bruce. Du wirst uns das Leben retten.«

»Du bist unser Retter«, fügte Scout hinzu. »Deswegen sind wir zu dir gekommen. Du kannst was dagegen tun.«

»Gib ihnen, was sie haben wollen, Bruce. Egal was ... aber gib es ihnen!« Das kam von Farrah, die erneut Hoffnung schöpfte. Wäre es möglich, daß sie sich aus dieser Sache freikaufen konnten? Und hatte Bruce eine Versicherung gegen Überfälle abgeschlossen?

»Ich weiß nicht, was sie wollen!« schrie Bruce sie an. Er fuhr zu Wayne herum. »Was *wollt* ihr? Sag es mir, ich geb es euch, was es auch ist.«

»Wir brauchen eine Ausrede, Bruce«, sagte Wayne.

»Was wir hier suchen, ist jemand, dem wir die Schuld geben können.«

- 27 -

Unten auf dem Rasen wiederholten die Nachrichtenleute immer und immer wieder die spärlichen Informationen, die sie über die Lage hatten: »... der Oscargewinner ... die Mall-Killer ... die schöne Frau, halb Model, halb Schauspielerin ... der süße Teenie ... die von ihm getrennt lebende Frau ...«

Ihre Berichte wurden immer wieder von den Aufnahmen des gestrigen Abends unterbrochen: Bruce auf dem roten Teppich ... Bruce, wie er auf brennenden Beinen stand und seinen Oscar entgegennahm ... Bruce, wie er mit Brooke auf dem Ball der Brüste tanzte.

Dann hieß es »zurück ins Studio«, wo die Moderatoren und Moderatorinnen das Ganze feierlich »für diejenigen, die eben erst zugeschaltet haben«, wiederholten: »... der Oscargewinner ... die Mall-Killer ... die schöne Frau, halb Model, halb Schauspielerin ... der süße Teenie ... die von ihm getrennt lebende Frau ...«

Danach gaben die Studioleute zurück zu den Reportern auf dem Grundstück. »Gehen wir noch mal zum Haus der Delamitris, um zu sehen, ob sich dort etwas Neues ergeben hat.«

»Bisher haben sich noch keine weiteren Entwicklungen ergeben«, erklärten die Reporter vor Ort. »Sagen kann ich Ihnen von hier aus nur ... der Oscargewinner ... die Mall-Killer ... die schöne Frau, halb Model, halb Schauspielerin ... der süße Teenie ... die von ihm getrennt lebende Frau ...«

»In diesem Fall«, sagten die Studioleute, »wenden wir uns nun unserer Diskussionsrunde von Kriminalpsychologen und Experten aus dem Showgeschäft zu.«

In Fernsehstudios überall in L. A. und im Grunde im ganzen Land wurden eilig »Experten« auf ihre Stühle verfrachtet, nachdem man sie hastig abgepudert, aufgeblasen und ausgezahlt hatte.

»Was genau geht Ihrer Ansicht nach da drinnen vor sich?« fragte der Moderator die Experten feierlich.

»Nun, es ist ein klassischer Fall!« riefen die Experten im Chor. »Zahlreiche Aspekte davon werden in meinem neuesten Buch besprochen, das selbstverständlich in jeder guten Buchhandlung erhältlich ist.«

- 28 -

Wayne und Bruce standen zusammen am Fenster und sahen auf die unter ihnen liegende Instantstadt. Hundert Gewehre waren auf Wayne gerichtet, aber solange die Polizei nicht sicher sein konnte, daß auch Scout getroffen wurde, würde es keinen Schießbefehl geben.

»Jemand, dem ihr die Schuld geben könnt?« fragte Bruce. »Was, zum Teufel, meinst du damit: Jemand, dem ihr die Schuld geben könnt? So was wie einen Zauberer, der erklären kann, daß die ganze Sache eine optische Täuschung war und eigentlich jemand anders diese Leute erschossen hat?«

Bruce täuschte Erstaunen vor, doch in seinem Hinterkopf dämmerte ihm ein furchtbarer Verdacht.

Am Boden, drüben bei der Hausbar, hustete Brooke. Vielleicht versuchte sie, etwas zu sagen, vielleicht hustete sie nur.

»Diese Frau braucht einen Arzt«, flehte Velvet. »Sie müssen ihr einen besorgen.«

Wayne richtete seine Waffe auf Velvet, war plötzlich wieder wütend. »Hör zu, ich hab diese Schlampe nicht gebeten, mein Baby zu bedrohen, okay? Sie hat sich diese üble Situation selbst ausgesucht, weil sie eine Waffe auf mein Mädchen gerichtet hat. Also halt endlich die Fresse, denn Bruce und ich, wir unterhalten uns hier gerade. Oder vielleicht sollte ich dich zum Schweigen bringen. Ja?«

Er trat einen Schritt auf das Mädchen zu und hob eine Faust. Velvet brach in Tränen aus.

»Wenn du ihr was tust«, sagte Bruce, »ich schwöre dir, egal was du von mir willst: Du wirst es nicht bekommen.«

»Scheiße, du wirst genau das tun, was ich dir sage, ob ich der Braut den Schädel einschlage oder nicht.« Waynes Stimmungsschwankungen waren wirklich höchst beunruhigend.

»Bitte tun Sie mir nichts«, schluchzte Velvet.

»Es gibt keinen Grund, kleine Mädchen zusammenzuschlagen, Wayne«, bemerkte Scout. »Das ist unter deiner Würde.«

»Sie ist kein kleines Mädchen, Zuckerschnecke. Die Kinder in Hollywood werden alt geboren. Die kleine Schlampe hier hat in ihren paar Jahren bestimmt schon mehr Geld ausgegeben, als deine Mama in fünfzehn Leben erarbeitet hätte. Sie hat es *verdient*, ein paar hinter die Ohren zu kriegen.«

»Ich hab es dir gesagt«, sagte Bruce. »Ihr kriegt kein Stück von mir, wenn du ihr was tust.«

Langsam ließ Wayne seine Faust sinken. »Du solltest wissen, Bruce, daß ich hier den Wünschen von meinem Baby Folge leiste, nicht deinen. Denn ich kann dir versichern, daß du tun wirst, was immer ich dir sage, ob ich mit deinem kleinen Mädchen nun irgendwas anstelle oder nicht.«

Bruce griff den Punkt auf. »Und was soll ich für dich tun?« Fast bettelte er. Er mußte das Schlimmste wissen, so groß seine Angst auch sein mochte. Angst, weil er es in Wahrheit schon erraten hatte.

»Ich will, daß du für uns aussagst. Ich will, daß du unser Fürsprecher wirst und uns vor dem elektrischen Stuhl rettest.«

»Für euch aussagen? Du bist verrückter, als ich dachte. Du glaubst wirklich, mein Wort könnte euch vor der Strafe bewahren, die euch zusteht? Du bist genauso schuldig wie Hitler.«

»Natürlich sind wir schuldig, wenn du damit meinst, daß wir das alles getan haben, was die sagen, aber das ist nicht der Punkt, oder? Heutzutage nicht mehr. Heute kann man, so schuldig man auch sein mag, trotzdem unschuldig sein.«

Sie konnten ihm nicht folgen. Alle starrten ihn an, bis auf Scout, die einen ihrer Füße in der Hand hielt und ihre Fußnägel untersuchte.

»Zum Beispiel«, erklärte Wayne, »diese Latinotussi, die ihrem Mann den Schniedel abgeschnitten hat, ja? Die war ganz sicher schuldig, das hat sie nie abgestritten. Sie hat dem alten Jungen seine Männlichkeit abgeschnitten und aus dem Auto geworfen. Sieht man die Schlampe im Gefängnis sitzen? Klopft sie Steine in der heißen Sonne? Nein, das glaube ich kaum, denn obwohl sie schuldig war, war sie auch unschuldig. In Amerika kann man beides sein.«

Scout sah von ihren Zehennägeln auf. »Das stimmt, sie hat es getan, aber sie war unschuldig, das finde ich auch. Der Scheißkerl hat sie geschlagen, und vergewaltigt hat er sie auch. Er hat gekriegt, was ihm zustand, und ich hoffe, sie hat ein rostiges Messer benutzt.«

Wayne zuckte zusammen. »Na ja, Scout, du weißt, daß wir beide in diesem Punkt unterschiedlicher Ansicht sind. Ich persönlich wüßte nicht, wie eine Frau von ihrem Mann vergewaltigt werden könnte, da er sich sowieso nur nimmt, was sein gutes Recht ist. Und außerdem finde ich, daß jede mexikanische Schlampe, die einem Ex-Marine der Vereinigten Staaten den Schwanz abschneidet, in einem dunklen Loch vermodern sollte.«

»Sie wurde mißbraucht.«

»Wenn man findet, daß ein Mann einen mißbraucht, Süße, dann verläßt man ihn. Man schneidet ihm nicht den Schwanz ab.«

»Die Richter haben ihr recht gegeben.«

»Die Richter waren ein Haufen Lesben und Schwule.«

Scout zog ein beleidigtes Gesicht und widmete sich wieder ihren Zehennägeln.

»Ja, na ja, wie auch immer«, sagte Wayne, »wir kommen hier vom Thema ab. Ich sage ja nur, ob zu Recht oder zu Unrecht: Die Schlampe wurde freigesprochen. Sie hat es getan, sie hat gesagt, daß sie es getan hat, sie war froh, daß sie es getan hat, aber sie wurde freigesprochen. Schuldig, aber unschuldig, wie du siehst. Im Land der Freiheit kann man beides sein, immer vorausgesetzt, daß du eine Ausrede hast.«

»Willst du behaupten«, Bruce gab sich Mühe, entschlossen und intelligent zu klingen, »es gäbe eine Ausrede für Massenmord?«

»Bruce, es gibt Ausreden für absolut alles in den USA! Was ist mit diesen Cops, die den Nigger zusammengeschlagen und damit diese Unruhen ausgelöst haben? Das war auf Video zu sehen! Haben die gesessen? Nein, Sir, das haben sie nicht. Erinnerst du dich an O. J.? Sie sagen, er hätte seine Frau ermordet. Da stellt sich raus, daß sie das falsche Opfer haben. Die tote Tussi war gar nicht das Opfer. Nie im Leben, O. J. war das Opfer. Er war das Opfer eines rassistischen Bullen, der zufälligerweise ebenfalls freigesprochen wurde. Keiner kriegt in diesem Land noch die Schuld für irgendwas, *nichts ist die Schuld von irgendwem*. Wieso, zum Henker, sollten wir also die Schuld für etwas übernehmen, was wir getan haben, hm?«

Vor seinem inneren Auge sah Bruce plötzlich wieder diese hübsche, aber dumme Gans, der er auf dem Ball der Brüste eine Predigt gehalten hatte. Wann war das gewesen? Gestern? Eher in einem früheren Leben. Wieder hörte Bruce, wie sich seine eigene Stimme über die Banalitäten und Heucheleien erhob, die er um sich herum zu hören glaubte: »Nichts ist die Schuld von irgendwem.«

Er hatte es selbst gesagt.

Konnte Wayne im Grunde recht haben? Konnte der Scheißkerl damit durchkommen?

»Wayne, sei vernünftig. Du hast so viele Menschen umgebracht... dafür kann es keine Entschuldigung geben.«

Wayne lächelte, nahm den Hörer ab und fing an zu wählen. »Bruce, du hast gerade den Oscar für die beste Regie bekommen. Es ist keine Schmeichelei, wenn ich sage, daß du im Augenblick der gefeiertste Filmemacher der Welt bist. Das ist nicht mehr, als du verdient hättest. Du hast hart gearbeitet und die Belohnung verdient... entschuldige.« Er wandte sich dem Telefon zu.

Am anderen Ende der Leitung griffen die Chiefs Cornell und Murray nach ihren Hörern und begannen gleichzeitig, sich zu melden.

»Klappe halten und zuhören!« brüllte ihnen Wayne aus dem Hörer entgegen. »Wir wollen eine Erklärung abgeben, hört ihr? Wir werden unsere Absichten erklären und es sagen, wie es ist, okay? Wir brauchen hier drinnen einen kleinen ENG-Trupp, sobald ihr so was zusammenkriegt.«

»Ja, ja, einen ›Electronic News-Gathering‹-Trupp, okay«, sagte der Chef von NBC froh darüber, daß er dem fragenden Blick auf dem Gesicht des Polizeichefs antworten konnte.

»Ich weiß, was ENG heißt, sonst würde ich so was wohl kaum anfordern!« brüllte Wayne in seinen Hörer.

»Ja, erklären wollte ich es nur dem...«

»Halt endlich die Klappe! Hier rede *ich*! Noch eine Unterbrechung und das war's, wir lassen unsere Waffen sprechen, okay? Also, dieser Trupp soll mit allen anderen Sendern vernetzt werden, verstanden? Kabelsender auch. Das wird hier keine Exklusivsache, alle kriegen die Geschichte. Eins noch. Der Tonassistent muß direkten Zugang zum Quotencomputer haben. Ich will wissen, wie groß ich als Fernsehstar bin, von Minute zu Minute. Wenn ihr das macht, gebe ich euch mein Wort als frei geborener Amerikaner, daß – egal, wen ich noch umnieten will – den Fernsehleuten nichts passiert. Ich garantiere, daß ihnen nichts passiert, denn schließlich seid ihr ja nur die Beobachter, und wir sind die Action.«

Mit diesen Worten legte Wayne den Hörer auf und wandte sich seinen Geiseln zu. »Jetzt warten wir«, sagte er. »Wie wär's, wenn wir uns alle einen Drink genehmigen?«

»Du scheinst eine Menge davon zu verstehen, wie Fernsehen funktioniert«, sagte Bruce, und einen irren Augenblick lang kam ihm der Gedanke in den Sinn, daß diese ganze Sache auf kranke Art und Weise irgendwie ein Streich war. Vielleicht waren Wayne und Scout gar nicht, was sie zu sein schienen, waren gar keine Massenmörder, sondern Journalisten oder Studenten oder so, die irgendwas beweisen wollten. War das alles eine Illusion? Brooke hatte ihn schon einmal reingelegt. Vielleicht war sie gar nicht verletzt. Vielleicht war die ganze Sache nur eine Falle ...?

Es war ein trauriger, hoffnungsloser Gedanke, und er dauerte nur etwa eine Viertelsekunde lang. Blut und Hirn seines Agenten klebten noch immer an dem gerahmten Plakat, auf dem Waynes Kugel sie verteilt hatte. Frisches Blut stieg in Brookes Mund auf und drohte, sie zu ersticken, bevor sie verblutete. Bruce konnte das zerfetzte und ausgefranste Fleisch riechen. Es war soviel kalte, grauenhafte Realität in diesem Raum, daß es einen wundern konnte, wieviel Platz noch für die Möbel blieb.

»Wieso ich was vom Fernsehen verstehe?« fragte Wayne. »Hey, Bruce, heutzutage weiß jeder alles. Besonders durchs Fernsehen. Überleg doch mal. Home-Video-Shows, offener Kanal ...

da tobt das wahre Leben. Keine Simulation, echte Filme. Wir sind alle Teil davon, Mann. Das ist die elektronische Demokratie. Es gibt kein ›ihr‹ und ›wir‹ mehr, weil ›wir‹ jeden Tag vor eurer Nase sitzen. In euren Spielshows auftreten. Auf Video eure Banken ausrauben. Unsere Sünden bei *Oprah* beichten und man sie uns auf dem Inspiration Channel vergibt. Die Menschen *sind* das Fernsehen, Mann, und du fragst mich, woher ich weiß, wie man es nutzt? Na, es gehört nicht viel dazu, das rauszufinden. Weißt du, für einen schlauen Burschen bist du ganz schön blöd. Entschuldige, ich muß mit den Bullen reden.«

Unten im gepanzerten Kommandofahrzeug der Polizei bebte Chief Cornell fast vor Aufregung. Wayne Hudson spielte ihm die Lösung direkt in die Hände.

»Beschaffen Sie mir die Ausrüstung, die er will«, bellte er Chief Murray an. »Dieser kleine ENG-Trupp wird sich aus bewaffneten Beamten der Special Forces zusammensetzen. Wir schicken ein Undercover-SWAT-Team. Zwei Sekunden, nachdem meine Leute da drinnen sind, haben sie diesen Irren unschädlich gemacht, genauso wie dieses beschissene Weibstück, mit dem er sich rumtreibt.« Der Polizeichef plusterte sich schon für die Pressekonferenz auf, die auf diese heldenhafte Operation folgen würde.

Wieder klingelte das Telefon. Beide Männer nahmen ab.

»Ich weiß, was ihr denkt, Jungs«, hörten sie Waynes Stimme sagen. »Ihr denkt daran, mir einen ganzen Sturmtrupp auf den Hals zu hetzen, nicht? Das könnt ihr vergessen. Der Trupp, den ihr mir schickt, sollte der kleinste Trupp sein, den es gibt. Ich rede hier von einem Kameramann und einem Tonassistenten. Das sind zwei Leute, okay? Zwei. Z-W-E-I. Außerdem will ich, daß sie barfuß reinkommen und nur ihre Unterwäsche tragen. Habt ihr gehört? Unterwäsche, mehr nicht, und damit meine ich nicht diese weiten, langen Dinger oder solche Pumphosen, wie alte Damen sie tragen. Ich meine die kleinsten, winzigsten, knappsten, nichtigsten Scheißdinger, die man anhaben kann, ohne sich schämen zu müssen. Ich werde jeden Quadratzentimeter dieser Leute checken, ebenso ihre Ausrüstung, und wenn ich auch nur *ahne*, daß da eine Waffe, eine Blendgranate oder auch nur ein beschissenes Taschenmesser im Umkreis von fünfzig Metern um die beiden Knalltüten ist, werde ich Scout stecken, daß sie jede einzelne Geisel, die wir hier haben, mit Kugeln durchsiebt, und ihr wißt, daß sie es tut, weil sie mich so liebt und alles macht, was ich ihr, Scheiße noch mal, sage. Was ich also sagen will: Wenn ihr euch mit mir anlegt, Bulle, werden vier weitere, unschuldige Leute echt bald ziemlich tot sein, und das ist dann deine Schuld, Mann, und jeder Fernsehsender in Amerika wird es sehen. Bis dann.«

Dann war die Leitung wieder tot.

Diesmal bebte der Nachrichtenmann vor Aufregung. Die Katastrophe war abgewendet. Polizeichef Cornell hatte mit seinem haarsträubenden Macho-Eifer kurz davor gestanden, etwas an sich zu reißen, was unübersehbar ein kathartisches Medienereignis war, um es in eine Polizeiangelegenheit zu verwandeln. Fast wäre verhindert worden, daß das Fernsehen seinen rechtmäßigen Platz im Mittelpunkt dieses Dramas einnahm und nicht nur darüber berichtete, sondern auch daran teilnahm. Dafür, das glaubte der Nachrichtenchef, waren die Nachrichten erfunden worden. Um Kameras und – wenn möglich – auch Personen tief in die Ereignisse einzubringen, sie zu prägen, sie zu formen, im Grunde die Nachricht selbst zu *sein*, während die alten Truppen der Staatsgewalt – die Cops, die Politiker, die bürgerlichen Führungskräfte – nur machtlos vom Spielfeldrand aus zusehen konnten.

Fast hatte er es verloren. Einen Moment lang hatte es so ausgesehen, als machte sich der Cop bereit, den ganzen Ruhm allein zu kassieren. Da der Bösewicht selbst jedoch einen gesunden Sinn für Verhältnismäßigkeit und die natürliche Hackordnung der Gesellschaft besaß, würden die Medien im Mittelpunkt des Interesses stehen, ganz wie es ihnen zustand.

- 29 -

Bruces Gedanken rasten nicht mehr. Sie rasten und zuckten, tanzten Jitterbug und Mashed Potato.

»Du holst ein Fernsehteam hier rein? In *mein Haus*?«

»Ganz genau, Bruce und du, ich und Scout hier, wir werden eine Erklärung abgeben.«

»Ich werde keine Erklärung mit dir abgeben, du verrückter Bastard. Du kannst dir deine Erklärung in den Arsch schieben!«

Bruce wußte kaum noch, was er redete. Farrah und Velvet stöhnten bei seiner Dreistigkeit auf, doch diesmal schien es Wayne nicht zu stören, daß man aufmüpfig gegen ihn war.

»Das ist gut, Bruce, schaff alles Lästerliche aus deinem System. Wir wollen im Fernsehen ja keine unflätigen Worte benutzen, oder? Es könnte sich auf die Einschaltquoten auswirken.«

Scout war absolut begeistert. »Sind wir dann wirklich im Fernsehen, Baby?«

»Ja, das sind wir, Zuckerbohne, genau wie Bruce hier, denn wenn er es nicht tut, muß sein süßes, kleines Mädchen dran glauben.«

»Was für eine Erklärung? Was, zum Henker, soll ich sagen?«

»Also, Bruce, ich werde es dir erklären. Du wirst vor den gesamten Vereinigten Staaten verkünden – und glaub mir, es werden die gesamten Vereinigten Staaten sein, denn du und wir zusammen kriegen mehr Aufmerksamkeit als Elvis, wenn er mit Prah knutschen und dabei Roseanne als Matratze benutzen würde –, du wirst vor den gesamten Vereinigten Staaten verkünden, daß Scout und ich nur deine Schuld sind.«

Wayne grinste, als wollte er sagen: »Toller Plan, was?« Bruce hatte gewußt, daß es so kommen würde, aber trotzdem war es ein Schock.

»Du wirst sagen, daß du, nachdem du uns kennengelernt und

mit uns persönlich, Auge in Auge, gesprochen hast, jetzt weißt, daß wir nur dummer, ungebildeter, armer White Trash sind und du mit deinen glanzvollen Hollywood-Filmen unsere schlichten Gemüter korrumpiert hast.« Er hob die Tasche auf, in der sich erst kürzlich noch der abgeschlagene Kopf befunden hatte, und zog ein Bündel blutverschmierter Zeitungen und Zeitschriften hervor. Aus einer davon zitierte er: »Du wirst sagen, du siehst ein, daß deine ›böse, zynische Ausnutzung und Manipulation der niedersten, niederträchtigsten Elemente der menschlichen Psyche uns dermaßen verstört hat...‹«

»Nein, das werde ich nicht tun!« Bruce erstickte fast an der Unverfrorenheit dieses Mannes.

Wayne schlenderte durch den Raum – dorthin, wo Velvet bei ihrer Mutter stand. »Mach den Mund auf, Darling.«

Wieder brach Velvet in Tränen aus. Ungerührt nahm Wayne seine Pistole und schob deren Lauf mit Gewalt zwischen Velvets zusammengepreßten Lippen hindurch, bis das Metall an ihre Zähne drückte.

»Ich wette, im Lauf der Jahre hast du eine Menge teurer Arbeiten an deinen Zähnen vornehmen lassen, was, mein Engel? Ich kann dir sagen, daß eine Kugel, die da durchgeht, höchstwahrscheinlich eine Menge Schaden anrichten dürfte.«

Nachdem er das gesagt hatte, zog Wayne seine Waffe wieder zwischen Velvets Lippen hervor, drehte sich zu Bruce um und wedelte mit der blutverschmierten Zeitschrift vor seiner Nase herum.

»Du, Bruce, wirst sagen, daß wir ›Produkte einer Gesellschaft sind, die der Gewalt huldigt‹. Du wirst sagen, daß wir Geschöpfe mit schwachem Willen sind, die ›durch Bilder und Sex und Gewalt verführt wurden‹, durch Bilder, die *du* erschaffen hast, Mann, und für die du gerade mit einem Oscar ausgezeichnet wurdest. Du wirst sagen, daß man dir die Augen geöffnet hat und du dich *schämst*. Warte, ich hab eine Idee, Mann – o ja! Du wirst deinen Oscar zurückgeben. Live und im Fernsehen gibst du ihn aus Respekt vor deinen Opfern zurück. Den Leuten, die *du* durch Scout und mich getötet hast.«

Bruce war kein herzloser Mensch. Er wußte, daß andere Leute Probleme hatten, die größer waren als seine eigenen. Er war sich darüber im klaren, daß zwei Leute bereits tot waren und eine Frau im Sterben lag. Dennoch konnte er in diesem Moment nur an das schreckliche Schicksal denken, das Wayne für ihn bereithielt. Eine solche Erklärung abzugeben, wie Wayne sie ihm vorschlug, und das vor der versammelten Nation, wäre das Erniedrigendste, was er sich vorstellen konnte. Karrieresuizid. Intellektuelle Schande. Der völlige Verlust aller Glaubwürdigkeit, derer er sich momentan erfreute. Das abrupte Ende seines Lebens als Künstler. Und alles wegen einer *Lüge*.

Verzweifelt suchte er nach einem Argument, mit dem er Wayne von seinem grausamen Vorhaben abbringen konnte. »Es wird nicht funktionieren, Wayne. Es kann nicht gehen. Was ich auch sage: Es wird die Gesetze nicht ändern. Du bist schuldig, und das Recht wird dich einholen.«

»Das ist Quatsch, Bruce, und du weißt es genau. Recht ist immer das, was die Leute wollen. Es ist nie zweimal dasselbe. Es ist eine Sache für einen Weißen, eine andere für einen Schwarzen, eine für den Reichen, eine andere für den Armen. Das Recht ist ein formbares Stück Knetgummi. Keiner weiß, welche Gestalt es als nächstes annimmt. Mann, wenn du deine Sendung hinter dir hast, sind Scout hier und ich keine Punkkiller mehr. Wir sind hundert verschiedene Sachen. Für einige sind wir Helden, für andere Opfer, wir sind Monster, wir sind Heilige

Wir sind das prägende Thema einer scheißnationalen Debatte. Einer Debatte, die aufs Herz unserer Gesellschaft zielt.«

Waynes Augen leuchteten vor Freude über seine Idee. Er nahm den sonoren, scharfen Tonfall eines typisch amerikanischen Nachrichtensprechers an: »Amerika wird sich selbst erkennen und sich die Fragen stellen: ›Wer sind wir? Wohin gehen wir? Haben Wayne und Scout allein gehandelt? Trägt Bruce

Delamitri die Schuld, oder tragen wir einen Teil dieser Schuld mit ihm?‹«

Scout liebte es, wenn Wayne so richtig in Fahrt war. Er hatte *echt* Klasse. »Prägendes Thema«, »Herz unserer Gesellschaft« – das waren Zehndollarsätze. Sie wußte nie, woher er das alles hatte. Genau wie sie hatte er die erstbeste Gelegenheit genutzt, von der Schule abzugehen, etwa drei Jahre bevor er es legal gedurft hätte. Seitdem hatte er wie alle anderen im Land nur herumgehangen und ferngesehen.

Was natürlich der Punkt war.

Wayne hatte sein Leben lang ferngesehen, und nicht alles davon waren Sitcoms und Wiederholungen von *Raumschiff Enterprise* gewesen. Jahrzehntelanges Surfen mit der Fernbedienung bedeutete Millionen Häppchen aus dem Discovery Channel, CNN, *Oprah* und *Sixty Minutes*, eine nie endende Fütterung mit »Informationen« und »eingehenden Analysen«. Mit ihrem unerschöpflichen Vorrat an Ärzten, Therapeuten, Psychologen und »Experten« aller Art haben Nachrichten und Talk-Shows ganze Nationen mit der Instantversion eines Vokabulars von Worten und Ideen bekannt gemacht, die man sich üblicherweise in jahrelangen Studien aneignet.

Ein intelligenter Mensch schnappt einen ganzen Haufen von ernsthaftem Schwachsinn und bombastischem Psychogelaber auf, wenn er sein ganzes Leben lang fernsieht. Und Wayne war, wie Bruce feststellen mußte, ein hochintelligenter Mensch.

Denn Bruce wußte, daß Wayne recht hatte. Recht, recht, RECHT. Ein Schurke konnte von einer Sekunde zur anderen zum Helden werden. Und, wie in Bruces Fall, konnte ein Held zum Schurken werden.

Er versuchte sich an einer Art Verteidigung. »O ja. Und was ist, wenn ich morgen ins Fernsehen gehe und alles widerrufe? Wenn ich der Welt erzähle, daß du mich gezwungen hast, die Verantwortung zu übernehmen?«

Scout fand, daß Bruce Waynes brillanten Plan nicht ausreichend zu würdigen wußte. »Bis dahin könntest du tot sein, Mr. Big Shot«, sagte sie. »Jeden Augenblick könntest du tot sein.«

Wayne lachte. »Gib's ihm, Baby. Aber ehrlich gesagt ist es egal, was du morgen sagst, Bruce … immer angenommen, daß du dann noch lebst. Morgen hat unsere kleine Geschichte hier ein Eigenleben angenommen. Jede Talk-Show, jede Zeitung wird die Frage stellen: ›Wer hat schuld?‹ Was auch immer du morgen sagst, kann den heutigen Tag nicht ungeschehen machen. *Das* ist das Image, Mann. Das ist der entscheidende Moment, an den sich alle erinnern werden – größer als das Rodney-King-Video, größer, als O. J.'s Verhaftung, größer als Kennedys Autokorso.«

»Hey, unterschätz dich nicht, Wayne«, sagte Bruce mit zusammengebissenen Zähnen.

»Komm schon, Mann! Besser wird es nicht. Der König von Hollywood, zwei Massenmörder, ein sterbendes *Playboy*-Centerfold, eine vertrocknete, alte Hexe von einer Ex-Frau, ein verwöhnter, kleiner, sexy Teenager … Blut, Waffen … alles dabei. Niemand wird das vergessen. Es wird auf ewig in ihre Erinnerung eingebrannt sein.«

Wayne ging zu Bruce hinüber und brachte sein Gesicht ganz nah an seines heran. »Und jedesmal, wenn dich jemand sieht, Bruce, werden sie sich vor allem anderen an dieses Bild erinnern. Sie werden sich an dich erinnern, wie du deine Arme um mich und Scout gelegt hast, an deine weinende Tochter, deine Freundin, blutend zu deinen Füßen. Und wie du sagst: ›Amerika, erwache! Wir säen Wind und ernten einen Wirbelsturm. Diese beiden umnachteten Sünder könnten aus jeder Familie kommen. Sie sind meine Familie. Mein Sohn und meine Tochter. Ich habe sie gezeugt. Sie wurden von meinen Sünden heimgesucht …‹

Wie wär's jetzt mit diesem Drink?«

- 30 -

Oliver und Dale hatten gerade die heutige Ausgabe von *Coffee-Time* vorbereitet, als der Anruf kam.

»Ich brauche profilierte Persönlichkeiten im Zentrum des Geschehens«, hatte der Nachrichtenchef von NBC gefordert, »die nicht aus dem Studio, sondern direkt aus dem Innenleben der Story heraus berichten. Die Nation braucht einen Freund in diesem Haus.«

Murray hatte die Schlacht, welcher Sender den Trupp für Waynes Sendung stellen sollte, bereits gewonnen. »Wir sind das Unternehmen, zu dem Verbindung aufgenommen wurde, und deshalb sollten wir Priorität genießen«, hatte er den anderen Fernsehanstalten gegenüber großspurig verkündet und hinzugefügt: »Außerdem werde ich euch – falls ihr es uns nicht machen laßt – nicht erzählen, wie die Forderungen lauten, so daß die Leute, die ihr reinschickt, wahrscheinlich alles falsch machen und dabei umkommen.«

Nachdem er seine Wichtigkeit ausführlich genossen hatte, mußte Murray nur noch Oliver und Dale überreden, in deren Bekanntheitsgrad der Sender soviel investiert hatte, daß sie diesen im Herzen des Dramas vertraten. Er hatte nicht viel Zeit. Wayne hatte gefordert, daß sie nur einen Kameramann und einen Tonassistenten schicken sollten, von Moderatoren war keine Rede gewesen. Dale und Oliver würden die Arbeit der Techniker erledigen müssen. Man würde ihnen erklären, wie die Ausrüstung bedient wurde, und die Zeit lief.

Natürlich war es eine große Herausforderung für die beiden gepuderten, haarsprayverklebten Köpfe, diesen Job anzunehmen... Es war eine verlockende Aussicht, in einem Augenblick von einer Berühmtheit, die vom Teleprompter ablas oder Prominente interviewte, zum Nachrichtenhelden des Jahrzehnts aufzusteigen.

Andererseits *waren* die Leute in diesem Haus Massenmörder.

»Sind Sie sicher, daß er freies Geleit zugesichert hat?« fragte Oliver. »Ich mache mir nur Sorgen um Dale, das müssen Sie verstehen.«

»Absolut freies Geleit«, versicherte ihm sein Chef, »und ich vertraue ihm. Warum sollte er euch was tun? Er braucht euch. Der Typ baut auf die Medien. Mit unserer Hilfe wird er ein Star, ein Superstar. Ohne uns ist er nur ein Niemand, der auf dem Stuhl landet. Er braucht uns ebensosehr wie wir ihn.«

Dale und Oliver warfen einander nervöse Blicke zu. Beiden war der Gedanke gekommen, daß jemand, der Berühmtheit erlangen wollte, eine ganze Kelle davon kriegen würde, wenn er das *Coffee Time*-Team vor laufenden Kameras ermordete. Andererseits: Welch eine Gelegenheit! Sie wären furchtlose Wahrheitssucher, Kriegskorrespondeten, die alles riskierten, um die größte Geschichte des Jahrzehnts in die Wohnzimmer der Nation zu tragen.

Ihr Boß machte sich seinen Vorteil zunutze. »Ich sage euch, er hat uns eine eindeutige Versicherung gegeben.« Er sprach mit leiser Stimme. »Aber hört zu: Wir müssen der Welt ja nicht erzählen, daß ihr diese Garantie habt. Wir können die Welt glauben lassen, daß ihr ohne Garantie für eure Sicherheit da reingegangen seid, weil euch das Recht der Menschen auf Information über alles geht.«

»Wow«, sagte Dale.

»›Wow‹ ist das richtige Wort. Wahrscheinlich verleihen sie euch die Tapferkeitsmedaille«, fügte der Chief hinzu.

»Und natürlich ist es wirklich unsere Pflicht der Öffentlichkeit gegenüber«, sagte Oliver, dem sein selbsternannter Status als einer der führenden Moralapostel der Nation stets bewußt war.

»Dann wäre das soweit geklärt«, sagte der Chief. »Die Ausrüstung ist ziemlich simpel. Ich schick einen von den Jungs, damit er sie mit euch durchgeht, und danach müßt ihr nur noch eure Sachen ausziehen, und die Sache läuft.«

Fast kam er damit durch. Einen Moment lang dachte er es.

Er irrte.

»Unsere *Sachen* ausziehen?« Entgeistert starrte Dale ihn an.

»Ja, ja, ja. Das ist doch kein Problem«, sagte Murray und versuchte, sie anzutreiben.

»Sie meinen sicher, *andere* Sachen anziehen«, sagte Oliver. »Sie meinen bestimmt, wir sollen Kampfanzüge tragen.«

Wie allen Nachrichtenleuten gefiel auch Oliver die Vorstellung, eine kugelsichere Weste zu tragen und wie ein Soldat auszusehen.

Doch der Nachrichtenchef meinte keineswegs, daß sie andere Sachen anziehen sollten. »Ich meine, daß ihr eure Sachen ausziehen müßt. Der Typ macht sich Sorgen um versteckte Waffen. Ist das eine große Sache?«

»Ähm«, sagte Oliver und räusperte sich angespannt. »Ich denke, es ist eine Frage der Präsentation.«

Dale und Oliver sahen gut aus und waren stolz darauf. Ihr Image war der Klassiker des Moderatorenteams, der Standard, an dem alle andere Moderatorenteams sich messen mußten: er weißhaarig, würdig und Ende Fünfzig, sie süß, lebhaft und Mitte Dreißig. Im Studio, mit Make-up, Haarspray und Designerklamotten sahen sie einfach großartig aus. Der amerikanische Traum hinterm Schreibtisch, wie ein Botschafter und seine hinreißende, zweite Frau.

Leider war die Geschichte dahinter eine ganz andere. Was vollkommen normal ist.

Sie zum Beispiel trug ein Korsett. Sie stand mitten in einem Programm zur Zellulitisreduktion. Er hatte zwei dicke, unansehliche Leistenbruchnarben. Sie hatte eine irrwitzige Tätowierung am Oberschenkel, die überdies bei verpfuschten Versuchen, sie entfernen zu lassen, verschmiert worden war.

Plötzlich fiel ihm ein, daß sein Hausmädchen krank war und er seine letzte, ausgeleierte Unterhose schon den zweiten Tag anhatte. Plötzlich kam ihr in den Sinn, daß sie ein Après-Show-

Stelldichein mit ihrem neuen Liebhaber, dem zweiten stellvertretenden Stellvertreter des Aufnahmeleiters, geplant hatte. Deshalb war sie mit einem spitzenbesetzten, roten Unterhöschen zur Arbeit gekommen, in dem sich unten eine herzförmige Aussparung befand.

»Hey, verdammt, wir können euch neue Unterwäsche besorgen«, sagte Murray. »Wir können eure Makel überschminken.«

»Das glaube ich kaum«, sagte die leitende Make-up-Stylistin, die sich im Hintergrund hielt. »Oliver und Dale tragen eine Menge Grundierungscreme im Gesicht. Wollte man die entsprechende Menge auf ihrem Körper verteilen, glaube ich nicht, daß sie noch laufen könnten.«

»Ich denke wirklich, Chef«, sagte Oliver, »daß der richtige Platz für das führende Moderatorenteam der Nation in einer solchen Krise das Studio ist, um die Operation sozusagen aus der Schaltzentrale heraus zu kontrollieren. Schließlich ziehen Generäle auch nicht in die Schlacht, oder?«

»Ich mach es, aber nur mit einem Body Double«, sagte Dale, die das nicht wirklich zu Ende gedacht hatte.

Und so verpaßten Oliver und Dale ihre Chance auf Medienunsterblichkeit, aber – was noch viel wichtiger war – sie behielten ihre Unansehnlichkeiten für sich. Einigermaßen erleichtert kehrten die beiden ins Studio zurück, wo ihre wunderbaren Rechercheure bereits ein Interview mit Dove für sie eingeplant hatten, der Schauspielerin, die nach ihrem Gespräch mit Bruce auf dem Ball der Brüste den Tränen nahe gewesen war.

Tatsächlich hätte Polizeichef Cornell, der sich auf den Schlips getreten fühlte, weil die Nachrichtenleute seine Autorität untergruben, ohnehin nicht zugelassen, daß Oliver und Dale den Job übernahmen. »Wir müssen ein erfahrenes Reporterteam einsetzen«, beharrte er, »vorzugsweise mit Kampferfahrung. Wenn wir jemanden reinschicken, der es vermasselt, könnte dieser Typ da drinnen ausrasten. Ich will die besten beiden Journalisten-Techniker, die Sie haben.«

Und so wurde nach einem erfahrenen Kameramann samt Tonassistenten gefahndet, die starke Nerven und annehmbare Körper hatten und sich keine Gedanken über den Zustand ihrer Unterwäsche machten.

- 31 -

Die Vorbereitungen waren abgeschlossen, und Wayne ging nach unten, um den Kameratrupp in Empfang zu nehmen.

Inzwischen marschierte Bruce im Wohnzimmer auf und ab und versuchte verzweifelt, sich einen Ausweg einfallen zu lassen.

Scout war stolz darauf, wie tief Waynes Plan ihn berührt hatte. »Ist Wayne nicht clever, hm?« sagte sie.

»Ich kann es nicht tun«, gab Bruce zurück. »Ich kann es einfach nicht.«

Velvet war bei Brooke und gab sich alle Mühe, ihre Wunde mit zerrissenen Kissenhüllen neu zu verbinden. Sie sah zu ihrem Vater auf. »Daddy, du mußt. Diese Frau braucht einen Arzt, und du hast doch gehört, was er mit mir machen will. Er hat gesagt, er schießt mir in den Mund.«

Velvet kämpfte mit den Tränen, zeigte aber dennoch eine Charakterstärke, derer sich ihre Eltern nie bewußt gewesen waren. Beim jahrelangen Herumwandern durch Einkaufszentren mit zuviel Geld in der Tasche hatte sie nie zeigen können, wozu sie in der Lage war.

»Ja, gut, Velvet. Es tut mir leid. Ich werde es nicht zulassen. Aber ich muß nachdenken. Für mich ist das eine furchtbare Sache. Für uns. Weißt du, Wayne hat recht. Wenn ich es erst getan habe, wird das Leben, wie ich es kenne, für mich vorbei sein, egal was ich dann tue, egal was ich dann noch erreiche: Man wird sich ausschließlich deswegen an mich erinnern.«

Brooke, die aussah, als läge sie in den letzten Zügen, versuchte dagegen zu protestieren. Obwohl es nur als Gurgeln herauskam, war klar, was sie meinte: Sie fand, ihre Probleme sollten ganz oben auf der Tagesordnung stehen.

Bruce konnte dem einfach nicht zustimmen. »Brooke, ich weiß, daß du schwerverletzt bist, und glaub mir, wenn ich irgendwas tun kann, dann werde ich es tun, aber im Moment bin ich machtlos. Und ich habe selbst ein Problem. In zehn Minuten wird die ganze Welt hören, wie ich einen Massenmord gestehe.«

»Aber du wirst doch dazu gezwungen. Du kannst es später widerrufen«, sagte Farrah. Langsam dämmerte ihr, wie tiefgreifend sich Bruces Niederlage auf ihr eigenes Geschick auswirken würde.

»Aber sicher, Farrah. Eine Eingabe zu meiner Entlastung… die rückwirkende Behauptung, ein mitleiderregendes Opfer zu sein – manipuliert und überrumpelt von einem Stück Scheiße aus dem schäbigsten Wohnwagen im Mittleren Westen.«

»Achte lieber darauf, was du sagst.« Scout hörte es nicht gern, wenn man auf diese Weise von Wayne sprach.

Bruce hatte zu große Angst, als daß er darauf Rücksicht nehmen konnte. »Was? Du willst, daß ich den Kerl *mag*, Scout? Dein Freund ist ein sadistischer Irrer, ein herzloser Psychopath.«

»Du kennst seine netten Seiten nicht.«

Da konnte Bruce nur lachen.

Jetzt hatte Farrah etwas zu sagen. Sie ging zu dem Sofa hinüber, auf dem Scout saß, und setzte sich neben sie. Argwöhnisch hielt Scout ihre Waffe auf sie gerichtet.

»Falls du dich mit ihr anfreunden willst«, sagte Bruce, »kannst du dir die Mühe sparen. Brooke hat es versucht und eine dicke Lippe kassiert.«

Aber Farrah wollte etwas anderes. Sie hatte angestrengt nachgedacht, seit sie Waynes Plan kannte, und jetzt wollte sie ihn um einen Gefallen bitten. »Hören Sie… Miss… ähm, Scout. Da wir gerade von netten Seiten sprechen… ich wäre so froh, wenn Sie etwas für uns tun könnten. Einen Gefallen.«

»Was für einen Gefallen?«

»Wäre es wohl in Ordnung, wenn mein Mann das Telefon benutzt?«

»Das Telefon? Wen will er anrufen? Die ganze Welt steht da draußen auf seinem Rasen.«

»Was hast du vor, Farrah?« sagte Bruce. »Wen soll ich anrufen?«

Farrah mußte den Versuch wagen. Sie wußte, daß es nicht gut klingen würde, aber sie hatte keine Wahl. Alles, was sie hatte, lief Gefahr, sich mit dem Morgentau zu verflüchtigen. Farrah war eine Frau, die wußte, wie es war, nichts zu haben, und ihrer Ansicht nach war das einfach beschissen.

»Bruce, überleg doch mal. Diese Sache wird dich nicht nur als Künstler vernichten. Es wird dich außerdem auch finanziell völlig ruinieren. Wenn du erst die Verantwortung für die Anstiftung zum Mord übernommen hast, werden dich die Familien sämtlicher Gewaltopfer in Amerika verklagen – nicht nur die Familien der Opfer von Wayne und Scout, sondern alle, auf deren Leben die Gewalt Einfluß genommen hat. Wir werden bis in alle Ewigkeit Prozesse führen. Noch Velvets Enkel werden dafür bezahlen. Verstehst du? Über Nacht bankrott. Wir müssen unseren ganzen Besitz auf meinen Namen überschreiben, sofort, bevor du die Sendung machst... Wenn Miss Scout dich also ein kleines Fax an deine Bank schicken lassen würde.«

Es war eine eindrucksvolle Vorstellung. Alle waren überrascht.

»Mom!« protestierte Velvet. »Das ist *so* schäbig.«

»Mein Fräulein, ich sichere hier gerade deine Zukunft.«

Scout lachte. »Sie sind mir ja eine«, sagte sie.

»*Ich* bin eine? Ich breche nicht in fremde Häuser ein und ermorde Leute. Ich bin bloß nicht besonders scharf darauf, daß irgendeine Kellnerin aus Milwaukee, deren Mann in einer Bar niedergestochen wurde, das Geld meiner Tochter in die Finger kriegt, das ist alles.«

»Also, hier telefoniert niemand mit irgendwem, und hier schickt auch keiner Faxe, also solltet ihr vielleicht langsam mal damit anfangen, euch auszumalen, wie es ist, arm zu sein. Schluß aus!«

Einen Moment lang war es ganz still im Raum.

»Außerdem«, fügte Scout gereizt hinzu. »Vielleicht hat diese Kellnerin aus Milwaukee ja recht. Vielleicht hätte der große Bruce ›Mr. Oscar‹ Delamitri diese Filme und das alles lieber nicht machen sollen. Vielleicht ist das, was du da für Wayne sagen sollst, gar nicht so blöd.«

Inzwischen war Bruce wütend, so wütend, daß er sich über seine Angst hinwegsetzte. »Ich glaub es nicht! Du versuchst allen Ernstes, dich selbst davon zu überzeugen, daß du keine Schuld hast, nicht? Das ist kein Trick, du willst es wirklich ernsthaft glauben. Du willst tatsächlich der Verantwortung für das, was ihr getan habt, entgehen. Du feige, kleine Ratte!«

»Daddy, sei still«, flehte Velvet. »Sie erschießt uns!«

Scout fummelte an ihrer automatischen Waffe herum. »Ich erschieße überhaupt niemanden, Engelchen, es sei denn, er tut nicht, was wir sagen. Ich meine doch nur...«

»*Ihr* seid diejenigen, die diese Verbrechen begangen haben«, brüllte Bruce. »Ihr habt abgedrückt, niemand sonst.«

»Das weiß ich, Mr. Delamitri. Das gebe ich zu. Die Verbrechen haben wir begangen, ich gebe zu, daß wir schuld haben.«

»Na, das ist ja wirklich großherzig von dir, muß ich schon sagen.«

»Daddy, bitte, sei nett«, bettelte Velvet.

»Es ist nur, na ja...«, fuhr Scout fort. »Ich kann mir nicht vorstellen, wie es helfen soll, wenn alles immer so häßlich ist. Mehr nicht.« Fast wehmütig hörte sie sich an.

»Was soll denn das bedeuten?«

»Na, Songs und Filme und so. Alles, mit dem man früher Armut und Angst entfliehen konnte. Inzwischen wird einem das alles ständig unter die Nase gerieben. Ich meine, Ihre Filme sind, wie heißt das Wort? ... wenn jemand darauf abfährt, sich Sachen anzusehen, die ihn nichts angehen ...«

»Voyeuristisch«, warf Velvet hilfreich ein, in der Hoffnung, die Aggression ihres Vaters zu lindern.

»Stimmt genau. Sie sind voyeuristisch. Ich meine, Sie wohnen in einem großen, alten Haus in Hollywood mit Pool und Wachmann und allem ...«

»Bis dein Freund ihn enthauptet hat«, sagte Bruce erbittert. »Jetzt habe ich einen kopflosen Wachmann.«

»Ich *sage* doch: Ich weiß, daß wir das alles getan haben und schuldig sind.« Auch Scout wurde jetzt wütend. »Ich sage nur: Sie haben hier den ganzen Luxus wie ein König oder Präsident oder so was, und Sie können sich das leisten, weil Sie Filme über gewöhnliche, traurige dumme Leute machen, Leute, die in Gettos und Wohnwagenparks leben, und Sie sorgen dafür, daß sie häßlich und krank und gewalttätig aussehen ...«

»Ihr *seid* häßlich und krank und gewalttätig!«

»Ja, das bin ich wohl, und ich verdiene, was ich bekomme. Es kommt mir nur so vor, als würde die Hälfte der Menschen in Amerika in der Hölle leben und sich die andere Hälfte einen darauf runterholen, wenn sie es sieht.«

Scout wollte nicht mehr weiter darüber reden und machte den Fernseher an. Bruces Haus war noch immer im Bild, und davor sah man, wie – ziemlich nervös – zwei Leute in Unterwäsche heranschlichen.

- 32 -

Vorsichtig machte Wayne die Haustür auf und ließ die beiden halbnackten Fernsehleute ins Haus.

»Ich kann mich für die unwürdigen Arbeitsbedingungen nur entschuldigen«, sagte er betroffen, als er feststellte, daß es sich bei dem Tonassistenten um eine Frau handelte, und sich fragte, wie Scout das wohl aufnehmen würde. »Aber sicher werden Sie meine Situtation hier verstehen.«

Vom anderen Ende des Rasens aus, hinter der Wagenburg aus Panzerfahrzeugen, die die Polizei errichtet hatte, beobachteten die Truppen der Staatsgewalt die Szenerie.

»Tja, da kriegt der nächste Massenmörder seine ruhmreiche Viertelstunde«, warf Chief Cornell in die Runde. Der Chief hatte sein allerbestes Belagerungsteam bei sich, seinen Top-Unterhändler, seinen Commander der Eingreiftruppe und seinen Presse- und Medienmenschen.

»Und wenn er vielleicht irgendwann ein Ei legen muß, können wir jemanden reinschicken, der ihm den Arsch abwischt«, sagte der SWAT-Chef wütend, weil kein direktes Eingreifen möglich war. »Meine Special Forces stehen bereit, Sir. Lassen Sie meine Leute diesen Kerl schnappen. Wir könnten in fünfundvierzig Sekunden drinnen und wieder draußen sein.«

Der Pressemann war absolut dagegen. »Das Risiko ist zu groß, Sir«, sagte er. »Alle Geiseln sind im selben Raum, und beide Zielobjekte sind schwerbewaffnet. Wenn die SWAT-Leute da reingehen, könnte es ein echtes Blutbad geben, und ich muß Sie sicher nicht daran erinnern, daß es vor sämtlichen Fernsehkameras in Hollywood geschehen würde.«

»Ja, und angenommen, wir würden es schaffen?« erwiderte der SWAT-Mann. »Verpassen den Schweinen eine Blendgranate und führen sie in Ketten aus dem Haus? Wie wäre das vor laufenden Kameras, hm?«

Es war eine verlockende Aussicht. Es gibt kaum etwas Ruhmreicheres als eine erfolgreiche Belagerung, bei der die Geiseln gerettet werden, besonders wenn sich unter diesen Geiseln rein zufällig minderjährige Teenager befinden.

»Nie und nimmer wird Wayne Hudson zulassen, daß Sie ihn bei lebendigem Leib da rausholen«, erklärte der Pressemann.

»Dann eben tot. Noch besser. Hauptsache, wir retten die Geiseln.«

»Eben.«

Am Ende faßte Cornell den Entschluß, daß – zumindest für den Augenblick – Umsicht angeraten war. »Ich denke, wir müssen sehen, ob dieses Mediending funktioniert. Wer weiß, vielleicht wirft er das Handtuch, wenn er gesagt hat, was er sagen wollte.«

Angewidert wandte sich der SWAT-Chef ab. Chief Cornell konnte es ihm nicht verdenken. Die Entscheidung bereitete ihm selbst Magengrimmen. Schon vor dem Unabomber hatten Verbrecher eine besorgniserregende Vorliebe dafür gezeigt, sich auf erpresserische Weise einen Weg in die Medien zu bahnen. Im Grunde seines Herzens will jeder ins Fernsehen. Man muß nur einen Blick auf irgendeine Spielshow werfen, wenn man sehen will, wie weit die Leute gehen, um dieses Ziel zu erreichen. Wieso sollten Verbrecher anders sein? Mehr und mehr hatte Chief Cornell den Eindruck, als würden er und seine Leute zu Statisten in einer Folge von Privatfilmen irgendwelcher Geisteskranker.

»Es kommt noch so weit, daß wir uns selbst zu Agenten machen und unsere zehn Prozent fordern«, stieß er erbittert hervor.

Natürlich war die Polizei zum Teil selbst schuld, und das wußte Cornell. Die Polizei selbst versorgt das Fernsehen mit Archivmaterial. Die Polizei selbst gibt eine Pressekonferenz nach der anderen und tritt in Fahndungssendungen auf, wenn sie Zeugen sucht. Chief Cornell wußte, daß er selbst zahlreiche, spektakuläre Operationen inszeniert hatte, die Kameras und die Öffentlichkeit dabei immer im Hinterkopf. Wenn die Polizisten Stars sein wollten, wieso nicht auch die Verbrecher?

Chief Cornell seufzte. »Hauptsache, der Scheißkerl kriegt keinen Koller und läßt uns hier den ganzen Tag sitzen, während er in seiner Festung hockt und schmollt.«

- 33 -

Drinnen im Haus kam Wayne mit der kleinen ENG-Crew ins Wohnzimmer zurück.

Scout saß nach wie vor vorm Fernseher. »Schschsch«, sagte sie.

»Ein Kameramann und eine Tonassistentin befinden sich jetzt im Inneren der umstellten Villa«, erklärte die Studiomoderatorin, »so daß wir also schon bald Bilder von dort bekommen sollten. Die Tonassistentin trägt eine Zweihundertmeter-Kabeltrommel, um die Verbindung zum Übertragungswagen zu halten, der auf dem Grundstück steht... da kann man ihn sehen, das ist der Wagen... das ist doch der Übertragungswagen, nicht, Larry?«

»Ich glaube, das ist der Übertragungswagen, Susan«, sagte ihr Partner, »aber ich bin nicht sicher. Fragen wir Doktor Mark Raddinger von der Akademie für Medienstudien in East L. A. Doktor Raddinger, ist das der Übertragungswagen, den wir da sehen?«

»Ja«, antwortete ein bärtiger Mann mit Polohemd und Cordjackett, der neben Larry saß, »das ist der Übertragungswagen.«

»Das können Sie also bestätigen?« fragte Larry.

»Ja, das kann ich bestätigen«, gab Doktor Raddinger zurück. »Das ist der Übertragungswagen.«

»Nun, es ist, wie wir vermutet hatten, Susan«, sagte Larry, »und man hat es uns bestätigt. Der Wagen, den wir momentan auf unseren Bildschirmen sehen, ist – wie du vor einigen Augenblicken zu Recht angenommen hast – der Übertragungswagen.«

»Davon können wir ausgehen?« fragte Susan.

»Ja«, erwiderte Larry. »Wir haben jetzt die Bestätigung. Es ist der Übertragungswagen. Der Wagen, mit dem die Tonassistentin, die sich momentan im Inneren der umstellten Villa befindet, durch ein zweihundert Meter langes Übertragungskabel verbunden ist.«

»Danke, Larry«, sagte Susan. »Und darüber hinaus kann ich außerdem bestätigen, daß die Tonassistentin an den Einschaltquotencomputer angeschlossen ist.«

»Einschaltquotencomputer?« erkundigte sich Larry. »Das müßte der Computer sein, der die Einschaltquoten ermittelt und analysiert, oder?«

»Genauso ist es, Larry.«

»Fragen wir an dieser Stelle doch noch einmal Doktor Mark Raddinger. Mark, ob Sie uns wohl ein paar Hintergrundinformationen zum Einschaltquotencomputer geben könnten?«

»Ja, das kann ich, Larry. Der Einschaltquotencomputer ist der Computer, mit dem die Fernsehgesellschaften eine genaue Statistik der Einschaltquoten per Computer ermitteln und analysieren.«

»Ich verstehe. Faszinierend. Und das können Sie bestätigen?«

»Ja, das kann ich.«

»Und die Einschaltquote sagt uns, wie viele Menschen zusehen?« erkundigte sich Susan.

»Statistisch und demographisch betrachtet, ja, das tut sie ...«

Wayne stellte den Kasten ab. Er bekam Kopfschmerzen davon.

»Genug ferngesehen, Scout. Wir haben zu tun«, sagte er. »Okay, alle mal herhören. Das hier sind Bill und Kirsten, und die beiden werden uns zu Stars machen.« Er führte den kleinen Trupp ins Zimmer.

Bill und Kirsten traten eher zögerlich ein. Sie waren ein hartgesottenes Gespann, das über Kriege, Hungersnöte und Präsidentschaftswahlen berichtet hatte, doch die momentanen Umstände waren kaum dazu angetan, sie zu beruhigen. Nicht sosehr die Frau in dem blutdurchtränkten Kleid, die da bei der Hausbar gurgelnd am Boden lag, machte ihnen Sorgen. Eigentlich auch nicht die beiden psychopatischen Irren, die automatische Waffen auf sie richteten. Es ist eben nie einfach, wenn man der einzige ist, der bei einem gesellschaftlichen Beisammensein in Unterwäsche erscheint.

Sie fühlten sich nackt. Bill und Kirsten waren ein drahtiges, schlankes, junges Nachrichtenteam, und so wollten sie sich auch darstellen. Bill fehlte seine Survivalweste mit den zahllosen Taschen, von denen er oft behauptete, er könne Proviant und Arbeitsmaterial für einen Monat darin unterbringen. Kirsten fehlten ihre Kampfstiefel mit den sechzehn Schnürlöchern, durch die sie sich schon beim bloßen Anziehen härter und mutiger fühlte. Vor allem fehlten beiden ihre Hosen. Allerdings gab es nichts, was die beiden daran ändern konnten, also widmeten sie sich ihrer bevorstehenden Aufgabe, denn schließlich waren sie stolz auf ihren Professionalismus.

»Wie wollen Sie die Sache aufziehen?« fragte Bill.

Wayne sah Bruce an. »Bruce, Sie sind der Regisseur. Wo sollten sich diese Leute aufbauen?«

Bruce blieb verschlossen. Er hatte nicht die Absicht, seine eigene Erniedrigung zu inszenieren, sofern es sich vermeiden ließ.

Wayne zuckte mit den Schultern. »Na, ich schätze, das kann ich auch noch selbst. Vielleicht krieg ich dafür auch einen Oscar, ha, ha! Okay, ich denke, ihr solltet die Kamera da vorne auf dem Kamin aufstellen.«

Bill und Kirsten taten, was man von ihnen verlangte, und fingen an, ihre Ausrüstung aufzubauen. Währenddessen dachte Wayne über seine Inszenierung nach. »Ich glaube, wir sollten dieses Sofa zum Mittelpunkt des Geschehens machen, okay? Immer wenn im Fernsehen geredet wird, ist da irgendwo ein Sofa zu sehen. Und wenn ich es etwas rumschiebe, könntet ihr wahrscheinlich Brooke mit ins Bild kriegen. Ist das so, Bill?«

»Ja, ich kann sie sehen«, antwortete Bill.

»Na, das ist gut, denn ich finde, sie sieht einfach toll aus, wie sie da so am Boden liegt. Wie ein verwundeter Schwan oder so was in der Art.«

Scout liebte es, wenn Wayne so redete. Sie glaubte fest daran, daß aus ihm mit der entsprechenden Bildung ein Dichter geworden wäre. Bill hätte ihr nicht zustimmen können. Durch seinen Sucher betrachtet, sah Brooke keineswegs wie ein verwundeter Schwan aus. Sie sah aus wie ein verletzter Mensch, ein schwerverletzter Mensch. Bill hatte während seiner Zeit als Kriegsberichterstatter oft ähnliches gesehen, sich jedoch nicht daran gewöhnen können, und er fand es immer wieder entsetzlich.

»Sie stirbt«, sagte Velvet und legte einen Mantel über Brooke.

»Wir sterben alle, Engelchen«, erwiderte Wayne, »vom Tag unserer Geburt an. Ich will damit nur sagen, daß ihr beklagenswerter Zustand nur unterstreicht, was ich hier sagen will. Eine Art lebendiges – oder vielleicht sollte ich sagen: sterbendes – Beispiel für das, was Leute wie Bruce hier fördern und ausschlachten. Also nimm ihr den Mantel ab , Süße. Es ist nicht kalt, und der Mantel macht mir das Bild kaputt. Ein Mantel ist nicht sexy.«

Velvet tat, was man ihr sagte.

»Okay, so ist es gut.« Wayne nickte anerkennend. »Langsam kommt eins zum anderen. Und was ist mit dir?« Er wandte sich an Farrah. »Was können wir mit dir anstellen?«

»Wie meinen Sie das?« Farrah war erschrocken. Sie hatte sich schon mit dem Gedanken angefreundet, sich aus allem heraushalten zu können. Da machte sie sich traurigerweise Illusionen.

»Wir sind hier beim Fernsehen, Herzchen. Schöne Frauen wie du sind der Knaller, besonders neben deiner süßen, kleinen Tochter. Scout, Baby, bring Mrs. Delamitri und Miss Delamitri da rüber und feßle sie an die Stehlampe hinterm Sofa … Los, los, los, rüber da, Mädchen. Wir drehen hier nicht *Vom Winde verweht*, wir brauchen Live-Action.«

Scout schob ihre Hand in Waynes Tasche und zog ein Paar Handschellen hervor.

»Die hab ich einem Bullen abgenommen«, erklärte sie. »Der braucht sie nicht mehr.«

Als Scout Farrah und ihre Tochter an die Stehlampe fesselte, fragte Wayne mit ungewohnter Bescheidenheit, ob es okay sei, wenn er einen Blick durch die Kamera werfen würde.

»Sie sind der Regisseur«, sagte Bill.

»Tja, das stimmt, das bin ich wohl.« Wayne sparte sich die Bescheidenheit und spazierte zur Kamera hinüber wie Cecil B. De Mille. Mit einem Auge am Sucher überblickte er nachdenklich die ganze Szenerie. Er konnte Bruce auf dem Sofa sitzen sehen. Hinter ihm waren Farrah und Velvet, und auf der einen Seite lag Brooke.

»Okay, jetzt du, Scout«, sagte Wayne und komponierte seinen Bildaufbau, »setz dich neben Bruce, denn da wollen wir schließlich sitzen, okay? Direkt neben dem wichtigsten Mann.«

Doch er war noch immer nicht ganz zufrieden.

»Ich finde es gut so«, warf Kirsten unruhig ein. »Ich meine, es sind doch alle Elemente drin, oder?« Sie wollte fertig werden und die Sache hinter sich bringen.

»Die einzelnen Elemente sind nur Grundlage der Einstellung«, gab Wayne zurück. »Wir müssen hier ein verdammt einmaliges Bild schaffen. Ich meine *einmalig*. Denn wenn wir nicht gut sind, werden die Sender ziemlich schnell wieder auf ihr normales Programm zurückgehen, und uns bleibt nur noch CNN. Mit wem müssen wir es aufnehmen, Süße? Wer sind unsere Gegner? Ich schätze, du verstehst mehr vom Vormittags- und Nachmittagsprogramm als jede andere Frau deiner Größe und Statur in ganz Amerika.«

»*Star Trek: Die Nächste Generation*, *Jede Menge Familie*, *Cosby* und *Oprah*-Wiederholungen«, ratterte Scout voller Stolz herunter. »Das ganze Kabelzeugs kenne ich nicht.«

Kirsten sah von ihren Gerätschaften auf. »Wayne, wenn das

hier live auf Sendung geht, werden alle Sender im Land es übernehmen. Sie allein werden bundesweit zu sehen sein.«

»Hast du das gehört, Bruce? Ich mach dich noch größer als du schon warst. Und sind Sie sicher, daß Sie alles draufkriegen, Bill? Was ist ihre Randschärfe?«

»Randschärfe.« Fast weinte Scout, so stolz war sie auf Wayne.

»Wir haben reichlich Weite«, sagte Bill. »Ich mach das Ganze mit fester Einstellung. Sehen Sie es sich noch mal an.«

Das tat Wayne, und dann ging er mit nachdenklicher Miene zu den beiden gefesselten Frauen hinüber. Er betrachtete sie einen Moment lang, und dann riß er Velvets schickes, kleines, rosa Jäckchen auf, daß die Knöpfe flogen.

Scout war davon keineswegs begeistert. Ebensowenig – natürlich – wie Velvet, nur war die nicht in der Lage zu protestieren.

»Wayne, laß sofort die Finger von dem Mädchen!« rief Scout.

»Willst du Einschaltquoten, Zuckerschnecke? Hm? Willst du, daß sich die Leute das hier ansehen? Sex im Fernsehen ist wichtig, Sex verkauft alles.« Wayne riß Velvets Bluse auf und zerrte sie über ihre Schulter, legte ihren Büstenhalter frei. »Niedlich, was?« sagte er. »Man darf nicht zuviel zeigen. Es gibt strenge Regeln. Gerade so viel, daß die Couchkartoffeln da draußen im Fernsehland drauf abfahren auf dieses... okay, ich glaube, wir sind so gut wie fertig. Bruce, es dauert nur noch einen Moment oder zwei, bis du hier auf diesem Sofa zwischen mir und Scout sitzt und Amerika erzählst, was du sagen sollst.«

»Hör mal, Wayne, das ist...«

»Und wenn du es nicht tust, leg ich die süße, kleine Velvet hier um und Mrs. Delamitri... auch wenn sie dir sowieso am Arsch vorbeigeht. Außerdem leg ich natürlich dich um. Ich glaube, du wirst tun, was ich dir sagte. Hab ich recht, Bruce?«

- 34 -

Draußen wartete man auf Bilder. Die Medien, die Polizei und langsam, aber sicher die ganze Nation – alle warteten auf Bilder, denn inzwischen war die Geiselnahme die größte Nachricht bundesweit.

»Gibt dieses Arschloch jetzt endlich eine Erklärung ab oder nicht?« sagte Chief Cornell, der draußen vor seinem Kommandowagen auf und ab lief. »Wie lange sollen wir noch warten, bis wir ihn abknallen können?«

Schon ahnte der Polizeichef, daß aus seinem großen Tag vielleicht nichts werden würde. Und damit stand er nicht allein. Seine Untergebenen wurden immer frustrierter und setzten Cornell mächtig unter Druck, die Situation unter seine Kontrolle zu bringen. Ihrer Ansicht nach waren Geiselnahmen Sache der Polizei, nicht der Medien, und eine Menge Cops fühlten sich ziemlich mies dabei, auf diese Weise an den Rand gedrängt und ausgebootet zu werden. Besonders der SWAT-Boß.

»Wir werden erpreßt«, sagte er. »Dieser Killer erkauft sich sein Stück Unsterblichkeit, indem er Leute ermordet, und wir haben sämtliche Fernsehsender des Landes an seine Haustür gebracht. Der Penner zwingt uns dazu, ihm in den Arsch zu kriechen, während wir ihm in den Arsch *treten* sollten. Wir sollten ihm den verdammten Stecker rausziehen, da reingehen und dem Schweineficker und allen anderen Schweinefickern, die zusehen, zeigen, daß man sich nicht mit dem LAPD anlegt.«

Da hatte der SWAT-Mann leicht reden. Es war nicht sein gebeuteltes Haupt, auf dem die Krone saß. Chief Cornell war der Cop, an dem der Schwarze Peter hängenbleiben würde, und er wußte, wenn er jetzt stürmen ließ und die Medien ihres Pokals beraubte, würden sie ihm den Rest geben. Wenn auch nur eine Geisel umkäme, was mit an Sicherheit grenzender Wahrscheinlichkeit der Fall sein würde, wären er und seine Leute als übereifrige Macho-Schweine abgestempelt, Neandertaler, die nicht wie verantwortungsvolle Erwachsene abwarten und darüber reden konnten, sondern wie durchgedrehte Schlägertypen unbedingt reinplatzen mußten.

Abgesehen davon, wie der Pressemann betonte, konnte man die ganze Sache auch anders sehen. »Bei allem Respekt haben wir kein Recht, jetzt reinzugehen. Egal, welche Maßstäbe man auch anlegt, ist eine Fernsehkonfrontation zwischen dem Top-Action-Regisseur des Landes und dem Topverbrecher des Landes doch ein erstaunliches Ereignis. Es ist wahr und wichtig, wie auch immer es dazu gekommen sein mag. Die Polizei muß den Medien erlauben, ihren Job zu tun. Es liegt in unserer Verantwortung, für eine offene und demokratische Gesellschaft einzutreten, und, wenn nötig, diese zu ermöglichen.«

Noch nie in seinem ganzen Leben hatte der SWAT-Boß dermaßen viel schwule Scheiße gehört. »Es liegt in unserer Verantwortung«, bellte er, »diesen Abschaum dermaßen durch den Wolf zu drehen, damit absolut klar wird, daß er uns nie wieder in die Quere kommt. Außerdem wissen Sie es ganz genau: Wenn jemand getötet wird, während wir da rumsitzen und mit den Medien Händchen halten, werden sich die Medien auf der Stelle abwenden und uns die Schuld geben, weil wir *nicht* eingegriffen haben. Die können nicht verlieren, und wir können nicht gewinnen, also sollten wir die Scheißparasiten vergessen und endlich unseren verdammten Job tun.«

Die Medien ignorieren? Der Pressemann fiel fast in Ohnmacht.

Selbst Chief Cornell wußte, daß es dumm war, so was zu sagen. »Wir könnten ebensogut versuchen, den Verkehr, die Häuser, die Öffentlichkeit zu ignorieren«, sagte er. »Das Fernsehen ist kein Beobachter mehr. Es sind nicht mehr zwei Stunden Nachrichten und Unterhaltung in der Wohnzimmerecke, in der Ecke des Lebens. Es steht mittendrin, gleich neben dem Essen. Alles, was passiert, hat zwei Ergebnisse: das, was wirklich passiert ist, und das, von dem die Leute glauben, daß es passiert wäre. Das ist eine Tatsache, mein Lieber, und wenn Sie meinen, Sie könnten sie ignorieren, dann kann es nur daran liegen, daß Sie sich im Frühjahr keiner Wahl stellen müssen.«

Hätte Brad Murray hören können, was Chief Cornell sagte, hätte er weise genickt. Ob es einem nun gefiel oder nicht: Der Chief hatte recht. Es war schon lange klar, daß das Fernsehen die Ereignisse formte, daß Dinge passierten, weil Kameras dabei waren, daß das, was die Kameras sahen, das war, was aus den Ereignissen wurde. Hier jedoch war das Fernsehen selbst das Ereignis. Früher bekam man Ereignisse ohne das Fernsehen nicht zu sehen. In zunehmendem Maße *existierten* Ereignisse ohne das Fernsehen gar nicht mehr.

»Wir warten«, sagte Chief Cornell. »Lassen wir dem Mann seine Sendezeit.«

»Es ist unsere Pflicht als Demokraten«, sagte der Pressemensch.

»Verdammte Scheiße«, sagte der SWAT-Commander.

- 35 -

Im Inneren des Hauses fand sich Bruce auf dem Sofa zwischen Scout und Wayne wieder. Die Kamera war direkt vor ihm, und er starrte in die Mündung. Er wußte, daß er kurz davor stand, als Schlappschwanz, als jämmerlicher Verlierer ins nationale Bewußtsein einzugehen, den man dazu mißbraucht und gezwungen hatte, ein tränenrühriges, unvergeßlich feiges Geständnis live im Fernsehen abzugeben.

Er wäre wie einer dieser Kampfflieger, die von diktatorischen Ländern abgeschossen werden und dann am nächsten Tag drogenbenebelt und verschlafen an die Öffentlichkeit treten, um die USA zu denunzieren und ihrer neu gewonnenen Heimat den Treueid zu schwören. Jeder weiß, daß diese Männer keine Wahl hatten, daß sie dazu gezwungen wurden, aber irgendwie stehen die Leute ihnen später anders gegenüber. Man kann es einfach nicht vergessen, wenn sein Held plötzlich und vor aller Öffentlichkeit sämtliche Prinzipien abstreitet, die ihm je am Herzen lagen. Im stillen findet man, daß er sich in sein Schwert hätte stürzen sollen. Unfair und unvernünftig natürlich, aber so war es…

Bruce kämpfte darum, seine Qualen und die Panik niederzuringen.

»Wayne, es wird nicht funktionieren«, bettelte er. »Ihr beiden seid verhaßte Mörder, und eine einzige Erklärung von mir, dazu noch unter Druck abgegeben, wird daran nichts ändern. Nur wird es mein Leben für immer und ewig zerstören.«

»Na, das ist aber wirklich schade, Bruce, denn es ist die einzige Chance, die ich habe, und wir werden es versuchen. Bill? Kirsten? Alles bereit?«

»Ja, kann losgehen, Boß«, sagte Bill, der zu Recht vermutet hatte, daß es Wayne gefallen würde, »Boß« genannt zu werden.

Bruce war zu dem Schluß gekommen, daß es Zeit wurde, einen verzweifelten Versuch zu unternehmen, über den er nachgedacht hatte, seit die Kameraleute da waren. Er drehte sich um und versuchte, Wayne in die Augen zu schauen, was gar nicht so einfach ist, wenn man neben jemandem auf einem tiefen, weichen Sofa sitzt.

»Diskutieren wir«, sagte er.

»Bitte wie?«

»Diskutieren wir.«

Wayne sah ihn fragend an. Er verstand nicht. Eilig begründete Bruce seine Idee.

»Hör zu, Wayne. Du bist nicht dumm, ebensowenig wie Scout. Du weißt, daß ihr höchstens auf lange Sicht Erfolg habt. Tief in deinem Inneren weißt du, daß es nicht unbedingt gut ankommen wird, wenn ich hier mit einer Waffe an der Schläfe sitze und die Verantwortung für eure Taten übernehme.«

»Wie ich schon sagte, ist das alles, was wir haben«, sagte Wayne. »Okay, Bill, laß uns ...«

Bruce drängte weiter. »Ist es nicht. Es ist nicht alles, was ihr habt. Ihr könntet etwas riskieren. Diskutieren wir, sag, was du sagen willst, ohne Zwang. Trag deinen Fall live im Fernsehen vor.«

»Paß bloß auf, Wayne.« Scout wurde unruhig. »Wenn du einen Plan hast, zieh ihn durch.«

»Komm schon, Scout.« Bruce drehte sich auf dem Sofa so herum, daß er sie ansah. »Überleg doch mal, was du vorhin gesagt hast... das ganze Zeug darüber, daß ich die Häßlichen und Geknechteten ausnutze, wie ich reich damit werde, die Armen auszusaugen. Das ist ein besseres Argument, als wenn man mich nur wie eine Puppe benutzt. Unterbreite deinen Fall. Erklär meine Schuld und laß sie mich bestreiten. Es könnte außergewöhnliches Fernsehen werden... ihr beiden könntet *echte* Stars werden, nicht nur gemeine Erpresser, sondern Gleichberechtigte. Stars.«

»Stars?« sagte Scout. Das war bei ihr angekommen.

»Natürlich Stars. Ist doch klar. Die Leute mögen Kämpfernaturen.«

Bruce mußte sie für sich gewinnen. Er wußte, daß es seine Chance war, den Sieg aus den Klauen der Erniedrigung zu reißen, sich selbst vom Opfer in den Helden zu verwandeln, der Mann zu sein, der zu seinen Prinzipien stand, selbst wenn die reaktionären Mächte der Finsternis in sein Haus eingedrungen waren. Der Mann zu sein, der Amerika aufgerüttelt und ein für allemal festgeschrieben hatte, daß »wir alle für unsere Taten selbst verantwortlich sind« – besonders Gewaltverbrecher.

»Überleg mal, Wayne«, sagte Bruce. »Ich vertrete die kulturelle Elite dieses Landes. Du vertrittst die Ausgestoßenen, die Unterschicht, den Bodensatz der Gesellschaft. Was für eine Konfrontation, welch ein Bild!«

»Ja, und was ist für Sie dabei drin, Mister?« Scout war kein leichtes Opfer. Schon bei der schrecklichen Niederlage, die sie Brooke zugefügt hatte, war klargeworden, daß man sie nicht aufs Glatteis führen konnte.

»Ich bekomme Gelegenheit, eure Behauptungen zu widerlegen. Ich bekomme Gelegenheit, euch als die selbständigen, persönlich verantwortlichen, wahnsinnigen Mörder darzustellen, für die ich euch halte.«

»Daddy, sei nett«, flehte Velvet, doch Bruce schien sie nicht mal zu hören.

»Das Risiko müßtet ihr eingehen«, fuhr er fort. »Tragt euren Fall vor, und wir sehen, ob ihr mich bezwingen könnt. Wenn ihr gewinnt, habt ihr *richtig* gewonnen: Diese Nation wird weder euch je vergessen noch mir je verzeihen. Wenn ihr verliert, glaube ich ehrlich, daß ihr schlechter dran wärt als jetzt.«

»Tu's nicht, Baby. Dein Plan ist besser. Laß ihn seinen Spruch aufsagen.«

Doch Wayne war fasziniert. »Na, ich weiß nicht, Zuckerschnecke. Ich meine, ich finde, wir haben doch ziemlich gute Argumente. Überleg mal: Die Hälfte der Republikanischen Partei plus mehr oder weniger alle Priester im Land halten Bruce hier für die Inkarnation des Teufels...«

Zum x-ten Mal in dieser grauenvollen Nacht gestattete sich Bruce einen Augenblick der Hoffnung. »Denk an euer Image, Scout«, sagte er. »Was soll die Kamera sehen? Ein paar gemeine Mörder auf einem Sofa oder gutaussehende, redegewandte Antihelden? Wenn ihr das alles überlebt und dem elektrischen Stuhl entkommt, findet ihr euch auf sämtlichen Teenie-T-Shirts überall im Land wieder. Ihr könnt euren Preis selbst bestimmen.«

Das traf bei Scout voll ins Schwarze.

»Meinst du wirklich, wir könnten Stars werden?«

»Natürlich könnt ihr das. Wir sind im bundesweiten Fernsehen. Ob ihr gewinnt oder nicht: Das halbe Land wird euch lieben. Im Grunde könnt ihr nicht verlieren.«

»Möchtest du ein Star werden, meine Moosrose?«

»Natürlich möchte ich das, Baby, aber... ach, ich weiß nicht...«

Inzwischen wurde die Außenwelt langsam ungeduldig, und die arme Kirsten, die Tonassistentin, kauerte in ihrer Unterwäsche vor Bruces Kamin und bekam deren Zorn zu spüren.

»Was, zum Teufel, geht da vor, Kirsten?« Die Stimme des Produzenten keifte durch das Kabel in ihren Kopfhörer. »Wann kriegen wir endlich ein paar Bilder zu sehen?«

Der Produzent ignorierte Kirstens prekäre Lage vollkommen und forderte, wie Fernsehproduzenten es oft tun, daß jedermann dem Kommando der Kameras zu folgen habe. In gewisser Weise war es nicht seine Schuld. In seinem Übertragungswagen drängte sich eine ganze Armee von einflußreichen Produzenten, Redakteuren, Abteilungsleitern und Sendeleitern, ganz zu schweigen vom Chief des LAPD in Begleitung eines wütenden Mannes in kugelsicherer Weste, der dauernd »Scheiße, verdammte Scheiße« murmelte. Vor dem Wagen liefen unzählige Leute von Polizei und Medien herum, und sie alle – drinnen wie draußen – forderten, daß der Produzent ein paar Bilder lieferte, und zwar pronto.

»Was ist los, Kirsten? Sag doch was!« rief er in Kirstens Kopfhörer. »Wir haben über zweihundert Sender im ganzen Land, die Bilder sehen wollen, und alle großen Sender haben ihr Programm geändert. Wir können nicht ewig zeigen, wie das Haus von außen aussieht. Den Moderatoren geht ihr mülliges Gerede aus...«

Tatsächlich waren die Studiomoderatoren langsam verzweifelt.

»Unsere Kameras stehen noch immer vor der Delamitri-Villa«, konnten Larry und Susan zum millionsten Mal bestätigen. »Und bei uns haben wir einen Experten, was das äußere Erscheinungsbild von Prominentenhäusern angeht. Doktor Ranulph Tofu von der ›New Age Academy of Astral Learning‹

wird für uns Bruce Delamitris Gemütszustand interpretieren, und zwar basierend vor allem auf der Farbe seiner Garagentore.«

Im Übertragungswagen raufte man sich die Haare.

»Worauf warten wir denn, Kirsten?«

Der Produzent bekam keine Antwort. Kirsten hörte ihn, sagte aber nichts, und so schrie er immer weiter, drehte am Lautstärkenregler, bis Kirstens Kopf vibrierte.

»Was glaubt dieser Wichser, wie lange wir die Sender für ihn blockieren können? Frag den Penner, was er eigentlich vorhat!«

Aus Leidenschaft fürs Fernsehen vergaß der Produzent, daß Kirsten nur drei Meter von einem Massenmörder entfernt war. Zu Recht fand sie, es sei taktisch nicht der richtige Ansatz, den Penner zu fragen, was er eigentlich vorhatte. Aber irgendwas mußte sie sagen, und sei es nur, weil – nachdem die Stimme des Produzenten ihr zehn Minuten lang ins Ohr gebrüllt hatte – eine Kugel im Kopf keine so schlechte Alternative mehr zu sein schien.

»Entschuldigung«, sagte sie und versuchte einen so unbeteiligten Eindruck wie möglich zu vermitteln, »die Leute in der Regie fragen, mit welchem Zeitplan sie rechnen dürfen. Damit sie Ihnen die bestmögliche Berichterstattung sichern können. Sie wollen das Publikum nicht verlieren, das wir aufgebaut haben.«

Wayne sah Bruce an und traf eine Entscheidung. »Du willst mit mir diskutieren, Bruce? Meinetwegen.«

»Und du läßt Farrah und Velvet danach gehen? Bekommt Brooke einen Arzt?«

»Vielleicht. Ich weiß nie, was ich tue, Bruce. Das ist mein Job: Ich bin ein Irrer.«

Endlich sprach Kirsten in ihr Mikro. »Achtung im Ü-Wagen.« Sie wandte sich Wayne zu. »Okay, Mr. Hudson, wir sind fertig, wenn Sie soweit sind.« Sie wollte unbedingt da raus und sich was überziehen.

»Bist du bereit, Scout?« erkundigte sich Wayne. »Bereit, Fernsehstar zu werden?«

Plötzlich wurde sich Scout des ungeheuren Ausmaßes dessen, was sie gleich tun würde, bewußt. Sie hatte sich nicht um ihr Haar gekümmert, ihr Make-up, ihr Kleid... »Oh, Wayne, ich seh fürchterlich aus. Können die nicht jemanden fürs Make-up reinschicken?«

»Du siehst toll aus, Zuckerschnecke. Brooke hat dein Haar sehr schick frisiert. Bist du bereit, Bruce?«

»Ja, das bin ich, Wayne.«

»Kann ich dem Kontrollraum ein Bild geben?« fragte Kirsten.

Wayne sagte, das könne sie, und Bill stellte seine Kamera ein.

»Belichtung«, sagte Bill. Kirsten legte einen Schalter um. Im Übertragungswagen sprangen zehn Bildschirme an, und endlich bekamen die versammelten Meinungsmacher, was sie wollten.

- 36 -

»Großer Gott!« Die Produzenten und Polizisten pfiffen, als sie den ersten Blick auf die Szene warfen, die Wayne kreiert hatte.

»Stand by zur Sendung«, rief Brad Murray und vergaß in seiner Aufregung für einen Augenblick, daß die Etikette im Übertragungswagen vorschrieb, Kommandos stets über den Produzenten zu geben, der sie dann weiterleitete.

Draußen auf dem Rasen vor Bruces Villa machten einhundert wohlfrisierte Moderatoren die Zuschauer auf die bevorstehenden Ereignisse aufmerksam.

»Ich glaube, wir dürften jeden Augenblick Bilder aus dem Wohnsitz der Delamitris bekommen. Anscheinend wird es eine Art gemeinsamer Erklärung des Multimillionärs und Regisseurs mit seinem Geiselnehmer, dem massenmordenden Mall-Killer Wayne Hudson, geben.«

In den Studios beeilten sich die Moderatoren, die Situation ein weiteres Mal zu erklären. »Der Quotencomputer wird von repräsentativen Stichproben stellvertretend für die ganze Nation gespeist, deren Empfangsgeräte mit einem zentralen Monitor verbunden sind. Dieser Monitor kann sofort aufzeigen, was sich die Leute ansehen. Wayne Hudson wird buchstäblich von einer Sekunde zur anderen wissen, wie viele Leute sich zugeschaltet haben.«

»Das wissen wir!« riefen die amerikanischen Zuschauer wie aus einem Munde. »Das habt ihr uns schon zum millionsten Mal erzählt. Kommt endlich in die Gänge!«

Im Inneren des belagerten Hauses informierte Kirsten Wayne darüber, daß die Regie ein Bild hatte. »Wir können jeden Moment live auf Sendung gehen.«

»Okay, jetzt geht's los«, sagte Wayne.

»Jetzt geht's los«, sagte der NBC-Nachrichtenchef.

»Ja, jetzt geht's los«, wiederholten seine Pendants bei den anderen Sendern und Kabelkanälen.

»Haltet euch bereit, Männer, für den Fall, daß wir die Scherben einsammeln müssen«, sagte der Polizeichef laut zu seinen höheren Dienstgraden, um die Medienleute daran zu erinnern, daß es hier auch noch welche gab, die nicht beim Fernsehen arbeiteten.

»Wir sind live!« schrie der Produzent in Kirstens Ohr.

»Wir sind live, Mr. Hudson«, sagte Kirsten leise, »live in ganz Amerika.«

Es schien fast unwirklich, wie sie da so in Bruces Wohnzimmer saßen. Wayne schnappte sich Bruces Fernbedienung und stellte den Fernseher an. Tatsächlich waren sie alle auf dem Bildschirm zu sehen, der Ausschnitt genauso, wie Wayne ihn gewollt hatte. Er probierte noch ein paar Kanäle. Wieder waren sie da, wieder und wieder. Scout schrie vor Verlegenheit auf und vergrub ihren Kopf in den Händen, Wayne stellte den Ton am Fernseher ab, ließ das Bild jedoch an. Er wollte nicht das Risiko eingehen, daß die Abmachung vielleicht nicht eingehalten wurde.

»Okay, Bruce«, sagte Wayne und gab sich große Mühe, ruhig

und gefaßt zu wirken, »du bist der Profi. Wieso erklärst du den Leuten nicht kurz, was los ist?«

Bruce wandte sich Bills Kamera zu, konnte kaum glauben, daß das alles real sein sollte.

»Ähm … hallo da draußen. Tut mir leid, daß Ihr Morgenprogramm unterbrochen wurde, aber ich schätze, Sie wissen alle, was hier los ist. Ich bin Bruce Delamitri, der Filmemacher. Die beiden Frauen, die Sie gefesselt hinter mir sehen, sind Farrah, meine Frau, und unsere Tochter Velvet. Die verletzte Frau am Boden zu meiner Rechten ist Brooke Daniels, das Model …«

Brooke, deren Zustand sich mit Velvets Hilfe etwas stabilisiert hatte, krächzte protestierend.

»… Verzeihung, Brooke Daniels, die Schauspielerin. Jedenfalls sind wir alle Gefangene von Wayne Hudson und seiner Partnerin Scout, die Sie hier neben mir sitzen sehen.«

»Hey«, sagte Wayne etwas unsicher, aber herausfordernd.

»Hallo, Amerika«, murmelte Scout, wobei sie ihren Kopf noch immer in den Händen verborgen hielt.

»Soviel zur Einleitung. Kommen wir zur Sache.«

Unglaublicherweise fing Bruce an, Spaß daran zu finden. Das war seine Chance, die Chance, vor der er am Abend zuvor gekniffen hatte, die Chance, Stellung gegen die Zensoren und Reaktionäre zu beziehen. Und, oh, was für eine Chance es war! Das Podium der Oscarverleihung verblaßte im Vergleich zu dieser Bühne. Welch eine Gelegenheit! Sich live im Fernsehen zwei niederträchtigen, schwerbewaffneten Mördern zu stellen und sie zur Einsicht ihrer persönlichen Verantwortung für ihre Taten zu bewegen. Bruce glühte vor Begeisterung. Es würde ein aufrichtiger Moment in der Sozialgeschichte der Vereinigten Staaten werden, und er wäre dessen Sprachrohr. Er mußte vorsichtig sein, er mußte sich konzentrieren. Diesmal durfte es keine »brennende Beine« geben.

»Ich mache Filme, in denen Schauspieler und Stuntleute so tun, als würden sie Menschen töten«, sagte er. »Wayne und

Scout töten tatsächlich Menschen. Erst vor kurzem haben sie meinen Wachmann enthauptet, und sie haben meinen Agenten Karl Brezner erschossen, in diesem Zimmer … seine Leiche liegt in meiner Küche. Außerdem haben sie Miss Daniels hier schwer verwundet. Natürlich sind sie die berüchtigten Mall-Killer und haben in den vergangenen Wochen zahlreiche Unschuldige getötet. Ist das eine angemessene Zusammenfassung, Wayne?«

Wayne überlegte einen Moment. »Also, Bruce, meine liebe Mama hat mich zum Christen erzogen, und daher weiß ich sehr wohl, daß keiner von uns unschuldig ist, denn sogar winzige Babys werden mit der Erbsünde geboren, die wir alle von Adam übernommen haben.«

»Deshalb erschießt ihr Leute? Weil sie Sünder sind?« wollte Bruce wissen, und ein Gefühl von mächtiger intellektueller Überlegenheit wallte in ihm auf.

»Wenn ich die Wahrheit sagen soll, weiß ich nicht, wieso ich die Leute erschieße. Wahrscheinlich wohl, weil es so einfach ist.«

»Na ja, unschuldig oder nicht, denke ich, können wir uns doch wenigstens darauf einigen, daß Wayne und Scout es sich zur Gewohnheit gemacht haben, Leute zu erschießen, die sie nicht kennen.«

»So ist es«, gab Wayne zu. »Genau das tun wir.«

»Und was hat das alles mit mir zu tun?« fuhr Bruce fort und klang dabei immer mehr wie ein Schulmeister. »Wayne und Scout sind in mein Haus eingebrochen und haben meine Freunde angegriffen, weil sie behaupten, ich sei zum Teil für ihre Taten verantwortlich. Sie behaupten, mein Werk habe sie in gewisser Weise zu dem ›inspiriert‹, was sie tun. Ich hingegen weise diese infantile Vorstellung selbstverständlich voll und ganz zurück …«

»Wir haben nie gesagt, daß Sie uns inspiriert haben, Mr. Delamitri.« Endlich kam Scouts Kopf zwischen ihren Händen hervor. »Legen Sie uns nicht irgendwelche Worte in den Mund.«

»Verzeihung, ich dachte, darum geht die ganze Diskussion«, erwiderte Bruce.

»Daddy, sei nicht so gönnerhaft!« rief Velvet von der Stehlampe herüber.

Wayne dachte über Bruces Antwort nach. »Nein, Bruce, Scout hat recht. ›Inspiriert‹ ist das völlig falsche Wort. Ich meine, es ist nicht so, daß wir in deinem Film gesehen hätten, wie ein Mann und ein Mädchen Leute erschießen, und dann gesagt haben: ›Hey, daran hab ich noch nie gedacht. So was sollten wir auch machen.‹«

»Meine Arbeit inspiriert euch also nicht? Dann komme ich durcheinander. Ich kann mir nicht vorstellen, worauf ihr sonst hinauswollt, wenn ihr versucht, mich mit euren Taten auf eine Stufe zu stellen.«

Wayne merkte, wann man herablassend mit ihm sprach. »Es ist kein direkter Vorgang, Bruce«, antwortete er scharf. »Wir sind nicht debil. Wir sind nicht direkt aus *Ordinary Americans* spaziert und haben den Popcornverkäufer erschossen ...«

Scout war zur Ehrlichkeit erzogen worden. Das konnte sie so nicht stehen lassen. »Eigentlich doch, Wayne.«

»Einmal«, räumte Wayne ein. »Einmal haben wir das getan, öfter nicht. Ich habe *Ordinary Americans* bestimmt fünfzigmal gesehen, und nur einmal bin ich rausgekommen und hab den Popcornverkäufer erschossen. Außerdem war das nicht wegen irgendeinem Film, sondern weil der blöde Arsch ein Popcornverkäufer war, der uns kein Popcorn verkaufen wollte.«

Im Übertragungswagen kippte der Produzent vor Entsetzen fast vom Stuhl. »Himmelarsch!« schrie er in Kirstens Ohr. »Kannst du diesem dämlichen Penner mal sagen, er soll aufpassen, was er sagt? Scheiße noch mal, es ist halb elf Uhr morgens!«

»Entschuldigen Sie, Mr. Hudson«, unterbrach Kirsten etwas unruhig, »könnten Sie vielleicht Ihre Sprache etwas mäßigen. Wir haben eine massive Zuschauerbeteiligung zu verzeichnen, aber wir kriegen Probleme mit Dialogen für Erwachsene. Der

Kindersender hat schon wieder auf die *Sesamstraße* umgeschaltet.«

»Ja, Wayne«, schimpfte Scout, »paß mal auf, was du sagst.«

»Oh, tut mir leid, Zuckerschnecke, und ich entschuldige mich bei den netten Menschen da draußen, besonders wenn sie uns mit jüngeren Leuten zusehen. Aber wißt ihr, was ich hier beschreibe, war eine wirklich ärgerliche Situation.«

»Ja, Süßer, das war sie.« Scout wandte sich der Kamera zu, als spräche sie mit einer Freundin. »Wir waren gerade aus einem Film gekommen, und ich hatte Wayne gebeten, mir etwas Popcorn zu holen, und Wayne sagte: ›Klar, meine kleine Moosrose. Wenn du so was willst, hol ich dir einen ganzen Eimer voll.‹ Aber der Popcornverkäufer hat gesagt, er würde das Popcorn nur vor dem Film verkaufen, und jetzt wäre eben nach dem Film, und deshalb könnte ich nichts kriegen.«

»Er war da, Mann.« Wayne appellierte an die Kamera. »Mit dem Popcorn und den Eimern und der Schaufel und der Mütze auf und alles, aber er wollte mir nichts verkaufen.«

»Also hast du ihn erschossen?« wollte Bruce wissen.

»Ja, Mann. Das hab ich. Ich hab den Jungen erschossen, weil es auf der Welt nicht gerade zu wenig Arschlöcher gibt, oder? Ein Arschloch mehr oder weniger wird der Welt nicht fehlen. Wenn Sie mir meine Wortwahl verzeihen wollen.« Den letzten Satz sprach er in die Kamera.

Im Übertragungswagen entbrannte ein wütender Streit darum, ob man eine derart unberechenbare Situation weiter live senden könne. Mord und Totschlag waren eine Sache, unflätige Worte eine ganze andere.

Schließlich kam man zu dem Schluß, daß man Nachrichten nicht zensieren konnte, während sie geschahen, und daß man die Pflicht hatte zu senden. Allerdings wollten sie versuchen, Waynes härteste Worte auszupiepen.

Auf den zahlreichen Bildschirmen im Übertragungswagen und den vielen Millionen überall im Land versuchte Bruce noch immer, zum Kern von Waynes These vorzudringen. »Also hast du den Popcornverkäufer erschossen, weil er ein Arschloch war? Nicht, und das ist ein wichtiger Punkt, weil du einen Film gesehen hast, in dem es um Tod und Zerstörung ging?«

Wayne klag fast müde. »Bruce, wie ich schon sagte, du nimmst das alles viel zu wörtlich. Wird in *Ordinary Americans* irgendein Popcornverkäufer erschossen?«

»Ich glaube nicht.«

»Du glaubst genau richtig. Siebenundfünfzig Leute werden in *Ordinary Americans* erschossen, wußtest du das?«

»Ich wußte, daß es viele sind.«

»Wayne hat sie gezählt«, sagte Scout voller Stolz.

»Aber natürlich hab ich sie gezählt, Zuckerschnecke, woher sollte ich es sonst wissen? So was steht schließlich nicht im Vorspann, oder? Wie, hm, dieser blöde Film, der dir gefallen hat, *Heiraten und Sterben* oder so was... da war dieser Schwule mit dem Kilt, der schon viel früher hätte sterben sollen, wenn man mich fragt, am besten bevor der Film überhaupt losging.«

»*Vier Hochzeiten und ein Todesfall.*«

»Genau der. Also, Bruce hier hat seinen Film nicht *Siebenundfünfzig Morde und Leute, die Drogen nehmen und rumvögeln* genannt, oder?«

»Ich glaube nicht, Baby.«

»Dann red kein dummes Zeug vor dem amerikanischen Volk. Ich hab mitgezählt, wer in deinem Film erschossen wird, Bruce. Bullen werden erschossen, Drogendealer werden erschossen, schwangere Teenager werden erschossen, eine alte Dame kriegt einen direkt durch den Dickdarm – Mann, das war eine klasse Szene, Bruce. Wie kommst du bloß auf so was?« Wayne wandte sich der Kamera zu, um seine Begeisterung zu erklären. »Da ist eine Schießerei, ja? Und diese nette, kleine, alte Dame kriegt einen Querschläger ab, und wißt ihr was? Der geht direkt durch ihren Dickdarm, und wißt ihr, was sie sagt? Sie sagt: ›Scheiße.‹ Mehr nicht, nur ›Scheiße‹. Ich meine, Mann, ist das ein guter

Spruch, oder was? Das ganze Kino lacht sich schlapp. Entschuldigt meine Wortwahl, aber das war in dem Film, und Bruce hier hat einen Oscar dafür bekommen, dann muß es wohl Kunst sein.«

»Ich freue mich, daß es dir gefallen hat«, sagte Bruce hölzern.

»Das hat es allerdings, aber eigentlich wollte ich sagen, daß kein Popcornverkäufer erschossen wurde.«

Bruce wurde langsam ärgerlich. »Und worauf willst du hinaus? Ich dachte, ihr pocht auf eingeschränkte Verantwortlichkeit, weil ich solchen Einfluß auf euch genommen habe. Darum geht es doch, oder nicht?«

»Wer war dieser Typ, der mit der Glocke gebimmelt hat, und die Hunde haben gesabbert? Pavian oder irgendwas. Ich hab was über ihn in *Timewatch* gesehen.«

»Ich glaube, du meinst Pawlow«, sagte Bruce.

»Stimmt genau, Pawlow. Also, du bist nicht Pawlow, Bruce, und wir sind keine sabbernden Hunde. Es geht hier nicht um was Bestimmtes. Ich meine es allgemein. Ich sage, daß du Mord zu etwas Coolem gemacht hast.«

Daraufhin sprang Bruce an. Bisher war seine heroische Schlacht noch nicht ganz so großartig gelaufen, wie er es sich erhofft hatte. Er hatte sich vom Thema abbringen lassen. Er mußte wieder die Initiative ergreifen.

»Nein, Wayne. Ich mache das Ins-Kino-Gehen zu etwas Coolem. Ich will es dir ganz offen sagen. Du bist krank.« Er sprach direkt vor der Kamera. »Diese beiden Leute sind krank. Sie weichen von der zulässigen Norm ab. Sie sind krank und nicht ganz normal im Kopf. Habe ich sie krank gemacht? Bestimmt nicht. Die Gesellschaft? Das bezweifle ich. Nein, sie sind einfach krank. Es hat schon immer Mörder und Sadisten gegeben. Lange bevor es Fernsehen und Kino gab, wurden Menschen ermordet und vergewaltigt. Jetzt ...«

Bruce war voll in Fahrt, machte sich daran, diese traurigen Nichtsnutze mit der ganzen Wucht seiner intellektuellen Kraft in Mißkredit zu bringen. Leider unterbrach ihn Wayne. »Sag mal, Bruce. Eins wollte ich immer schon mal wissen: Kriegst du eigentlich einen Ständer, wenn du das Zeug machst?« Er sagte es mit einem Zwinkern in die Kamera. »Das möchte ich fast wetten, mein Lieber, denn ich muß zugeben, daß es mich anmacht. Und wenn ich mich im Kino umsehe, sind da ganz viele Leute, die genauso begeistert sind. Jedem einzelnen juckt es in den Fingern, eine Kanone zu ziehen und loszuballern. Natürlich tun sie es nicht, aber ich kann sehen, wie sie sich die Lippen lecken und es sich wünschen.«

»Das ist doch der Punkt, Wayne. Niemand *tut* so was.« Bruce kam ein wenig ins Wanken. Er wollte die Diskussion auf das lenken, was Wayne tat, nicht auf das, was er selbst tat. »Es ist nur eine Geschichte.«

»Das ist keine Geschichte«, protestierte Scout. »Als ich *Ordinary Americans* zum ersten Mal gesehen habe, sollte mir Wayne Bescheid sagen, wenn es blutrünstig wurde, damit ich mir die Augen zuhalten konnte. Ich glaube, ich habe mir den ganzen Film über die Augen zugehalten.«

»Das stimmt«, sagte Wayne. »In deinen Filmen ist kein Platz für eine Geschichte, Bruce. Eine Geschichte ist … hm … wenn der Typ den anderen Typ umlegt, weil, na ja, aus diesem oder jenem Grund, und danach geht er weg und macht irgendwas anderes. Eine Geschichte ist, na ja, eine *Geschichte* … da passiert was. Wenn man zeigt, wie einer den anderen umlegt, in Zeitlupe, also das ist reine Phantasie.«

Bruce wußte, daß es Wahnsinn war, Unsinn. Er hatte Filme gemacht. Die beiden hatten Leute ermordet. Es gab keinen Zusammenhang, und trotzdem war er nicht in der Lage, die Diskussion zu beherrschen. Sie entglitt ihm.

»Für normale Menschen bietet es Zerstreuung«, sagte Bruce. »Es ist Unterhaltung, vielleicht nicht besonders erbaulich, aber trotzdem Unterhaltung. Phantasie ist es nur für Leute, die krank im Kopf sind, wie du und deine Freundin hier.«

»Wir sind also krank, ja?«

Wayne bewegte seine Waffe auf dem Schoß, aber Bruce war entschlossen, auf diesem Punkt zu beharren. »Du bist kränker als ein tollwütiger Hund.«

Hinter dem Sofa, im Hintergrund von Bills Einstellung, schrie Velvet verzweifelt auf. »Daddy, sei vorsichtig. Mach ihn nicht wütend.«

Im Übertragungswagen jubelten alle. Sie waren begeistert, als sich das süße kleine Mädchen einmischte. Das war echtes Fernsehen.

»Heimliche Nahaufnahme der Tochter«, flüsterte der Produzent ins Mikrofon, aber Bill ignorierte ihn. Bills Ansicht nach war Wayne der Produzent dieser Show, und zwar Kraft der Autorität der Waffe auf seinem Schoß.

Bruce versuchte, seine Tochter zu beruhigen. »Er wird dich nicht umbringen, Süße. Wir sind live im Fernsehen. Er bettelt um sein Leben.«

»Wenn ich krank bin, Bruce, und du sagst ja, daß ich es bin«, sagte Wayne, »was bist du dann?«

»Wie bitte?«

»Na ja, schlachten deine Filme meine Krankheit nicht aus? Nutzt du nicht den abartigen Geisteszustand aus, der Psychopathen wie mich quält, nur um den Leuten Spannung zu bieten? Man hat noch keinen Aidsfilm gesehen, in dem die Kranken die Bösen waren, oder? Aber so ist es in deinen Filmen. Willst du wissen, was ich bin, Bruce? Ich bin der ausschlachtbare Kranke.«

Langsam, aber sicher lief das alles furchtbar aus dem Ruder. Die Frage schien immer komplexer zu werden. Bruce hatte sich vorgenommen, eine lächerliche Behauptung auf heldenhafte Weise abzuschießen, aber sein Zielobjekt bewegte sich, verlegte sich auf Ablenkungsmanöver.

»Willst du vielleicht andeuten, du hättest deine Verbrechen aus Protest gegen meine Behandlung von Psychotikern im allgemeinen verübt?«

Das war eine schwache Erwiderung. Bruce wußte, daß es ganz und gar nicht das war, was Wayne angedeutet hatte. Er versuchte, mit schlauen Sprüchen Zeit zu schinden, damit er seine Gedanken ordnen konnte.

»Ich weiß nicht, was ich andeuten will«, erwiderte Wayne, »außer daß Verbrecher die einzigen sind, die eine Kultur der Gewalt erschaffen.«

»Es sind aber nur die Verbrecher, die Verbrechen begehen. Gewalttätige Menschen schaffen eine gewalttätige Gesellschaft.« Das war der Punkt, auf den Bruce hinauswollte. Daran mußte er sich halten, und davon durfte er sich nicht ablenken lassen. »Es sind gewalttätige Menschen, die eine gewalttätige Gesellschaft erschaffen«, wiederholte er laut und entschlossen.

»Bist du sicher?« rief Scout plötzlich. »Bist du dir da absolut sicher? Bist du dir hundertprozentig sicher, daß es keine Spuren bei den Menschen hinterläßt, wenn du ihnen einen geilen Mord nach dem anderen zu Hardrocksound zeigst? Denn sollte auch nur der Hauch eines Zweifels dabei bleiben, welches Recht hättest du dann, solche Filme zu machen?«

»Ich bin Künstler. Diese Frage darf ich mir nicht stellen.« Bruce bereute im selben Augenblick, was er gesagt hatte. Es stimmte, aber das war nicht der Punkt. Er wußte, wie unwahrscheinlich es war, daß die Forderung nach künstlerischer Immunität in der Provinz Eindruck hinterließ.

»Wieso? Wieso darfst du es nicht? Wenn du keine Verantwortung für deine Taten übernimmst, wieso sollten wir dann Verantwortung für unsere übernehmen?«

Verdammt, woher hatte das kleine Luder plötzlich so reden gelernt?

»Weil meine Taten friedlich sind und im Rahmen des Gesetzes bleiben.«

Das war lau. Bruce wußte es, sie wußte es.

»Ein echter Mann ist seinem Gewissen verantwortlich, nicht dem Gesetz.«

»Und dazu bin ich gern bereit. Hast du ein reines Gewissen?«

Wayne lachte. »Natürlich nicht, Mann. Wir bringen Leute um, die wir nicht mal kennen.«

»Ja, wie alle Könige und Präsidenten, die es je gegeben hat«, fügte Scout hinzu.

Bruce spürte, wie sein Magen vor Anspannung rumorte. Diese Frau schlug Haken wie Meister Lampe höchstpersönlich. Himmelarsch, wenn sie die Diskussion dermaßen weit fassen wollten, war er am Ende. Zu Bruces unendlicher Erleichterung, lenkte Wayne dieses Geschoß selbst ab. »Ich hab dir schon mal gesagt, daß ich solchen kommunistischen Quatsch nicht hören will, Scout. Es gibt nicht viel, vor dem ich auf dieser Welt Respekt habe, aber ich respektiere den American Way of Life. Und meiner Meinung nach würde es um manches besser stehen, wenn der Präsident ein paar mehr Leute umnieten würde, besonders die verfluchten arabischen Bettlaken, die dauernd unser Sternenbanner verbrennen.«

»Entschuldigung«, sagte Kirsten nervös und sah von ihren Geräten auf. »Mh, das ist natürlich alles sehr interessant, und die Produzenten sind begeistert, in der Regie ist man *sehr* glücklich... nur fallen die Quoten langsam aber sicher... sehen Sie, hier ist alles auf meinem Monitor zu sehen. Der Chief möchte wissen, ob es okay wäre, wenn wir aufzeichnen und es für die Abendnachrichten bearbeiten?«

»Das muß nicht sein, Kirsten. Ich hab eine Idee. Hey, Amerika!« rief Wayne in die Kamera. »Hört zu, ruft eure Freunde an, sagt ihnen, sie sollen alle einschalten, denn in neunzig Sekunden werde ich Farrah Delamitri erschießen. In anderthalb Minuten wird die Frau von dem Mann, der gerade den Oscar bekommen hat, live erschossen!«

- 37 -

Farrah schrie. Velvet schrie. Selbst Kirsten dachte daran, zu protestieren, doch dann erinnerte sie sich an die heilige Pflicht der Nachrichtenleute: niemals eingreifen, nicht mal, wenn die Nachrichten überhaupt nur dank deiner Anwesenheit produziert werden.

»Bitte, Wayne, tu es nicht«, sagte Bruce.

»Sie ist meine Mom!« schluchzte Velvet.

Draußen im Übertragungswagen litt Chief Cornwell Höllenqualen. Sollte er jetzt seine SWAT-Teams reinschicken? Wenn er es tat, würde sicher Blut vergossen. Wenn er es nicht tat, ebenso.

Oh, wie sehr er sich wünschte, daß ein anderer die Verantwortung übernehmen würde.

Im Inneren der Villa war Wayne aufgestanden und betrachtete die Quoten auf Kirstens Computerbildschirm.

»Sie steigen an, nicht?«

»Ja, das tun sie«, antwortete Kirsten, »aber trotzdem sagt mein Produzent, Sie sollen die Frau bitte nicht erschießen.«

Im Übertragungswagen war eine lebhafte Diskussion im Gang.

»Wir müssen die Sendung abbrechen«, sagten einige. »Sie stachelt ihn an. Sie läßt ihn sein Verbrechen erst begehen.«

»Er hat reichlich Leute ermordet, bevor er sich vor Kameras produzieren konnte«, hielten andere dagegen. »Wir können uns nicht ausblenden. Wir suchen die Nachrichten nicht aus. Wir haben kein Recht, nationale Ereignisse zu zensieren, nur weil sie unschön sind.«

»Aber wenn er die Nachrichten für *uns* erschafft?«

»Wir können nicht die Verantwortung für sein Tun übernehmen.«

»Können wir Verantwortung für unser eigenes Tun übernehmen?«

Die Kameras blieben an, was niemand auch nur für einen Augenblick bezweifelt hatte, und die Quoten stiegen immer weiter.

Im Wohnzimmer führte Wayne vor der Kamera seine Waffen vor. »Beeilt euch da draußen«, sagte er. »Das wollt ihr doch nicht verpassen, oder?«

Als die neunzig Sekunden um waren, erschoß Wayne Farrah.

- 38 -

»Okay, los geht's«, sagte Chief Cornell, und leise – durch die Türen, die Fenster und sogar das Dach – drangen die SWAT-Teams in Bruces Haus ein.

Im Wohnzimmer hallte noch der Schuß nach.

»Du Scheißkerl! Wann soll das enden?« Bruce hielt Velvet im Arm, die hysterisch schluchzte, während sie neben ihrer toten Mutter noch immer an die Stehlampe gefesselt war.

»Du hast die Quoten gesehen, Mann. Die sind raufgegangen. Mach die Couchkartoffeln dafür verantwortlich.«

»Du scheinheiliger Irrer!« schrie Bruce. »*Du* hast sie ermordet... niemand anders! Was willst du sagen? Die Medien, die Öffentlichkeit sind dafür verantwortlich, daß du ein geisteskranker Mörder bist?«

»Ich sag nur, daß ich sie nicht erschossen hätte, wenn die Leute zu den *Simpsons* umgeschaltet hätten.«

»Du trägst die Verantwortung!«

»Ja. Ich trage die Verantwortung für mich, aber du trägst die Verantwortung für dich, und die anderen tragen die Verantwortung für sich selbst. Ich sehe nicht, daß irgendwer viel daran ändert. Ich habe eine Entschuldigung: Ich bin krank. Was ist deine Entschuldigung?«

Kirsten bekam eine Nachricht vom Produzenten. Sie drehte sich zu Bill um. »Runter! Ein SWAT-Team kommt rein!«

»Nein!« schrie Wayne in die Kamera.

Über sich hörten sie, wie das Dach aufgebrochen wurde. Wayne packte Scout bei der Hand und sprach in die Kamera. »Wartet! Moment. Ich ergebe mich, Scout auch, ich schwöre es. Stoppt den Angriff. Laßt die Kameras laufen. Wir geben auf.«

Draußen gab Chief Cornell seinen Truppen das Zeichen zu warten. War es möglich, diesen Alptraum ohne weiteres Blutvergießen zu beenden?

Immer noch schrie Wayne in die Kamera. »Aber wir ergeben uns den Menschen. Die Menschen tragen die Verantwortung. Sie entscheiden über unser Schicksal, das Schicksal aller in diesem Zimmer.« Er hielt den Quotencomputer in der Hand. »Es liegt an euch, den Menschen da draußen... unser aller Leben liegt in eurer Hand. So wird es gemacht. Wenn ich fertig bin, schalten alle ihren Fernseher ab, und ich schwöre, daß Scout und ich mit erhobenen Händen hier rausgehen. Aber wenn ihr weiter zuseht, leg ich jeden einzelnen in diesem Zimmer um, auch mich und Scout. Keine üble Show, hm? Aufregend, was? Und wenn ihr es sehen wollt, müßt ihr nur noch ein paar Sekunden dabei bleiben. Okay, ihr tragt die Verantwortung. Schaltet ihr euren Fernseher ab?«

- 39 -

INNEN, DAS WOHNZIMMER, TAG

Totale. Es ist unheimlich still im Raum. Wayne steht mit Scout vor der Fernsehkamera. In einer Hand hält er seine Waffe, in der anderen den Quotencomputer.

Nahaufnahme von Wayne aus der Perspektive der Fernsehkamera. Körnige, videoähnliche Bildqualität.

WAYNE

(knurrt in die Kamera)

Ich sagte, schaltet ihr eure Fernseher ab?

Schneller Schwenk von Waynes verzerrter Miene zum Quotencomputer. Plötzlich bekommt das Bild einen harten Kontrast. Wir erkennen deutlich eine Art ansteigendes Diagramm.

Totale des Raumes. Wayne schleudert den Computer zu Boden.

WAYNE

(schreit)

Nein, tut ihr nicht!

Schnitt zu…

INNEN, DER ÜBERTRAGUNGSWAGEN, TAG.

Chief Cornell und die anderen beobachten Wayne auf den Bildschirmen. Schneller, eckiger Zoom zu Waynes Bild auf einem der Bildschirme. Mittlere Doppelaufnahme von Cornell und dem SWAT-Commander.

CHIEF CORNELL

Schnappt ihn euch.

AUSSEN, DAS DACH DER VILLA, TAG.

SWAT-Männer sprengen sich den Weg frei.

Harter Schnitt zu…

AUSSEN, EIN FENSTER DER VILLA, TAG.

SWAT-Männer schwingen sich an Seilen durch Fenster, zertrümmern Glas.

Harter Schnitt zu…

INNEN, VOR DER WOHNZIMMERTÜR AM OBEREN TREPPENABSATZ IN DER VILLA, TAG.

SWAT-Männer brechen die Tür auf.

Harter Schnitt zu…

INNEN, DAS WOHNZIMMER, TAG.

Extremer Weitwinkel. Wayne und Scout in der Mitte. Ohne Ton. Zeitlupe.

SWAT-Männer brechen durch die Fenster und Türen. Wayne und Scout eröffnen das Feuer.

Etwas später drängten sich seltsame, grüne Gestalten im Wohnzimmer. Grüne Overalls, grüne Gummistiefel und Handschuhe, grüne Gesichtsmasken. Die grünen Gestalten zeichneten die Umrisse der Toten nach. Einer von ihnen versuchte, einen Strich um Wayne zu ziehen. Die Kreide machte nur wenig Eindruck auf dem klebrigen Sumpf von geronnenem Blut, in dem seine Leiche lag. Der grüne Mann versuchte es mit etwas weißem Klebeband, aber auf blutgetränktem Langflorteppich klebt nichts besonders gut.

Das ganze Zimmer war von blitzenden Lichtern erfüllt, deren Effekt fast stroboskopisch war. Hunderte von Fotos wurden für die weitere Analyse gemacht. Die verzerrten Gesichter der Leichen flackerten in kurzen Augenblicken ruhmreicher Erleuchtung auf. Es schien, als zuckten ihre grotesk verdrehten Gliedmaßen im hart pulsierenden Licht.

Hunderte von Geschossen und Patronenhülsen wurden mit Pinzetten vom Boden aufgesammelt, mehr noch aus den Wänden gezogen. Haare wurden von Kleidern gesammelt, blutige Daumenabdrücke sorgsam konserviert. Den grünen Männern und Frauen entging nichts. Ein Paar pinkfarbener Doc Martens, mit Blutstropfen besprenkelt, wurde dort fotografiert, wo es lag, und dann in eine Plastiktüte mit der Aufschrift LAPD gelegt. Ebenso eine Dose Haargel, eine Strumpfhose, ein winziges Glas, das wunderbarerweise noch aufrecht stand und einen Spritzer *Crème de menthe* enthielt.

Dieser forensische Eifer machte wenig Sinn. Alle wußten, wer wen getötet hatte, wer gestorben war und wer überlebt hatte. Die ganze Sache war im Fernsehen gelaufen und würde schon bald in allen guten Läden auf Video erhältlich sein.

Allerdings gibt es Vorschriften, und die grünen Gestalten hatten eine Aufgabe zu erledigen. Eine vollständige Untersuchung der Ereignisse dieser schrecklichen Oscarnacht war bereits angekündigt worden. Die Behörden waren sehr darauf bedacht zu zeigen, daß sie trotz allem die Lage unter Kontrolle hatten.

Vor Bruces Haus wurden die Überlebenden mit heulenden Krankenwagen abtransportiert. Weitere Krankenwagen warteten auf die Toten.

Epilog

Bruce überlebte Waynes und Scouts blutige Auseinandersetzung mit den Gesetzeshütern, doch seine Karriere erholte sich nie mehr von den schrecklichen Ereignissen, an denen so mancher ihm eine Mitschuld gab. Inzwischen dreht er lahme, zynische Filme in Frankreich. Er hat ein Buch mit dem Titel *Wer trägt die Verantwortung?* über die Nacht geschrieben, in der Wayne und Scout in sein Leben traten. Darin teilt er die Schuld gleichmäßig zwischen Wayne und Scout, den Medien, der Polizei und den Millionen Menschen auf, die ihren Fernseher nicht abgeschaltet hatten.

Brooke erlag ihren Verletzungen. Später erklärten ihre Eltern, Bruce habe eine selbstsüchtige Diskussion führen wollen, statt die simple Erklärung abzugeben, um die Wayne ihn gebeten hatte, und daher habe er Brooke in der entscheidenden Phase, in welcher sie noch hätte gerettet werden können, die medizinische Versorgung verweigert. Dafür machen sie ihn verantwortlich und stehen im Begriff, ihn zu verklagen.

Bill und Kirsten kamen beide während des Polizeiangriffs ums Leben. Ihre Familien erklären nun, da beide Angestellte der Fernsehgesellschaften gewesen seien, hätten diese eine Sorgfaltspflicht gehabt und trügen daher die Verantwortung für ihren Tod. Beide Familien haben die Sender verklagt. Weiterhin haben sie die Polizei verklagt, die sie dafür verantwortlich machen, nicht früher eingegriffen zu haben. In einem getrennten Verfahren verklagen sie die Polizei außerdem dafür, dann später eingegriffen zu haben.

Auch Velvet kam im Kreuzfeuer um. Während eines Gedenkgottesdienstes in ihrer Schule erinnerte der Rektor die Trauergemeinde daran, daß die Gesellschaft eine Verantwortung für den Schutz junger Menschen wie Velvet trage, dieser jedoch nicht gerecht worden sei. Ihre Großeltern prüfen derzeit die Möglichkeit, die Erben von Wayne und Scout zu verklagen. In der größten einzelnen Schadenersatzklage der Geschichte verklagen sie darüber hinaus die Millionen Menschen, die ihre Fernsehapparate nicht abgeschaltet haben, da diese ihrer Ansicht nach ebenso eine Mitschuld trifft.

Zahlreiche Leute, die ihre Fernsehgeräte nicht abgeschaltet hatten, fanden sich zu Initiativen zusammen und gaben an, Angstzustände, Streß und seelische Qualen erlitten zu haben, und zwar aufgrund des schrecklichen moralischen Dilemmas, in welches die Fernsehgesellschaften sie gebracht hätten. Die Verantwortung dafür geben sie den Fernsehgesellschaften und klagen entsprechend auf Schadenersatz.

Die Fernsehgesellschaften bemühen sich momentan auf politischer Ebene um präzisere Richtlinien, wie man sich unter ähnlichen Umständen zu verhalten habe. In ihrer abschließenden Analyse geben sie an, nur die Regierung könne die Verantwortung für das Vorgehen öffentlicher Einrichtungen übernehmen. Sie haben angekündigt, daß man Verluste, die durch Forderungen gegen sie entstanden sind, auszugleichen gedenkt, indem man gegen die parlamentarischen Institutionen vorgeht.

Polizeichef Cornell und Nachrichtenchef Murray verloren wegen des Debakels beide ihren Job und machen sich gegenseitig dafür verantwortlich. Murray gibt an, Cornell hätte die Situation an sich reißen und die Belagerung früher beenden sollen. Cornell gibt an, Murray hätte den Mördern die Publicity verwehren sollen, die das Drama beschleunigt habe. In Zivilrechtsverfahren haben sie sich gegenseitig auf Schadenersatz für ihre Einkommensverluste verklagt.

Wayne Hudsons Familie setzt sich derzeit mit dem Sozialministerium auseinander. Angeblich sei die frühzeitige Vernachlässigung Waynes durch die Sozialarbeiter dafür verantwortlich, daß er kriminell wurde. Sie beteuern, es sei damals deutlich gewesen, daß Wayne keine angemessene Erziehung bekam, und meinen, er hätte in staatliche Obhut genommen werden müssen. Sie klagen.

Auch Scouts Familie klagt gegen das Sozialministerium. Sie geben an, Scout sei durch das ständige Eingreifen der Sozialarbeiter in früher Kindheit eine unsichere und leicht zu beeinflussende Persönlichkeit geworden. Sie sagen, Scout hätte nicht in deren Obhut kommen sollen und klagen.

Auf dem Capitol Hill erklärten die Republikaner nach dem Blutbad, die von den Demokraten vertretenen liberalen Werte seien dafür verantwortlich.

Die Demokraten gaben der republikanischen Opposition gegen schärfere Waffengesetze die Schuld.

Scout überlebte die Schießerei und wurde schließlich in eine geschlossene psychiatrische Anstalt verlegt, wo sie die Religion für sich entdeckte. Sie glaubt, daß der Allmächtige nichts ohne Grund tut und daß auf lange Sicht Gott die Verantwortung trägt.

Bisher hat noch niemand die Verantwortung übernommen.